MW00638066

TE DIGO MÁS...

ROBERTO FONTANARROSA

TE DIGO MÁS...

Y OTROS CUENTOS

EDICIONES DE LA FLOR

Ilustración de tapa: Caloi
Foto del autor: Quicho Fenizi

Cuarta edición: noviembre de 2001

© 2001 *by* Ediciones de la Flor S.R.L.
Gorriti 3695, C1172ACE Buenos Aires, Argentina
www.edicionesdelaflor.com.ar

Hecho el depósito de dispone la ley 11.723
Impreso en la Argentina
Printed in Argentina

ISBN 950-515-186-1

MAMÁ

A mi mamá le gustaba mucho el trago. No puedo decir que tomaba una barbaridad pero, a veces, cuando a la noche se acercaba a darme un beso, yo podía percibir su aliento pesado por el alcohol. Ella siempre me besaba antes de irse a dormir. Yo era chico, estoy hablando de cuando tenía ocho o nueve años. Ella se quedaba viendo televisión hasta tarde y, antes de ir a acostarse, venía y me daba un beso. Nunca dejaba de hacerlo. En la mayoría de los casos yo fingía dormir. O, si estaba dormido, habitualmente ella me despertaba sin querer porque se tropezaba contra los muebles en la semipenumbra. Tampoco podría precisar cuándo fue que ella empezó a beber con mayor asiduidad. Cuando nuestro padre vivía con nosotros, mamá casi no tomaba. En el almuerzo solía llenar su vaso con soda y luego coloreaba la soda con un chorrito mínimo de vino. Cuidadosamente, como si fuera un químico elaborando una fórmula altamente explosiva. Pero lo cierto es que, esas noches, en ocasiones, yo podía adivinar cuando se asomaba a la puerta de mi cuarto por el aliento. Me llegaba una vaharada espesa a vino común. Así y todo, me gustaba mucho que viniera a darme un beso. Además musitaba algo, como una plegaria o una bendición, que yo no llegaba a escuchar pero agradecía.

Bebía a escondidas o, al menos, no lo hacía abiertamente frente a mí. Seguía tomando el vaso de soda coloreada al mediodía, y también a la noche, pero nada más que eso. No sé si tomaría frente a Alcira, la señora que venía una vez a la semana a planchar, o en compañía de Zulema, la vecina del segundo piso, pero al menos frente a mí conservaba cierto recato. Poco tiempo después, cuando yo regresaba de la secundaria, había ocasiones en que la encontraba tirada en el gallinero. Teníamos un gallinero que compartíamos con Zulema, en uno de los ángulos de la terraza. Varias veces la encontré a mamá tirada entre las gallinas, que la picoteaban. No era lindo de ver. Las gallinas le ensuciaban encima, o ella se ensuciaba con la caca de las gallinas y, además, se le llenaba el vestido de plumas. Yo no sabía bien qué hacer en esas ocasiones. Al principio me volvía al departamento y me hacía la leche yo solo, para no ponerla en el difícil trance de explicarme su situación. Pero una vez, enojado, la zamarreé hasta despertarla. Me dijo que se había dormido sin querer mientras buscaba huevos para la noche, que el sol estaba muy lindo allí en la terraza. Pero olía espantoso y no sé dónde metía las botellas.

Compraba, recuerdo, licor de huevo al chocolate. Las borracheras con licor de huevo al chocolate son terribles, devastadoras. Había días en que amanecía verde, descompuesta, con un dolor de cabeza infernal. Me decía que había tomado una copita de licor de huevo y le había caído mal. Que el hígado le latía. Siempre recuerdo esa expresión suya, "que el hígado le latía". Era muy ocurrente para hablar, muy divertida. Pero yo veía, en el cajón de basura, cómo se acumulaban las botellas. Se escondía para beber. A veces mirábamos televisión —a ella le gustaba muchísimo el programa de Pipo Mancera— y de pronto se iba al baño. Sabía que el baño era un lugar eminentemente privado y que yo no me iba a atrever a espiarla allí, como sí lo había hecho una vez cuando ella se metió debajo de la mesa del living con la excusa de buscar un carretel de hilo que se le había caído. Alcé el mantel y la sorprendí con una petaca. Me empecé a preocupar realmente cuando se tomó una botella de alcohol "Abeja", un alcohol para desinfectar lastimaduras. Mamá era increíblemente dulce conmigo. Un día yo me corté un dedo recortando figuritas, con la tijera. Desde chico me gustó recortar figuritas de las revistas de modas. De los "figurines" como decía ella. Me salía bastante sangre. La yema del dedo siempre sangra mucho. Ella vino corriendo con gasa y la botella de alcohol. Me puso alcohol en el dedo y después, directamente del pico del frasco, se tomó un trago. "¡Mamá!", la alerté. Mi padre nos retaba cuando nosotros bebíamos directamente del pico, aun siendo gaseosas. "Es que me ponés nerviosa", me dijo. Pero después se tomó todo lo que quedaba en el frasco. Sin embargo, no dio señales de que le hubiese caído mal ni mucho menos. Tenía bastante conducta alcohólica con el "Abeja". No así con el perfume. Un día la acompañé a una perfumería, después de ir al cine. A ella le gustaba mucho el cine, en especial las películas de piratas. Vio tres veces "Todos los hermanos eran valientes". Conozco mucha gente que ha visto tres veces una misma película. Pero ella la vio en un mismo día. Me dijo que quería comprarse un perfume. A la vendedora le pidió alguno que fuera frutado. Yo no creo que mamá tuviese un gusto refinado para los vinos. Se había hecho, lógicamente, dentro de los parámetros de la clase media. Y mi padre no pasaba de los vinos Chamaquito, Copiapó o Fuerte del Rey. Yo la veía aparecer a mamá oliendo a perfume y nunca sabía si se lo había puesto o se lo había tomado. O las dos cosas. Era difícil, sin embargo, verla dando pena o tambaleante. Se dormía con facilidad, eso sí, como en el caso con las gallinas, o se le ponía un poquito pesada la lengua, pero nada más. Podría afirmar, por ejemplo, que nunca me hizo pasar un papelón en alguna fiesta familiar. Yo detectaba un cierto cuidado, una cierta atención especial hacia ella de parte de mis tías o de abuela Alicia, como decir "Sacale la copa a Dora" o "Decile a Dora que pare", pero nada más. Algún codazo intencionado, a veces, cuando mamá preguntaba por el clericó. Eso sí, se reía con mucha facilidad cuando tomaba, lo que no dejaba de ser, por otra parte, un costado simpático de su personalidad. Admito que hubo una especie de nervio y hasta una suerte de incomodidad en mi tío Adalberto, durante un almuerzo improvisado en casa de Chuco y Popola, cuando mamá no pudo parar de reírse en toda la sobremesa, aunque acabábamos de llegar del entierro de tía Clorinda. Pero era una mujer encantadora. En verdad encantadora. Siempre alegre, siempre dispuesta, pese a todos los problemas que vivimos y al asunto de papá, antes de que se fuera de casa. A la que no le gustaba nada el asunto era a Elenita, mi hermana. Obvié contar que tengo una hermana mayor que se llama Elena. Ella se ponía fatal cuando pasaban esas cosas, no soportaba que mamá bebiera como no lo soportaba a papá, tampoco, por otras razones. En el caso de papá creo que tenía algo de razón. Con mamá, en cambio, era excesivamente dura. Un psicólogo me dijo que mi hermana reclamaba lo que a ella le correspondía. No sé si coincido demasiado con eso. Por suerte nunca Elenita encontró a mamá tirada entre las gallinas en el gallinero. Lo que pasa es que mi hermana nunca subía a la terraza porque decía que le tenía terror a las alturas y porque aún conserva una extraña alergia a los animales con plumas. Veía un pollo y se brotaba. Si comía algo que incluyera gallina, se hinchaba como un globo. Aunque no supiera que el plato contenía gallina lo mismo se hinchaba, con lo que quiero decir que no era algo meramente psicológico. Un día tía Chuco, pobre, desconociendo este problema de Elena, le regaló una gallinita de chocolate para Pascuas, y a mi hermana la salvaron con un Decadrón. Se le había hinchado tanto la cara que parecía una japonesa. Los ojos eran dos tajos. Ella, justamente, que siempre ha presumido de tener ojos muy lindos. Pero mamá le caía muy bien a todo el mundo. En realidad, el problema de mamá no era el alcohol. Era el cigarrillo.

Fumar sí, lo hacía públicamente. En eso diría que fue una adelantada del feminismo. Una activista. Ella me contaba que fumaba desde los once años, a instancias de su padre, que tenía un puesto alto en el Ferrocarril Mitre. El padre la convidó con un cigarro de hoja, muy fuerte, justamente para que le desagradara y nunca más probara el tabaco, pero ella se envició. Había momentos en que eso sí me molestaba, porque fumaba mientras comía. Dejaba el cigarrillo —fumaba "Marvel" cortos, negros, sin filtro—, cortaba un pedazo de milanesa, por ejemplo, lo masticaba, lo tragaba, y le pegaba otra pitada al cigarrillo. Tenía el dedo índice y el anular de la mano derecha amarillos por la nicotina, casi verdes. Había veces en que mi padre le reprochaba que fumara durante la comida, agitando la mano exageradamente frente a su cara, como apartando el humo. "Es mi único vicio", decía mamá. Y en esos momentos era verdad, pues creo que ella empezó a beber vodka y ginebra después de que se marchó mi padre, sin que nadie supiera muy bien por qué. Y no pienso que mamá se lanzara a la bebida para olvidar el abandono de mi padre. Creo que, simplemente, se sintió liberada y ya pudo hacerlo sin mayores complejos ni presiones, salvo la actitud recriminatoria de Elena. Elena a veces se levantaba antes de la mesa, molesta por el humo. Se hacía la que tosía, incluso, para que no la retaran reclamándole que comiera el postre. Elena fue siempre muy dramática, muy histriónica. En casa éramos de una clase media típica. Pero de aquellos tiempos, cuando la clase media vivía bien, cómoda, tranquila. Al mediodía comíamos tres platos, por ejemplo. Una sopa de entrada, el plato fuerte y el postre, que casi siempre era fruta, o queso y dulce. Elena tosía, se levantaba y se iba. Siempre fue un poco teatral mi hermana. Para empezar a fumar, mamá aprovechaba cuando la sopa estaba bien caliente y echaba humo. Suponía que el humo de sus cigarrillos se mezclaba con el de la sopa y así se disimulaba.

Sin embargo no era abusiva. No era una persona a la que le importara muy poco lo que pasaba a su alrededor, con sus semejantes. La prueba es que se ofrecía, en ocasiones, a ir a leerles a los enfermos. El problema es que les leía sólo lo que le gustaba a ella y tuvo una agarrada muy fuerte con un estibador que había perdido una pierna al caérsele encima una grúa portuaria, y a quien mamá insistía en leerle *Mujercitas* de Luisa M. Alcott. Digamos —pa ra que quede claro— cuando papá y Elena insistieron con sus quejas por el hecho de que mamá fumaba en la mesa, dejó de hacerlo. Así de simple. Dejó de hacerlo. Fue cuando empezó a mascar tabaco, una costumbre que yo creía desaparecida con los últimos arrieros. Cuando compraba la fruta, mamá se traía para ella unas hojas de tabaco, las plegaba, se las metía en la boca y comenzaba a masticarlas. Es cierto, no producía humo, pero llegaba un momento en que se le escapaba un hilo de saliva marrón verdoso por la comisura de los labios, que me desagradaba mucho. Debo reconocer que siempre he sido un tipo bastante sensible. Y de chico, más.

Con el tiempo, mamá volvió a fumar. Le molestaba tener que ir a escupir al baño cada tanto, mientras masticaba tabaco, ya que, cuidadosa, no quería hacerlo frente a nosotros. Apunto que era muy obsesiva con el cuidado de la casa. Enormemente prolija, muy aficionada a los mantelitos calados, a las cortinas con encajes, a los macramés, a las puntillas. Bordaba muy bien. A mí me gustaba mirarla por las noches, acostado en su cama, escuchando en la radio el radioteatro Palmolive del Aire, mientras ella bordaba pañuelitos, masticando tabaco.

Era muy hábil para las manualidades. Después empezó a armar sus propios cigarrillos. Al terminar el almuerzo se recostaba en una reposera, en el patio, y empezaba a armar los cigarrillos. Tenía su propio papel, su propio tabaco. Era lindo mirarla mientras humedecía con saliva el borde del papel, apretaba el cilindrito como si fuera un canelón minúsculo, lo encendía, entrecerraba los ojos en tanto el humo subía. Empezó a hacer eso, es claro, cuando tuvo más tiempo, cuando ya papá se había ido y tampoco le aceptaban tanto que fuera a leerles a los enfermos. Toda una sala del Clemente Álvarez había hecho una huelga de hambre contra su presencia. Llegaron a organizar una marcha de protesta contra mamá, un tanto injustamente, porque ella tenía la mejor de las voluntades. En esa marcha un anciano, a poco de intentar caminar, sufrió la dolorosa revelación de descubrir que le habían amputado una pierna, lo que provocó más animosidad contra mi madre. Pero a ella no le importaba demasiado. Le bastaba tenernos a mí y a mi hermana, pese a que Elena también se iría poco tiempo después, cuando mamá le tomó —le bebió, digamos— un perfume carísimo que le había regalado su primer novio, el imbécil de Gogo Santiesteban.

Por cierto, cuando se le dio por fumar toscanitos "Génova", el aliento que tenía por las noches cuando se acercaba a darme el beso de despedida, era insoportable. Es duro decirlo, pero es así. Era como si hubiesen destapado una cisterna cenagosa, con agua estancada, con aguas servidas, una mezcla de solución biliosa con aroma a animal muerto. Era feo. Con el tiempo le daban accesos de tos muy fuertes. Ella decía que era culpa de la pelusa de las bolitas de los paraísos, esos árboles que, en verdad, le han arruinado los pulmones a más de un rosarino. Y luego, años después, le echaba la culpa a ese polvillo que llegaba desde el puerto, cuando los barcos cargaban cereal, no sé cómo le llaman. Tomaba miel, entonces, para suavizarse la garganta. Comía pastillas de orozuz. O iba a buscar huevos a la terraza para mezclarlos con coñac y quitarse la carraspera, y allí es cuando yo solía encontrarla tirada en el gallinero. Tenía linda voz mamá, muy cristalina, y solía cantar una canción que hablaba de la hija de un viejito guardafaros, que era la

14

princesita de aquella soledad. O esa otra que decía "en qué se mete, la chica del diecisiete". Pero se negaba a culpar al tabaco por su tos, cuando parecía que iba a escupir los dos pulmones a cada momento. Se le salían los ojos de las órbitas y lagrimeaba. Nunca la vi lagrimear por otra cosa a ella. Era muy alegre y ponía al mal tiempo buena cara. De inmediato mezclaba coñac con leche bien caliente, y decía que eso le calmaría la picazón de garganta, producida por las bolitas de paraíso. Yo sabía perfectamente que ése era un remedio para bajar la fiebre, pero ella se tomaba tres o cuatro vasos y luego me decía que se sentía mejor. Cantaba, para demostrármelo. Pero son cosas que, tarde o temprano, afectan a una persona. Tiempo después, de grande, a mamá se le habían caído dos uñas de los dedos de la mano derecha por la nicotina y al respirar se le escuchaba un crujido como el que hace un sillón de mimbre al recibir el peso de una persona. Se agitaba con facilidad y casi no podía subir los veinte escalones hasta la terraza. Sin embargo, sin embargo, yo creo que el problema de mamá no era el tabaco. Era el juego.

Ella sostenía que nunca jugaban por plata, con sus amigas, tía Eve, Zulema y las hermanitas Mendoza. Se encontraban una vez a la semana en casa de Zulema, casi siempre, y jugaban a la canasta uruguaya. Se pasaban, a veces, seis o siete horas jugando. "Es mi único vicio", decía mamá, y tal vez fuera cierto. Ella decía que el vino y el tabaco constituían, apenas, rasgos de personalidad. Lo cierto es que muchas veces desaparecían cosas de casa. Adornos, jarrones, espejos, o ropa de ella misma, y yo estoy seguro de que eso sucedía porque eran cosas que perdía en el juego con sus amigas. Reconocí, un día, un prendedor con forma de lagarto, muy lindo, verdecito, que le había regalado mi padre para el Día del Empleado Bancario, en la pechera de Marilú, una de las hermanas Mendoza. Yo no me animé a decir nada, pero mi hermana sí le preguntó y Marilú dijo que se lo habían regalado, que eran muy comunes. Que si uno en Casa Tía, por ejemplo, compraba cosas por más de un determinado valor, le regalaban uno de esos prendedores de lagarto. Era difícil de creer. Como cuando Zulema apareció con una estola, una boa símil zorro, que a mí me impresionaba de chico porque tenía la cabeza disecada del animal sacando un poco la lengua que, sin lugar a dudas, era la misma boa que había sido de mamá. Mamá me dijo que se la había regalado a Zulema para su cumpleaños pero yo no le creí. Lo mismo pasó con la bicicleta de Elena y creo que ésa fue otra de las cosas que mi hermana no pudo digerir y la llevó a irse de la casa. Aunque, en rigor de verdad, mi hermana ya hacía mucho que había dejado de andar en bicicleta cuando sucedió aquel asunto, pero lo mismo se enojó.

Para mamá fue un golpe fuerte cuando le prohibieron la entrada al otro hospital, el Vilela. Ya en el Clemente Álvarez le impedían leerles a los enfermos, a partir de aquel problema con el portuario y más que nada cuando decidió leerle *La peste* de Camus a un grupo que estaba en terapia intensiva. Entonces optó por ir al Vilela y jugar a los naipes con los internados, para entretenerlos. Supe que eso iba por mal camino cuando volvió a casa con un papagayo enlozado, casi nuevo. Me negó que se lo hubiera ganado a un tuberculoso en un partida de monte criollo. Insistía en que se lo había regalado un viejito nefrítico que estaba enamorado de ella. Admito que, de última, se había vuelto bastante mentirosa. "Imaginativa", decía ella, riéndose de mis reproches. Porque siempre me negó que ella jugara con los enfermos por dinero. Pero solía ganarles cosas valiosas a los pobres viejos. Bastones, piyamas, radios portátiles, cosas que significaban mucho para ellos. "Me sorprende de vos —le dije un día—. Siempre fuiste una persona muy buena y amable con la gente". Se puso seria. "Son viejos enfermos, terminales algunos, indefensos", le insistí. Fue la primera vez, podría jurarlo, que percibí una arista dura en sus palabras. "Las deudas de juego se pagan", me dijo, y encendió un Avanti.

Cuando perdimos el departamento y debimos mudarnos a uno mucho más chico, fue demasiado para mí. Ella decía que mi padre y Elena ya no estaban con nosotros y que era al divino botón mantener un departamento tan grande como el de la calle Catamarca. Que a ella le costaba mucho cuidarlo, limpiarlo y arreglarlo. Pero yo sabía que eran todas mentiras. Que había perdido el departamento en una partida de pase inglés jugando en el subsuelo del Club Náutico Avellaneda. Me fui a vivir, entonces, con Mario, un amigo. Me costó sangre porque he querido muchísimo a mi madre. Aún la quiero.

La última vez que la vi, la noté mal. No nos vemos muy a menudo. Está muy encorvada, los ojos salidos de las órbitas y su piel luce un color grisáceo arratonado. Sigue, de todos modos, siendo una persona encantadora, de risa fácil y trato jovial. La vi tan desmejorada que me tomé el atrevimiento de llamar al doctor Pruneda para preguntarle por su salud. El doctor Pruneda me tranquilizó. Me dijo que mamá está muy bien. Demasiado bien para sus vicios. Pero me dijo que el problema de ella no es el alcohol, ni el tabaco, ni el juego. Y me dio el nombre de una enfermedad. "Ninfomanía", me dijo. Y reconozco que no quise averiguar nada más. Incluso ni siquiera le pregunté a Carlos, que está estudiando Medicina y hubiera podido explicarme. Pero él se pone como loco cuando le toco el tema de mi familia. No sé, por lo tanto, qué significa esa palabra que me dijo el médico ni quiero saberlo. Temo enterarme de que a mí madre le queda poco tiempo de vida. Y prefiero guardar en mi memoria, en el recuerdo, esa imagen que siempre he tenido de ella. Esplendorosa, vital, encantadora, cariñosa y alegre.

APUNTES INICIALES
SOBRE LA HORMIGA PAMPEANA

Si insisto con la descripción de la hormiga pampeana es, más que nada, a instancias de don Joaquín Igualada, alguacil de Sevilla, quien lleva ya dos cartas apurándome con mi informe sobre este curioso ácaro pues, al parecer, está interesado en llevarlo a España con fines de reproducción. La hormiga pampeana o negra —tambutí para los nativos— es un insecto vivaz, nervioso, que tiende a agruparse formando colonias que a veces suelen llegar a tener hasta más de 14.000 individuos. No es agresiva y se la mata con facilidad pisándola con una bota. He visto, y admito que esto puede sonar inverosímil, más de 7800 de estas hormigas apretujadas sobre un carozo o hueso de damasco (fruta parecida a nuestra butifarra) sin molestarse, al parecer, por la promiscuidad ni por la incomodidad de la situación. Circula por angostísimos senderos trazados, supuestamente, por ella misma sobre la llanura y he observado individuos de esta especie que cargan hojas de yerba mate e incluso de coca —un estimulante del altiplano—, lo que me hace pensar que vienen desde muy lejos, quizás del Alto Perú, ya que otras transportan, asimismo, quenas, ruanas y trozos de cebiche. Don José Orzuelo de Vivar sostiene que el famoso Camino del Inca por donde se accede al Machu Picchu podría ser un sendero urdido por las hormigas. Tienen estos insectos dos antenas enhiestas y sus patas son, al parecer, 6 u 8. La poca precisión de mi informe en ese aspecto obedece a que son himenópteros de caminar veloz y animado, lo que hace dificultosa su observación. Por otra parte, este tipo de hormiga, al igual que su par valenciano, la hormiga pedregosa u hormigoña, es de hábitos nocturnos, lo que hace mi labor más complicada. Con el paso del tiempo, advierto que he ido perdiendo un poco la visión y, según el médico don Felipe Madeja de Quintana, eso se debe a la lejanía de los horizontes acá en Sudamérica. La planicie permanente, en su tozudez, obliga al caminante a un constante forzar de la vista para divisar zonas remotas. No es el caso, se me ocurre, del naturalista, geógrafo y militar don Félix de Azara, de cuya capacidad visual me permito dudar grandemente, más aún luego de haber leído su último informe elevado a los Reyes donde confunde, palmariamente, un avestruz pampeano con un ceibo, árbol monocotiledóneo de corteza rugosa que se usa preferentemente para lavativas estomacales.

El avestruz, que acá recibe el nombre de ñandú o charo o bien, chabela, tiene gran similitud con la garza gaditana a la que supera, no obstante, en velocidad, sociabilidad y capacidad organizativa. Es un animal huidizo, al que se mata con facilidad pegándole con un garrote en la cabeza. No se asusta del cristiano y, recibido el golpe, muere en menos de lo que canta un gallo.

El gallo es otra especie interesante de esta tierra irredenta. Se parece al gallinazo gallego pero su voz es estentórea y su canto, formidable. Lamentablemente, se empecina en cantar al alba, lo que le ha valido su casi exterminio por parte de los indios que gustan de dormir a pata suelta hasta el mediodía. Sería interesante enviar varios de estos animales a nuestra lejana patria, pues se adaptarían fácilmente al clima ventoso de San Sebastián, por ejemplo, y sus valiosas plumas de la cola podrían engalanar más de una procesión festiva de la Virgen del Rocío. No habría, eso sí, que repetir el error cometido con el envío de cuatro jaguares —yaguareteces como aquí se los conoce—, envío del que se ocupara el mismo Azara en el mes de enero con la intención de que estos magníficos felinos se reprodujeran en Pontevedra la Vieja, sin reparar en que había mandado cuatro machos, animales todos de un mismo sexo. Quiero acá, sin embargo, defender el resquebrajado prestigio de mi colega Azara aclarando que, en este caso, no creo que el error haya sido producto de su miopía. En muchas oportunidades, con estos animales, es difícil determinar su sexo y eso, en ocasiones, se consigue sólo tanteándoles las verijas o entrepiernas posteriores, gesto que el felino suele recibir con particular desagrado considerándose, quizás, ultrajado en su dignidad. He visto criollos despedazados a zarpazos por uno de estos grandes gatos ante el mínimo acto de palparles los cuartos traseros.

Quisiera comentar, aquí, de paso, cómo se combate la miopía por estas tierras incultas. Este mal se da, extrañamente, en un solo ojo, que es el que los indios charrúas fuerzan cuando apuntan, cerrando el otro, al lanzar sus flechas embebidas en fernet. Los sabios de la tribu cortan largas tiras de piel de conejo y luego, con ellas, atan las manos de los guerreros para que no puedan usar el arco nunca más. En tiendas indias he podido presenciar cómo las mujeres cortan pedazos de cactus, les quitan las púas (que suelen usar como anzuelos o para escarbarse los oídos), los muelen a palos y después los embeben en una emulsión derivada del orín del zorrino o zorrillo. Este mamífero pestilente es muy parecido a la sobrasada catalana, pero más dinámico y movedizo. Es fácil de cazar y se lo mata acertándole un buen garrotazo en el pescuezo. No obstante, ante la cercanía del peligro ni se mosquea.

La mosca es otra realidad de estas llanuras húmedas. Se me ocurre que nosotros mismos la hemos traído en nuestras barcas ya que, en su zumbido, revelan el uso intensivo de la zeta, tan castiza y tan nuestra. Las hay de distintas especies, pero una en especial es peligrosa. Se aquerencia en las casas y, por las noches, acostumbra a meterse en los oídos de los que duermen para, allí, poner sus huevos. Esto no sería nada, pues el resultado de tan odiosa actitud no pasa de un mal momento para el que se despierta recubierto de larvas y, por lo tanto, picoteado por las gallinas que no desean privarse de esas delicias. Lo que ocurre es que luego las gallinas imitan a las moscas y también ponen sus huevos sobre el pecho de los que dormitan, con los inconvenientes que esa elección acarrea. He visto amanuenses despertarse con pollitos hasta debajo de las ropas. E incluso ha habido casos de avestruces que han tomado tan fea confianza sepultando al que descansa con huevadas que superan las quince arrobas de peso, el equivalente a una campana de bronce de la iglesia de San Sulpicio, sin badajo.

Otro insecto anélido repugnante es el gusano emborí o gusano Barbosa (se atribuye su descubrimiento al dermatólogo portugués Rui Barbosa). Este invertebrado se desplaza por el suelo con lentitud exasperante y va dejando a su paso un rastro plateado. Se lo combate fácilmente con agua hirviendo, sal gruesa o bien dejando caer sobre él algún mueble frailero. Cuenta el libro *Eldorado. Inversión de riesgo*, del ecónomo lusitano Tancredo do Pelourinho, que Rui Barbosa siguió el rastro de plata de uno de estos gusanos durante cuatro años pensando que lo conduciría a los tesoros de plata de Potosí, Cochabamba y La Paz. Pero abandonó su codicioso intento al descubrir que, en todo ese tiempo, sólo había transitado media legua.

Tras esta simpática digresión, retomo el tema de la cura para la miopía. Luego las mujeres colocan el emplasto sobre el ojo enfermo del hombre y lo aseguran allí mediante tiras de cuero de piel de churrinche, verdejo emparentado con nuestra ensaimada mallorquina. El enfermo conservará ese parche para toda su vida y, por lo tanto, no deberá preocuparse nunca más por su modesta visión.

He visto también tratar un forúnculo o grano pustulento, llamado aquí golondrino, con una antorcha. Pero dejaré esa explicación para más adelante, cuando se me haya pasado un tanto la impresión. No me es difícil imaginar qué causa pudo haber provocado la miopía o virtual ceguera de Azara y, aunque él lo niegue, lo lleva a sostener cosas insostenibles, impropias de un naturalista que ha escrito verdades a puño en su libro *Insectos del Perú*, publicado en Génova, y su acápite "Larvas". Azara narra, con la prístina economía de términos que siempre ha caracterizado su literatura, el encuentro con un batracio del tamaño de una cerámica de Granada. Por la descripción del animal, no dudo de que se trata de un sapo de la zona paraguaya o sapo cururú. Es un celenterado casi amorfo, anuro, que puede alcanzar una altura de casi dos pies —o hasta de cuatro pies si salta— un ancho de cuatro brazas y un peso de cinco onzas, lo que lo convierte en un ejemplar asqueroso. En su periodo de celo, hincha el cuello de forma tal que su volumen puede crecer cuatro o cinco veces, al punto de que los indios matacos los usan como flotadores para cruzar los ríos, o para arrojarse en una de las tantas ofrendas a sus dioses, por las caídas de agua de Apeupén e Iguazú, tres veces más altas que la cúpula de la iglesia de Compostela. Este sapo tiene la desagradable costumbre, al igual que el mastín gaitero de Andalucía, de despedir un orín espeso y maloliente cuando se ve en peligro, apuntando siempre en dirección de los ojos de su enemigo. Dicho problema lo resuelven los indios —que los cazan para regalar a sus niños, domesticarlos o comerlos cocinados al papilote—, acercándose a estos individuos con los ojos cerrados. El sistema es seguro pero nunca he visto indio alguno que llegara a cazar un sapo ya que invariablemente los nativos se estrellan contra los árboles o caen por las riberas de las cascadas. Si el orín penetra en los ojos de cualquier ser humano produce un espantoso ardor y se pierden, una a una, las pestañas. También ocasiona diarreas, vómitos e hipo convulsivo, pero esto último se atenúa con los meses. No vacilo en afirmar que Azara sufrió algún tipo de contratiempo semejante ya que, bajo ningún concepto, puede confundir un avestruz con un ceibo por más inmóvil que estuviese el animal. Y con respecto a dicha ave corredora, he llegado a la conclusión de que sufre algún tipo de fobia. Consulté con el doctor Pedro María Montemolín —también aquejado por una inexplicable manía frente al durazno en almíbar— y me explicó que así como el halcón pampeano o carancho, o carcará de las tunas, sufre de vértigo y no puede volar sino a saltitos pues de lo contrario se marea, el ñandú teme a los espacios abiertos y es eso lo que lo lleva a esconder su cabeza en cualquier agujero que halle en el suelo. Así, convencido de que se halla en un claustro oscuro, se tranquiliza lo suficiente. Yo, personalmente, he visto a uno de estos marsupiales meter la cabeza en un hormiguero para superar la fobia, y sacarla luego cubierta de hormigas como si nada. He visto con repugnancia a otro, entrar en un convento e introducir la cabeza en un hueco cavado por el sacristán para usarlo a modo de letrina.

Puedo volver al tema del sapo sin temor de que éste se haya ido, ya que son animalitos sedentarios, lacrimosos y saltones, al estilo borbónico, a los que se mata fácilmente de un garrotazo en la cabeza si es que antes se les ha arrojado, para distraerlos, una chafalonía por delante. Suelen deslumbrarse con los brillos de la plata o la chirola y quedan allí, inmóviles, como hipnotizados. Así los terminan los gauchos, aplicando ese sistema que también emplean con los indios. Pero lo que más me revela de Azara en su último informe sobre "Plantígrados de Buenos Aires" (donde incluye al obispo Fernando Riego por su pie plano) es la afirmación de que en la zona baja del estuario existen osos. Se refiere, puntualmente, a "un oso de pelambre amarilla, de movimientos torpes, que se alimenta de moras, bayas y otras frutillas silvestres, con grueso hocico negro y que nada tiene que envidiar a nuestro oso malagueño que habita con los gitanos, ni en su andar ni en su facilidad para el baile con pandereta". En principio, yo he recorrido toda América meridional y no he visto ni he sabido de la existencia de osos, en lo que se conoce por oso, oso, comúnmente dentro de la religión cristiana. El oso europeo, el oso de los Urales, el oso propiamente dicho, el oso románico o griego, el oso al que le cantaran las Églogas de Pilapeos o el mismo Armenón el Zopenco, en América no existe. Hay un chancho, conocido como chancho de las almacías, pecarí o cerdo barrero, que habita las riberas de los bañados y que puede confundirse con un oso, si el cristiano lo observa al anochecer, ebrio y desde unas catorce leguas. Este porcino, de fornido porte, macizo y peludo, se alimenta solamente de frutas secas, llámense nueces, avellanas, castañas o pasas de uvas. La llegada de nuestros compatriotas lo ha habituado, incluso, a comer turrón de Alicante, que lo enajena, y se lo ve en piaras de más de 200 o 300 individuos detrás de cualquier marinero recién llegado de ultramar. Su apetito es voraz y come con la boca abierta cuanta fruta seca encuentre al pie de los nogales, llegando a devorar, incluso, rocas o nidos de hornero (un pájaro de la zona que construye su nido al estilo de las casas mediterráneas pero sin blanquearlas). Cuando este chancho no encuentra más alimentos en el suelo, se yergue sobre sus dos cortas y poderosas patas traseras, procurando alcanzar los frutos de las ramas altas. A veces, permanece así más de cuatro o cinco horas, apoyado en el tronco del árbol, al punto de que, en muchas ocasiones, adopta luego esa posición para siempre y se marcha a su pocilga caminando en dos patas, como un cristiano. Es una deformación de comportamiento, como la de don Ismael Bravo de Ayala, soldado de la Reina, quien, por el trasegar constante de caña (bebida que se obtiene uniendo un destilado de caña de azúcar con la melaza obtenida de la grasa para lubricar ejes de carretones), dejó de caminar sobre sus dos pies para desplazarse, desde hace ya años, en cuatro patas como los equinos.

Tampoco he visto osos en Montevideo ni en Lima, aunque sí he visto armadillos flotando boca arriba en el lago Titicaca, de la misma forma que los viera en el lago Neuchatel, en Suiza, lo que me hace pensar que ambos espejos de agua podrían estar unidos por debajo. Por debajo del armadillo, para ser más precisos. Pero lo que más me confirma la equivocación de Azara y su error con respecto al oso mencionado, es una simple confrontación de fechas. El 4 de enero de 1788, ambos coincidimos en las inmediaciones de Montevideo, adonde yo me había trasladado siguiendo el errático caminar de la hormiga criolla, cuya caravana perseguía desde Oruro. Azara había recalado en casa de don Ovidio Prim, casi en los arrabales de Montevideo, adonde sus pasos lo habían llevado para confirmar que el Atlántico era en verdad un mar y no, como algunos geógrafos sostienen, apenas un arroyo desmadrado. Por intermedio de don Nicasio Efraín Altuna, alcalde de la ciudad, Azara me invitó a compartir una cena con él, invitación que yo rehusé gentilmente ya que el seguimiento de la hormiga ocupaba todo mi tiempo. Por otra parte, lo admito, no quería caer nuevamente en la bizantina discusión acerca del ñandú y el ceibo que ya nos había puesto en más de una situación engorrosa. Sé que en horas de la tarde, Azara se aventuró por los pajonales de Pocitos, zona denominada así por unas extrañas depresiones en el piso (producidas tal vez, por las vizcachas), procurando redondear sus conocimientos sobre el pato yorugua o pato murguero, ánade que camina hacia adelante y a los costados silbando e imprimiendo unas raras contorsiones a su cuerpo. Yo, por mi parte, cubierto por un poncho amarillo dado el frío del atardecer, había interrumpido mi seguimiento científico de la hormiga para trepar a un árbol a fin de apoderarme de un panal de abejas para alimentarme con la rica miel que dichos insectos alados manufacturan. En ese momento me golpeó duramente en la nariz un bolazo indio, arrojado desde el otro lado del río con singular precisión. Caí sin ver a mi agresor, uno de los dueños del panal seguramente, ya que estos indios charrúas, entre sus actividades primarias, han unido a la caza y la pesca, la apicultura. Sangrando por mi boca y mi nariz, supongo que deambulé atontado por el golpe y la sorpresa casi veinte minutos, buscando a tientas lugar en donde afirmarme, profiriendo aullidos de dolor. Sin duda, fue entonces cuando Azara debe haberme visto, desde lejos, con el inconveniente de su acentuada miopía, confundiéndome con un oso.

Me apresuro a aclarar a usted esto, antes del lanzamiento del tercer tomo del libro escrito por Azara, *Osos de la América meridional*, esperado con entendible expectativa por los gitanos.

Suyo,

Enrique Díaz Moreno

PERSONAJES

Sentado sobre uno de los fríos bancos de mármol, mirando sin ver la tumba indicada, Froilán oyó la voz del muchacho.

—Viejo...

No había sido un llamado, sino más bien una pregunta.

—Viejo... —se le acercó, ya más seguro, el joven—. ¿Qué hacés acá?

—Hola, Pablito —se alegró moderadamente Froilán, sin levantarse—. ¿Qué hago? Qué sé yo qué hago...

El muchacho se sentó junto a él, las manos en los bolsillos del sobretodo algo raído, oscuro y con las solapas levantadas.

—No es el mejor lugar para quedarse mucho tiempo —dijo el pibe—. Con este frío —le salía vapor por la boca cada vez que hablaba.

Froilán sonrió, forzado.

—No te vayas a creer... Hay tipos que se pasan mucho tiempo acá —dijo—. ¿Y vos qué hacés en un cementerio? Tampoco me parece el mejor lugar para un adolescente.

—Me dijo que viniera. Que te iba a encontrar.

—Ah, claro... —Froilán meneó la cabeza, siempre mirando hacia el frente, fastidiado—. Que me ibas a encontrar... ¿Y te dijo qué teníamos que hacer?

El pibe negó con la cabeza.

—No. Ni mierda —contestó.

—Claro..., claro... ¡Qué fácil la hacen! ¡Qué fácil la hacen! —Froilán lanzó un escupitajo mínimo, sobre la grava del camino.— Siempre lo mismo. Qué fácil la hacen estos hijos de puta.

—¿Por qué?

—Porque yo los conozco. Y lo conozco, especialmente, a este tipo. Ya trabajé para él en otra historia, sé como labura... Es siempre lo mismo, el mismo rebusque... Te deja en banda...

—¿Trabajaste en otra?

—En la anterior.

—¿Y hacías este mismo personaje?

—Con otro nombre, pero casi el mismo. Vos viste que hay tipos que les va bien con una cosa y luego repiten el mecanismo, el sistema, todo, la estructura...

—Borges decía que siempre se escribe el mismo libro.

—¿Borges dijo eso?

—Creo.

—¿Y entonces por qué no escriben uno solo y se dejan de hinchar las pelotas? Que escriban uno solo.

—El negocio, Viejo. El negocio. Para ganar más guita.

—Atate los cordones.

El pibe se miró las zapatillas de básquet. Tenía los cordones desatados, pero metidos dentro de los bordes del calzado, rodeando los tobillos.

—Se usan así —se había parado de nuevo, siempre las manos en los bolsillos. Era alto, más alto que Froilán—. Te cagás de frío ahí sentado.

—Te dejan en banda, te largan solo —insistió Froilán—. Así cualquiera.

—No entiendo... —El pibe caminaba unos pasos para desentumecerse, sin alejarse demasiado, aplastando minuciosamente con la punta de sus zapatillas las hojas secas del otoño.— ...Como que te largan solo.

—Te ponen en una situación como ésta —explicó Froilán—. Mirá qué joda. Te ponen en una situación como ésta... Un padre se encuentra con su hijo, después de varios años de no verlo, luego de la separación con la madre, en un cementerio, los dos reunidos frente a la tumba de una mujer que no se sabe quién es...

—¿Cómo? —lo miró el muchacho—. ¿Vos no sabés de quién es la tumba que estás visitando?

—¡No! No sé. No tengo la más mínima idea. Sé que es de una mujer que ha tenido un papel importante en mi vida, pero eso es todo.

—¿Y entonces?

—Entonces, este tipo, te pone en esta situación. ¡Nos pone en esta situación, a vos y a mí! Este tipo piensa: un padre se encuentra con su hijo, a quien no ve desde hace tiempo, frente a la tumba de una mujer misteriosa que ha tenido mucho que ver con la historia personal de él, del padre, o del hijo, o de ambos... Perfecto... ¡Y algo va a salir de allí! ¡Algo va a salir! Eso es lo que piensa este hijo de puta. Piensa que nosotros tenemos que decidir lo que vamos a hacer. Que a vos o a mí se nos va a ocurrir algo interesante como para continuar con la novela... Es la puta modalidad de estas estructuras libres... "¡Yo arranco de una situación de partida y luego el mismo relato me conducirá solo!" Eso es lo que piensa... Ése es su sistema...

El pibe detuvo su caminar en círculos. Miró hacia los costados, pensativo, hacia las arboledas, los senderos cubiertos de hojas, las hileras de tumbas.

—Y bueno... —murmuró, una mano tomando el mentón—. Pensemos algo. Pensemos algo como para continuar.

—¡Tomá! —estalló Froilán, sin levantarse—. ¡Tomá si voy a pensar algo! Que piense él que tiene la obligación, o el interés. Que piense él ya que dice que labura de esto, que eso es lo que no se cansa de decir en los reportajes.

—Pero... Tampoco te vas a quedar indefinidamente aquí. Con el frío que hace...

—¿Y por qué no? —Froilán lo miró, desafiante—. Por supuesto que me voy a quedar acá, Pablito. Me voy a quedar todo el...

—Julio...

—¿Cómo?

—Julio. Yo soy Julio.

—¿No sos Pablo?

—No —Julio sonreía, suavizando el momento.

—Pero antes te dije Pablo y...

—No te quise interrumpir, seguiste hablando. Yo soy Julio, Iván es el del medio y Pablo el más chico...

—¿El del medio no es Gonzalo? —el rostro de Froilán mostraba real confusión.

—No.

—Ah no... —se mordió el labio inferior, Froilán—. Gonzalo era un tipo que aparecía en la historia anterior... Pero, oíme —Froilán estudiaba ahora la cara del muchacho que continuaba parado frente a él—. Vos tenés mucha pinta de pendejo, por eso te confundí con Pablo. Pero vos ya debés andar por los 24.

Julio hinchó el pecho en una aspiración larguísima.

—Es que no crecí, Viejo —suspiró—. No crecí. —Volvió a sentarse junto al padre, en el banco de mármol.— Viste que hay personajes que crecen dentro de un relato, que cambian, que ocupan lugares que, en principio, no le correspondían, porque eran personajes laterales. Bueno, en mi caso, yo no crecí. No sé... tal vez tuve pocas oportunidades, pocos diálogos, pocas intervenciones. Tal vez no estaba bien preparado...

—¿Debo interpretar, con eso, que yo tengo parte de culpa? —se puso las manos sobre el pecho, Froilán.

—No. No —se apresuró a puntualizar, Julio—. No es tu culpa, no es tu culpa. Si cuando empezó esta historia vos y mamá ya estaban separados. Vos ni interviniste en mi educación...

—Peor todavía... Ahora resulta que yo evadí mis deberes de...

—¡Para nada! ¡Para nada! Cuando yo aparezco, ya estaba el...

—Porque siempre es lo mismo —se ofuscó Froilán—. Es como con tu madre. Siempre, al final, el culpable soy yo. Empieza hablando del mal tiempo y siempre termino siendo yo el que la liga. Tu madre leía en el diario que había habido un terremoto en Turquía y, no sé cómo mierda hacía, pero al final el culpable era yo...

—Nosotros ya estábamos viviendo con Marcelo —completó Julio.

—¿Quién es Marcelo?

—Viejo... —abrió los brazos Julio, otra vez de pie—. Viejo... Es el tipo que vive con mamá y con nosotros...

Froilán resopló.

—Es el quilombo de estos relatos con tantos personajes —dijo—. Te perdés con tanta gente. Llega un momento en que no sabés quién es quién... Habría que hacer como en los libros de antes, que al principio aparecía una lista con todos los personajes, indicando qué hacía cada uno y qué parentesco los unía...

—Eso es cierto. ¿Para qué tres hermanos, por ejemplo? Con dos alcanzaba.

Se quedaron un rato en silencio. Vibraba, en el aire, el sonido del viento entre las ramas desnudas, el raspar de las hojas secas contra las baldosas rotas de los senderos angostos.

—Y entonces... —preguntó Julio—. ¿Qué vas a hacer?

Froilán no contestó. Se apretó la punta de la nariz con los dedos de la mano derecha, como comprobando que aún tenía sensibilidad en esa zona.

—Nada —se encogió de hombros.

—Pero... —Julio miró hacia arriba—. Se viene la noche.

—En todo sentido se viene la noche, Julito —sonrió Froilán—. Y a nuestro jefe también se le viene la noche... Porque yo no pienso mover un dedo para salir de esta situación...

—Pero, Viejo...

—Que labure él, mi querido. Yo ya me cansé de sacarle las papas del fuego. Esta vez que labure él.

—No sé... No sé... —Julio miraba hacia otro lado, serio.

—¿Vos te creés que a mí me gusta estar aquí? —preguntó Froilán. Consultó el reloj—. Hace como... ocho...

nueve horas que estoy aquí, esperando que a este tipo se le ocurra algo, que arranque para algún lado...

Otra vez la pausa. El silencio.

—¿Sabés qué es lo que me da más bronca? —retomó Froilán—. Que esto va a terminar siendo un cuento. Y un cuento corto. Arrancó como para una novela, con muchos personajes, tipo Tolstoi, con un ritmo lento...

—Y se empantanó.

—Se empantanó. Cagó, cagó, cagó...

—Y... —sonrió, amargo, Julio—. Para encarar algo tipo Tolstoi hay que ser Tolstoi...

—Y este tipo, a Tolstoi, no le ata ni los cordones de los botines...

—¡Por favor! —Julio casi se contorsionó, sin quitar sus manos de los bolsillos—. Está a años luz...

—Pero entonces te caga... —por primera vez, Froilán se había puesto de pie, tosiendo— ...te caga porque vos te confiás pensando que tenés laburo para un rato largo, para una novela clásica... Y resulta que todo termina nada más que en un cuento. Y en un cuento corto. Y te quedás en pelotas. Sin laburo de nuevo.

—Bueno, en una de ésas por ahí es mejor. No lo tenés que aguantar.

—Sí... —Froilán giró sobre sí mismo—. Pero tenés que esperar a que el tipo termine con todos los otros cuentos. No va a largar algo con un cuento o dos, nada más... A menos que el que te toque sea el último.

—Eso es cierto...

Froilán tosió de nuevo, con más intensidad. Se tapó la boca con un puño, doblado por el esfuerzo, caminando hasta casi ocultarse tras una estatua.

—¿Qué te pasa? —se alarmó Julio.

—No quiero que me vea —logró decir Froilán, imprevistamente afónico—. A ver si me ve toser y se le ocurre que yo tenga una enfermedad terminal...

—No creo.

—Yo tampoco. Pero, en la desesperación... Siempre un protagónico con una enfermedad terminal genera otras puntas, otras posibilidades...

—¿No te dio ningún dato, ninguna indicación, ningún indicio? —volvió a la carga Julio, incrédulo.

—¿De que yo pueda estar enfermo, jodido de los pulmones?

—No. De algo. De la trama.

—Nada, nada —Froilán había recobrado el tono habitual de su voz—. Lo único que yo sabía es que tenía que venir acá y pararme adelante de esta tumba. Lo único. Ni flores traje.

—Y yo sabía que tenía que venir acá y encontrarme con vos. Es más, pensaba que vos sabías cómo seguía...

—¿Es un reproche? —lo miró, herido, Froilán—. ¿Es otro reproche?

—Para nada, para nada. Uhhh, no se te puede decir nada, Viejo...

—Es que, primero lo de la educación, que no me hice cargo, ahora esto... Ya estás como tu madre que...

—Pensaba que vos sabías, nada más... No te dio nada, no te indicó nada...

Froilán negó con la cabeza, enérgico. Buscaba algo en los bolsillos de su sacón oscuro, golpeó con la mano abierta sobre los bolsillos laterales.

—¿Qué buscás? —preguntó Julio—. ¿Vas a fumar?

—Froilán asintió—. No seas boludo. Decís que tenés miedo que este tipo te tire con algo malo y seguís fumando...

—Es verdad. Es verdad... —pero Froilán había tanteado algo adentro de uno de sus bolsillos laterales. Puso cara de extrañeza—. ¿Qué es esto? —se preguntó, levantando hasta la altura de sus ojos un boleto de avión.

—Un pasaje —se acercó Julio.

—Un pasaje a Australia —leyó Froilán, con ojos de intriga—. "Sydney" dice. ¿Sydney es Australia, no?

—Bueno, algo es algo. Es una punta —Julio se había alegrado, imprevistamente.

—Tomá —Froilán estiró el pasaje a su hijo—. Usalo vos. Es otro de esos recursos desesperados de este hijo de puta para ver qué pasa. Seguramente no tiene la más mínima idea de lo que puede suceder después. Es el facilismo. Caer en la crónica de viajes. Me juego la cabeza que mañana me encuentro en un cementerio de Sydney sin saber qué carajo hacer, en la misma situación de ahora, sin guita ni pasaporte. Acá, por lo menos, estoy cerca de casa.

—Claro —Julio sostenía el ticket en su mano izquierda—. En todo caso, que el que se joda sea yo.

—Vos sos joven, Julito. Tenés todo por delante. Australia es un país de promisión, con gran futuro... ¿Qué te vas a quedar haciendo, acá?

—Es verdad. Es verdad —el muchacho se metió el pasaje en un bolsillo—. A mí me gusta la idea. Total, llegado el caso, me vuelvo...

—Te volvés.

—¿Y vos? —se preocupó Julio—. ¿Insistís en quedarte acá? —Froilán asintió, porfiado.— ¿Por qué no te vas a algún bar, a algún boliche? Debe haber alguno por acá cerca del cementerio. Por lo menos te tomás un café, a la noche te comés una pizza, ves algo por televisión.

—Me quedo acá hasta que a este tipo se le ocurra algo —Froilán volvió a sentarse, teatral—. Además, no te olvides de que yo tengo un protagónico, no tengo un personaje lateral, tengo un cierto grado de responsabilidad... Pero no le voy a dar el gusto a este rufián, Julito. No le voy a dar el gusto. Que me saque él de ésta, ya que él me metió.

Otra vez el silencio. Empezaba a oscurecer y hacía más frío. Cada uno miraba hacia puntos diferentes.

—Chau, Viejo —Julio se acercó a Froilán, se agachó un tanto y le dio un beso leve en la mejilla—. Me piro.

—Chau. Que te vaya bien —Froilán apenas le tocó el brazo con su mano.

—Cuidate esa tos.

Froilán elevó el dedo índice en el aire, asintiendo.

—Julio —llamó después. El muchacho se detuvo a pocos metros, en el sendero y giró hacia su padre.

—Esto nos pasa por estar en manos de un pelotudo —gritó Froilán, casi riendo. Julio se rió también. Giró, y con las manos en los bolsillos, se alejó corriendo.

"A ver si se pisa uno de esos cordones y se caga de un golpe", pensó Froilán.

DESDE EL FOSO

Es difícil describir el horror. El agua, hasta donde puede verse bajo la luz del bote, luce como una melaza oscura, verdosa, espesa. Una suerte de crema algo densa, llena de grumos, coágulos delicuescentes, que apenas acepta el paso de nuestra embarcación, que va muy lenta. Iván rema despacio, con el único remo corto que había en el bote. El calor húmedo de la noche es sofocante y, a poco andar, siento el pecho y los muslos empapados, aunque no sé muy bien si es por el sudor o por las salpicaduras del agua cálida que levanta de tanto en tanto el remo de Iván. Yo estudio lo que se alcanza a ver en la superficie verdusca, casi negra, ayudado por la luz escasa de la linterna y los reflejos móviles de los focos que llegan desde muy alto, muy alto. El riacho, la corriente sucia, corre muy profundo, muy hondo, muy encajonado entre las dos paredes como para recibir toda la luz de arriba. Si levanto la vista, alcanzo a ver el resplandor en los bordes elevados del canal y, más arriba, una bruma fosforescente, nimbada como si fuera de día. Pero no debo elevar la vista. Debo mantener los ojos fijos en el agua, tratando de adivinar entre esas flotantes marañas formadas por papeles apelmazados, pedazos de maderas, trozos de latas, telas en estado de total descomposición. A veces, me obliga a levantar la cabeza el vaho insoportable que escapa de las aguas, un tufo a organismo podrido, a limo reconcentrado, a animal muerto. Iván también lo sufre. Un par de veces estuvo a punto de descomponerse por el olor. En esas ocasiones, el bote, sin control, ha pegado bandazos contra las estrechas paredes del canal oscuro. Por suerte, arriba cesaron las explosiones. Hubo un momento en que creímos que el cielo se venía abajo. Fue un estallido múltiple y ensordecedor, que parecía no terminar nunca, magnificado para nosotros por esta caja de resonancia que es el canal. Miré la cara despavorida de Iván contemplando hacia lo alto, y vi reflejados en sus mejillas y su frente, los miles de relampagueos de las explosiones. De inmediato, una lluvia de papeles cayó sobre nosotros, tapizando el piso levemente anegado del bote. Y el griterío, ensordecedor, agobiante. Miles de bocas vociferando al unísono, acompasada, agresivamente. Desde la oscuridad y lo profundo, no podemos verlos. Pero allí están. Los escuchamos. Aún gritan, aunque ya sin tanto denuedo. Recrudece el ulular, sin embargo, de tanto en tanto. Pero, a fuerza de oírlo, casi no lo notamos. Escucho, sí, una crepitación repetida, muy cerca. Iván sostiene el remo con una mano y con la otra toma el intercomunicador que lleva sujeto a la cintura.

—Iván —se presenta—. Cambio y fuera.

Por el intercomunicador llega un descarga irritante de estática. Por fin, unas palabras.

—¿Por dónde están? —se escucha. Parece el doctor Medina el que habla, pese a la distorsión electrónica.

—No sabemos —contesta Iván, elevando la vista, estirando el cuello como si así pudiera emerger de la oscuridad—. Hemos perdido referencias. Hace unos quince minutos que salimos desde el túnel de los locales. Que alguien nos ubique y nos localice. Cambio y fuera.

—Trataremos de hacerlo —la voz del doctor Medina se debilita, se pierde. Se escuchan fragmentos de sus indicaciones—. Si... tan... ce minutos... deb... as o menos... altura... trol...

—¡No lo copiamos, doctor! —grita Iván. Lo noto muy alterado. No me extrañaría que se largara a llorar—. Repita el mensaje. No lo copiamos.

—Deben estar... —ahora, milagrosamente, llega con nitidez la voz algo gangosa del doctor Medina— ...bordeando el tablero electrónico. Cuidado porque allí están ellos...

Una explosión tremenda nos conmueve y sacude, el bote se bambolea como alcanzado por un viento repentino y feroz. Siento que los oídos me revientan al mismo tiempo que el relumbrón blanco enceguecedor nos deja ciegos por un instante a Iván y a mí. De inmediato nos invade un silencio abrumador. Creo que estoy sordo y me animo a abrir los ojos lentamente. La bomba reventó muy cerca de nosotros, sin duda, y su estallido se multiplicó entre las paredes estrechas del foso. Arriba, el griterío crece pero, en esta ocasión, sí, me alegra oírlo. Por un instante pensé que los tímpanos se me habían pulverizado.

—¿Están bien? ¿Están bien? —puedo escuchar desde el intercomunicador de Iván la pregunta desesperada del doctor, que ha oído sin duda alguna la explosión. Iván manotea con su mano derecha el agua que cubre el piso del bote, chapoteando para encontrar el intercomunicador que dejó caer debido a la bomba.

—Estamos bien. Estamos bien —tranquiliza—. Fue una de las grandes. De las de un kilo, de las de fabricación coreana. Pero no un impacto directo.

—Procuren pasar esa zona lo más rápido posible —aconseja el doctor Medina.

—¿Dónde calculan que cayó la víctima? —pregunta Iván.

—En el otro extremo del tramo donde están ustedes, antes del próximo recodo.

—¿Ha dado señales de vida?

—En absoluto. Se hundió de inmediato. Cayó desde la segunda bandeja. Nos es imposible establecer contacto desde superficie. Ésa es la zona dominada por ellos. Procuren no ser descubiertos.

—Suponemos estar, entonces, a no más de... —Iván no alcanza a terminar la frase. Otra explosión tremenda nos sacude. Instintivamente, nos arrojamos de bruces sobre el fondo del bote, jadeantes y empapados. El estallido no fue tan violento como el anterior pero sí más cercano. Surtidores de agua se elevan a los dos lados de nuestro bote. Nos están tirando. Son pedazos de mampostería, trozos de cemento de unos cinco kilos de peso. Nos apretamos contra el fondo, totalmente mojados y temblando. Rompe ahora de nuevo, más fuerte, el griterío enfervorizado. Algo grave ha ocurrido en el campo. Me alegra. Al menos por un momento dejarán de prestarnos atención. Si es que, en realidad, han reparado en nosotros. Tal vez simplemente la caída de las bombas y las piedras fue una casualidad y no nos estaban destinadas. Estamos, simple y lamentablemente, cruzando la línea de fuego.

—Pidamos apoyo a las fuerzas de seguridad —reclamo, de todos modos—. Que disparen gases sobre la zona.

—¡Perdí el intercomunicador! —Iván, nuevamente sentado, muestra su cara desencajada—. ¡Con la segunda bomba se cayó al agua!

Hemos perdido contacto con la base. Así de elemental y dramático. Las indicaciones del doctor Medina no servían de mucho pero, al menos, el simple hecho de oírlo nos hacía sentir menos solos. Trato de concentrarme y fijar mi vista en esta sopa pastosa, recubierta de un musgo pestilente, que describe ondas lentas y morosas ante los movimientos algo torpes del remo de Iván. No será fácil descubrir, dentro del mínimo círculo iluminado por mi linterna, entre las fantasmales evoluciones de papeles chirles y apelmazados, algo que me indique la presencia de un caído. En un momento el corazón me da un vuelco. Creo divisar algo. Algo flota, entre las algas y los desperdicios, como un globo inflado. Lo enfoco con la linterna. De lejos, parece una vejiga henchida y grisácea, semihundida. Frunzo la nariz. Puede ser el vientre dilatado y tenso de un perro muerto, navegando invertido. Ya me pasó a poco de iniciar el rescate. Chocó la punta del bote, blandamente, contra una deforme esfera peluda. Era un perro de policía, que vaya a saber desde cuándo flotaba en las aguas. Pero esto es más pequeño y más blancuzco. Nos acercamos y advierto que se trata de una pelota, muy vieja, de gajos hexagonales. Parece la caparazón percudida de algún saurio antediluviano, la caparazón de una tortuga semipodrida. No es fácil reconocerla. Al cuero ya devastado se le han adherido pequeñas costras, conchillas, hongos, microscópicas sabandijas, organismos deleznables que se reproducen en las cloacas.

Queda la pelota atrás, grotesca, cual una boya fantasmal, girando despaciosa sobre sí misma. Entiendo que allá abajo, en lo profundo, hay resabios del pasado, objetos y entes carcomidos por el líquido, que están siendo removidos, tentados y atraídos hacia la superficie por la corriente ascendente que genera el lento paleteo del remo de Iván. De pronto, el agua parece hervir, como si un inmenso animal agitara sus corrientes profundas, encrespando la superficie. Todo tiembla a nuestro alrededor y un polvo con la consistencia del talco se desprende de las paredes trepidantes del foso. Aumenta, aumenta y aumenta aun más un golpetear de pies sobre el cemento, que suena como la estampida salvaje de una manada de búfalos, acercándose. Hay nuevas explosiones, arriba. Recrudece el griterío. Nos miramos con Iván, despavoridos. Él me dice algo pero es inútil hablar pues no nos escuchamos. Lo veo gesticular, mover la boca, los labios, pero no puedo percibir nada de lo que dice, ahogadas sus palabras por el rugido que cae sobre nosotros desde las gradas. Me señala algo, adelante. Yo no veo. Vuelvo a mirarlo, interrogante.

—...garrando una madera, allá! —atrapo sus últimas palabras, cuando, casi por milagro, la vocinglería se apaga unos instantes. Miro de nuevo hacia donde me señala, dirijo hacia allí el haz de luz de mi linterna. Entre la infinidad de miasmas flotantes no distingo nada. Fuerzo mi vista. Y ahí sí, observo algo. Saliendo desde abajo del limo espeso, surgiendo desde la profundidad de esta agua cálida y repugnante, veo una mano, crispada, insólitamente blanca, aferrada a un trozo de madera.

—¡Rápido! —indico a Iván—. ¡Rápido! —incorporándome un tanto sobre el bote, a riesgo de perder el equilibrio o de representar un blanco fácil. Iván recrudece en su esfuerzo. Lo veo transpirar bajo los reflejos de luz, mezquinos, que nos llegan hasta acá, en lo profundo. Casi cinco minutos nos toma acercarnos a la mano solitaria. Cinco interminables minutos alterados por nuevas explosiones lejanas, latas de cerveza que caen a nuestro alrededor, piedras que levantan repentinas columnas de agua cerca de nosotros. Pero ya estoy al lado. Venciendo la repulsión, me acerco a la proa del bote, que oscila peligrosamente. Le doy la linterna a Iván, que se queda en el asiento de atrás. Desde allí, ilumina la escena. Me espanta lo que hago, pero me corresponde hacerlo. Iván es más joven y más impresionable. Estiro mi mano hacia la mano, que sigue aferrada como un batracio pálido al trozo de madera. Pienso, mientras mis dedos están a punto de tocar esa piel casi verdosa, que muy difícilmente el dueño de esa mano esté aún con vida, pese a la determinación de vivir que transmiten esos dedos como garfios agarrados a la madera. Si el desdichado cayó desde la bandeja alta son casi quince metros hasta la superficie del agua. El golpe tiene por fuerza que haberlo matado de inmediato. Un segundo antes de tocar la piel del náufrago, imagino cómo será el contacto con la yema de mis dedos, con la palma de mi mano. Estará fría tal vez, casi yerta, agarrotada. O quizás aún tibia, recibiendo sangre todavía a través de las arterias y las venas y las terminales nerviosas que le ruegan que no se suelte de ese último atisbo de supervivencia. Tomo la mano por el dorso, como si fuera un sapo peligroso, y la atraigo con asco manifiesto hacia mí, calculando ya el esfuerzo que nos significará levantar hasta el bote todo el peso muerto del hombre que está abajo. Repaso, en un instante, en un ramalazo de responsabilidad profesional, los pasos aprendidos de la respiración artificial. Tiro de la mano y me espanto. La mano es increíblemente liviana, frágil, vaporosa y hace desmesurado y exagerado mi esfuerzo. La elevo un tanto y sale totalmente fuera del agua, única, mínima y apenas. Es tan sólo una mano, cercenada, separada de su cuerpo a la altura de la muñeca. Me sacude el cuerpo un gesto de repulsión y la suelto dentro del bote ante los ojos espantados de Iván, quien se echa hacia atrás como si yo hubiese tirado allí una anguila eléctrica aún viva y caracoleante. Creo que los dos esperamos eso, que la mano brinque y se sacuda como un pescado en sus últimos estertores. Pero no. La mano cae con la palma hacia abajo en el piso del bote y allí queda, inmóvil, innegablemente verdosa. Pero, luego, vaya a saber por qué reflejo aún vigente, comienza a cerrarse un tanto, arañando un poco el maderamen del bote, semicubierta apenas por el agua del fondo. Y allí queda. Iván, con una presencia de ánimo que le envidio, la toma del dedo anular y la levanta, la estudia. Apunta la luz de la linterna al muñón de la muñeca. Hay allí huellas de dentelladas, mordiscos. También claramente sobre el dorso. Gira Iván la mano y vemos, asimismo, perforaciones profundas, como de agujas, en la palma carnosa.

Iván me mira.

—Pirañas —musita. Recorro con la vista los alrededores del bote. Allá lejos, casi en el recodo, el agua inmunda parece hervir repentinamente. Es una suerte de aleteo, de burbujear alocado que cesa de repente.

—Pirañas —acuerdo.

Con un rictus de asco, Iván arroja la mano bajo el asiento del fondo, y toma el remo.

—Volvamos —le pido.

—Volvamos —acepta. Y, cuidadosamente, hacemos girar el bote sobre sí mismo golpeando casi con su proa las paredes del foso.

CAMBIOS EN TU HIJO ADOLESCENTE

Tu hijo adolescente está cambiando. Y está cambiando a ojos vista. Lo miras cuando duerme y te asombras de que los pies le asomen una cuarta por el extremo más lejano de la cama. Los brazos se le enredan, como si no encontraran sitio, y la cabeza pende por la otra punta de su lecho como la de un pollo muerto. ¡Y es la misma cama que parecía enorme para él no hace tantos años, cuando con tu esposa, decidieron cambiarlo de la cunita con barrotes porque saltaba afuera de ella como si fuese un mono!

Tu hijo ya no tiene el rostro redondeado y rubicundo de cuando era un niño, sino que la cara ha adquirido rasgos angulosos y su color se torna, día a día, más verdoso. Incluso sus movimientos no tienen ahora la armonía de cuando pequeño, cuando todo, absolutamente todo lo que hacía era gracioso. Arrojaba un plato de sopa al piso y era encantador. Aplastaba con su pequeño piecito las mejores flores del jardín de tu casa y arrancaba risas. Retorcía con saña la piel sedosa del paciente perro y movía a elogios.

Ahora está algo torpe, desmañado y le cuesta habituarse a sus nuevas medidas antropométricas, las que ha adquirido durante el desarrollo. Se golpea frecuentemente contra las puertas del aparador, empuja sin querer con los codos los vasos de la mesa y se da la frente con estruendo contra el dintel de la puerta del fondo. "¿Qué está ocurriendo con mi hijo?", te preguntas. ¿Qué fenómeno mutante le sucede, que se levanta una mañana y ha crecido cinco centímetros, sale de dos días con fiebre y se ha estirado ocho? Porque, incluso, seamos sinceros: huele mal. El sabandija huele a rayos. ¿Adónde quedó ese aroma a talco boratado, a jabón Lanoleche y a perfume suave que lo envolvía como una nube celestial cuando era muy niño y daba placer estrujarlo? Ahora emana un tufillo confuso a almizcle y a aguas servidas, a goma agria y a perro mojado. Cuando tú entras en su habitación respiras el aire denso del encierro, un pesado vaho a zoológico, a establo, a pesebre, a leonera, a mingitorio de baño público. Además, el sabandija se niega a bañarse. No te lo dice directamente, no te enfrenta mirándote a los ojos cuando se resiste a entrar a la bañera, no. Pero elude el momento, se olvida, finge no tener tiempo, aduce que el estudio le quita oportunidades de asearse. Tu esposa le ha comprado cientos de nuevas camisetas, algunas de ellas con estampados jubilosos, alegres, juveniles. Tu hijo, sin embargo, se empecina en usar siempre la misma camiseta negra, arrugada, con el estampado en blanco de un cocodrilo del Ganges, con la que ha dormido las últimas nueve noches. Ahora mismo, mientras lo miras durmiendo despatarrado sobre la cama que ya le queda chica, adviertes que sus piernas, esas mismas piernas que, cuando bebé, eran cortas extremidades rollizas, infladas, rosáceas y regordetas son, de pronto, largas piernas huesudas que, en sectores, muestran una granulosidad plena de canutos similar a la de la piel de los pollos congelados. Y en otras zonas unos enormes, largos y negros pelos simiescos que confieren a tu hijo una apariencia silvestre. Su piel, por otra parte, en estos momentos, ya no es más la tersa y suave que tanto te gustaba tocar cuando no tenía más de nueve años. Tu hijo está viviendo una explosión hormonal, sus glándulas sebáceas se han declarado en estado de alerta máxima, y revientan, especialmente sobre la superficie de su rostro, centenares de nuevos granos amarillentos, cerúleos y purulentos. ¿Qué hay, incluso, sobre sus labios amoratados? Detectas una sombra. Pero no es, precisamente, la sombra de su sonrisa, como bien lo poetizaba la canción aquella. Es un bozo, una pelusa de bigote, una suerte de suciedad grisácea que brinda a su labio superior un ribete desprolijo, como si no se hubiese limpiado la base de la nariz luego de comer cenizas. Pero mucho te equivocarías si tan sólo te detuvieras en eso, en la observación de los cambios físicos, notorios y evidentes. Si sólo te quedaras en precisar que su cabello opaco se enreda en grumos intrincados, sus rodillas tienen la dimensión de dos tazas de café y su aliento huele a comadreja. Ocurre algo más, algo más profundo y complicado aparte del replanteo de diseño y decoración personal de tu hijo. Ocurre algo más y es esto: tu hijo está cambiando como persona, como ser humano. Como las serpientes, está mudando de piel y de personalidad. Hay veces, muchas —debes confesarlo— en que le hablas y no te oye. Parece escucharte, pero no registra en lo más mínimo lo que le has dicho. O masculla, simplemente, "Sí, sí, está bien. Está bien" como se les dice a los locos, sólo para conformarlos. O, cuando le reprochas algo, responde con frases de un cinismo notable tales como "Mala suerte" o "Qué pena", como aseverando que tus desvelos por corregirlo serán vanos, morirán, infructuosos, aplastados por los ya escritos designios del destino. O sólo contesta con un desafiante e insolente "¿Y...?" cuando su madre le recuerda que no ha ido este mes a visitar a sus tíos. Y hay otro llamado de atención, te recuerdo, muy claro y estremecedor, convengamos: en ocasiones te mira como para matarte. Aquellos ojos de ardilla que se abrían encantadores cuando tú le mostrabas el libro con la historia de los dos ositos, ahora se clavan en los tuyos y tú adviertes, lisa y llanamente, que tras sus pupilas titila un brillo asesino, el mismo que alumbrara la locura homicida de Charles Manson.

Tú te has atrevido a entrar en su habitación luego de golpear un par de veces, desde luego. Le has recordado que debe ir a limpiar el baño que quedó hecho un lodazal luego de que él, por fin, accediera a darse la ducha semanal, y has interrumpido su videojuego en la computadora. Te dijo, rumiante, que ya iría a secar el baño, pero tú, imprudente, has insistido. Es entonces cuando él te mira tal como lo describíamos. Te mira y te dice, con una voz donde relampaguea una inflexión filosa y acerada, separando notoriamente cada sílaba: "Te-di-je-que-ya-iba-a-ir". Y serpentea por sus palabras una apenas velada amenaza de homicidio. ¡Es él, tu hijo, el mismo niño que para las Navidades cantaba junto a ti villancicos con voz dulce y graciosa! Algo se está solidificando dentro del magma espiritual de tu muchacho. Algo, dentro de esa corriente de agua pura y cristalina que era tu pequeño, se está congelando, está creando sus propios ángulos y sus propias aristas. Has palpado algo duro allí dentro, por cierto. ¿Dónde ha quedado aquella personita minúscula, genuinamente inocente, que se creía la historia del ratoncito que deposita dinero a cambio de un diente caído? Tú mismo empezaste a cambiarla cuando le enseñaste a negociar, te informo. Les has vendido espejitos a los indios, mi amigo. Les has mostrado el poder del canje, les has cambiado pieles de zorro por aguardiente. Ahora saben que tú debes darles algo cuando les pidas alguna cosa. Tu propia esposa inició a tu hijo en eso cuando le prometía dejarlo ver el programa de televisión con los Muppets si él era tan bueno de comer la primera cucharada de la repugnante papilla. Tú mismo lo acostumbraste a la extorsión cuando negociaste no llevarlo sobre tus hombros en el paseo por el *shopping* vecino a cambio de comprarle un chupetín con forma de rinoceronte. Ahora le pides gentilmente que apague la luz de su pieza cuando no la usa y te exige diez dólares, le ruegas que no deje tiradas sus ropas por el suelo y pretende un *compact* de los Screaming Headless Torsos, le indicas que no apoye los codos sobre la mesa y ruge que necesita una moto japonesa. No te sorprendas, mi amigo. La explicación es muy simple: él está cada vez más parecido a ti mismo, es ya un delincuente como todos nosotros, es uno más de la banda, lo estamos integrando jubilosamente en el clan. Y hay otro detalle: ya no puedes pegarle. Ese coscorrón sonoro sobre el remolino de pelo que tiene en la cabeza, ese manotazo plano sobre sus asentaderas cuando hacía algo malo, ese zamarreo espasmódico tomándolo de un hombro cuando berreaba como un demonio, ya no es atinado. Ahora, te diría que lo pienses muy bien antes de hacerlo. Ayer mismo le levantaste una mano y te miró fijamente, como calculando la resistencia de tus huesos, la oposición que presentaría la piel de tu cuello a la punta doble y metálica de una tijera. Lo miras ahora, mientras duerme, cuando parece recuperar algo de ese toque angelical que poseía en el colegio primario, y ves que su espalda tiene casi el mismo ancho que su almohada, y que los músculos jóvenes de los brazos son protuberancias tensas, como si tuviese sogas que le corrieran bajo la piel. Lo comprobaste, además, no hace mucho, cuando le asestaste un festivo empujón sobre una tetilla, a modo de chanza, y tu mano chocó contra una superficie que tenía la granítica dureza del cemento, una dureza que en tu propio cuerpo de padre sólo podría encontrarse en la hebilla de tu cinturón. Podría matarte con una sola de sus manos, en suma. Perdiste tu chance de pegarle cuando estabas a tiempo. Ahora ya es tarde. Pero no te inquietes, tu hijo está en una etapa de cambios. Su personalidad se retuerce como una culebra caída en el fuego. Varía día a día, se transforma, muta. Hoy verás a tu hijo silencioso y reconcentrado, como preocupado por un futuro que se le antoja amenazante. Mañana lo verás conversador y tumultuoso, atacado por un hambre feroz que lo llevará a comer cuatro filetes de cerdo acompañados con huevos fritos. Ayer lo habías contemplado esquivo y distante, abocado a leer poemas de Verlaine y de Rimbaud. Su alma es una suerte de masilla blanduzca, que se modifica y amolda a las presiones que recibe. Aparece un día diciendo que quiere ser jugador de básquet, y no se saca durante 24 horas esa ridícula gorra de los Dodgers. Al día siguiente opina que su destino está en la Bolsa de Valores y se empecina en lucir un saco oscuro con corbata al tono sobre los pantalones vaqueros. Mañana por la mañana sostendrá que desea sacar la visa para irse a vivir a Rusia y criar allí conejos de angora. Por la tarde confesará que está enamorado y habrá de casarse al poco tiempo. Su perfil, su forma de ser, fluye, se eleva y se distorsiona como esas voluptuosas volutas aceitosas que giran dentro de los cilindros iluminados que suelen ponerse como adorno en las casas de decoración, llenos de un líquido ámbar y moroso.

Pero pronto, mucho antes de lo que tú te imaginas, aparecerá el modelo terminado. La naturaleza habrá completado su diseño. Se habrá confirmado la curva de su mandíbula, encontrará su diámetro la extensión de la cintura y las excrecencias de la piel se harán más y más infrecuentes en las inmediaciones de la nariz y la boca. Hasta la voz ya no le patinará tanto en algunos tonos, adquiriendo un matiz más parejo y previsible. Pero lo más importante: podrá advertirse una estructura firme, un andamiaje que sostenga a una personalidad definitiva y consolidada. Y entonces, mi querido amigo, padre y custodio de un adolescente, cuanto tu hijo haya adquirido ya una personalidad concreta, sólida, palpable, buena o mala pero propia, definida, conocerá a una mujer. Conocerá a una mujer y esa mujer intentará cambiarlo.

LOS ÚLTIMOS DRAGONES

Llegué a Tien-tsin, en las costas del mar Amarillo, en 1958, buscando, secretamente, la isla de los últimos dragones. Me acompañaba Sally, mi esposa. Ella no había querido salir de Dallas durante más de ocho años, muy dolida por el episodio con nuestro hijo Fred, y tuve que insistirle para que me acompañara. Le hablé mucho sobre la comida china, sin darle demasiados detalles, y creo que eso le interesó. Llegó a pensar incluso, durante nuestro larguísimo vuelo por Panamerican Airlines, que lo que nos servían en el avión era comida cantonesa cuando, en realidad, no era otra cosa que un rollito de tela húmeda y caliente para limpiarnos las manos y la cara. Tuve que quitarle de la boca uno de esos rollos cuando ya lo masticaba.

No es mucho lo que Tien-tsin puede ofrecer a un turista. Pero yo, como dije al comienzo (y no voy a repetirlo), estaba allí por una simple y concreta razón: averiguar qué había de cierto sobre la isla de los dragones. Y cuando hablo de los dragones no lo hago en sentido figurado. Me refiero a esos animales supuestamente mitológicos, que vuelan y echan fuego por la boca. No le comenté nada sobre mis intenciones a Sally porque ella, como siempre ocurre, hubiera protestado. Es sabido que nunca le gustó tener animales en casa. Ponía veneno para los mapaches en el jardín y eso nos trajo más de un problema con el hijo de los Ehrenfeld, nuestros vecinos, que comía todo lo que encontraba en el suelo. Nos había comido ya una planta de begonias y un irrigador amarillo con forma de sapo, y fue entonces cuando le advertí a Sally sobre lo peligroso de su actitud. Pero no me hizo caso. Y sigo insistiendo que, en gran medida, el problema con nuestro hijo Fred también vino por ese lado.

Me empecé a interesar por el asunto en Corea. Pocas veces se debe haber visto una guerra tan aburrida como ésa. Pero fue, desafortunadamente, la que me tocó vivir. Siempre pienso que no soy un tipo de suerte. En Corea hacía un frío del demonio y juro que aquellos chinos nos querían asesinar. Al menos, se venían lanzando alaridos y con las bayonetas en alto. Con esos gorros grises que tenían y los abrigos acolchados. Nunca he visto un pueblo tan enojado con nosotros. Y nosotros les dábamos con todo. Pero eso ocurría muy de vez en cuando. En general permanecíamos en nuestras trincheras, oyendo radio y jugando a los naipes durante meses, esperando que esos amarillos imbéciles nos atacaran. Un día, con el teniente Lecca, pescamos a uno de ellos. En realidad, el tipo quedó casi despanzurrado cerca de las líneas nuestras luego de que fuera alcanzado por un mortero. Con Lecca decidimos interrogarlo. Lecca hablaba bien el coreano, y yo, algo. Siempre he tenido bastante facilidad para los idiomas. Cuando viajé a Wyoming, por ejemplo, a la semana ya me entendía con los arapohes como si fuera uno más de ellos. Si me vendieron a ese precio la canoa de casi siete metros que les compré fue, precisamente, porque pude regatear en su propia lengua. Por supuesto, a Sally le molestó lo de la canoa, cuando le conté. Y eso que ni siquiera pude trasladarla a casa porque ninguna compañía de mudanzas aceptaba llevarla si no salían antes los indios de adentro. Creo que ese tema no alcanzamos a dejarlo bien en claro antes de la transacción. La cuestión es que el sucio coreano se empecinó en no decirnos nada. Le preguntábamos quién era su jefe, quién era su presidente, quién era su senador predilecto. Incluso cuál era la capital de su país. Presumíamos que aquella hubiera sido una información muy importante para el Pentágono. Saber, por ejemplo, cuál era la ciudad capital para ir y bombardearla. Pero el coreano, nada. Le pegamos con una vaina enorme de obús, recuerdo. Finalmente comenzó a contarnos de los dragones. Fue un relato impresionante. Nos contó que no eran animales de fantasía. Que existían, realmente. Que ya no quedaban muchos, pero los que quedaban podían encontrarse en la isla de Amoy, frente a las costas de Tien-tsin. Con el teniente comprendimos que estábamos frente a una información formidable, pero a nivel personal. De nada serviría ese tipo de noticias para Washington, por ejemplo, pues no tenía un interés estratégico. En cambio yo, de inmediato pensé que podría sacar provecho de ello. Tengo una heladería en Dallas. No es algo muy deslumbrante, pero se trabaja bien. Pero hay mucha competencia. Los hermanos Koehl, por ejemplo, de la heladería frente a la plaza Lincoln, han puesto tragamonedas en la entrada. Es algo repulsivo, ya que inculca en los niños el gusto por el juego. Y como todos sabemos, son, justamente, niños, los que acuden a las heladerías en mayor medida. Sin embargo, con esa inmoralidad, ahora los Koehl tienen clientes a montones. De nada valió que yo incorporara otros sabores a mis cremas, como el pistacchio, el centeno o el tocino. Viene poca gente a mi negocio, debo admitirlo. Pero... ¿qué pasaría si yo pudiera exhibir un dragón vivito y coleando en el frente de mi negocio? Los niños morirían por él, habría colas, me llenaría de dinero.

No le conté, por supuesto, mi plan al teniente Lecca. Él, por su parte, también tendría los suyos. Me habló algo de una cruza con vacas Hampshire, pero nada más. Lo cierto es que ocultamos la información del coreano. El teniente se lo llevó detrás de unas colinas y no sé qué habrá hecho con él pero volvió solo. Aclaremos, el teniente volvió solo. Si hubiese vuelto el coreano yo me hubiese alarmado. Pero el que volvió fue el teniente, quien compartía mi secreto. Cuatro meses después, en un asalto sorpresa de los chinos, al teniente le dio un ataque al corazón que lo dejó seco en el piso. Fue una lástima pero no sufrió nada.

Los mayores problemas que tuvo mi esposa Sally en China fueron con la comida. En Dallas, difícilmente uno pueda sacarla del puré de calabazas, día y noche. Ni prueba los helados de mi negocio. Un día probó uno y lo encontró demasiado frío. Dijo que le hacía doler los dientes, cosa extraña porque tiene dientes postizos. Nunca más insistió. Tiene esa característica. Es terca. Lo demostró en el asunto con nuestro hijo Fred. Repito (y no pienso repetirlo de ahora en más) que a Sally no le gustan demasiado los animales. Por eso mismo, paradójicamente, fue fácil convencerla de que comiera mono. A ver si me explico. Preguntamos en el hotel de Tien-tsin dónde podíamos comer algo. El conserje nos indicó un lugar a tres cuadras. Nos preguntó, primero, si a nosotros nos gustaban los monos. Yo le dije que a mí me causaban mucha gracia. En el restaurante tenían una jaula llena de ellos, unos simios pequeños y negros que chillaban como ratas. El mozo me pidió que eligiera uno. Sally se enojó de sólo pensar que yo quería llevármelo a los Estados Unidos como recuerdo. Se tranquilizó cuando el mozo nos dijo que ese mono era para comerlo. No estaba sabroso, por cierto. Duro y fibroso, resultó como comer un cesto de rafia. Sally apenas probó unos bocaditos de perro, pero tampoco le gustaron. Por suerte no tenían perros vivos en jaulas. Eso sí me hubiese impresionado un poco. Los bocaditos no eran frescos. Eran de lata, sin duda, aunque el mozo afirmaba lo contrario. En vano buscamos, los días siguientes, alguna hamburguesería o algún Friday's, para sentirnos como en casa, pero no había. En tanto, yo, procurando no alborotar demasiado el ambiente, averiguaba sobre la isla de los dragones. Temía sinceramente poner en evidencia mis intenciones y revelar la idea. No sabía a quién consultar o a quién sobornar para conseguir información sobre la isla. Me sacó de esa duda un hecho fortuito. Mientras hacíamos tiempo con Sally en el lobby del hotel —un modesto hotel de una estrella— me entretuve hojeando algunos folletos con propaganda sobre Tien-tsin y sus atractivos. Había datos sobre el teatro manchú —al que iríamos esa misma noche—, algunas cosas sobre los prostíbulos de la costa donde ofrecían no sé qué delicias sexuales a base de arroz, y un folleto sobre la isla de los dragones. "Isla de los Dragones" era el título de un folleto desplegable mínimo a dos colores que bien hubiese podido ser la publicidad elemental de un stand de tiro al blanco en un parque de diversiones pueblerino. Si bien soy rápido para los idiomas —lo he dicho y no volveré a repetirlo—, admito que nunca me llevé muy bien con el chino. Había dibujos casi infantiles de dragones y un texto que, lógicamente, no logré descifrar. Consulté, entonces, con el señor Liam, el dueño del hotel, un tipo que tenía la piel como esos papeles translúcidos y quebradizos que suelen usarse para pantallas de veladores.

—Isla muy fea —me dijo el señor Liam riéndose como un estúpido—. Volcánica. Todo piedra. Fea. Fea.

—Pero... ¿hay dragones?

El señor Liam se encogió de hombros.

—Hay —dijo—. Creo. No sé.

Y seguía riéndose como un estúpido.

Toda esa noche, durante las cuatro interminables horas que duró la función de teatro manchú, no pude dejar de pensar en la isla. Es cierto que dormí durante dos de esas horas, pero, cada tanto, el tañido de un gong, el alarido de alguno de los bailarines me despertaba. Yo, en realidad, había imaginado un espectáculo más del tipo *saloon*, o *music hall*, con chicas moviéndose y mostrando las piernas. Con música más rápida. Era un grupo de gente, mayores algunos, que abrían mucho los dedos de las manos y se movían casi en cámara lenta, cuando se movían. Al principio pensé que se trataba de un entretenimiento donde había que descubrir al que se movía, pero no era así. Tras la primera hora de parálisis y silencio total, opté por dedicarme a pensar en mi dragón, el que iba a rescatar a mi heladería del anonimato. No tenía dudas acerca de que un buen dragón en la vereda, real, rugiente, echando fuego por la boca, atraería gente. Me moría por ver la cara de los Koehl, corruptores de menores, cuando vieran a ese animal fantástico sacudiendo su cola en la esquina de 35 y Garland. Al día siguiente tomamos, con Sally, un barco hacia la isla. Con señas, fundamentalmente dirigidas hacia su reloj pulsera, el capitán del barco me indicó que la travesía tomaría dos horas y que el barco podía llegar a moverse mucho. Esto último me lo graficó imitando el gesto de vomitar, un par de veces, con más realismo del que habían manifestado sus compatriotas del teatro manchú, esos delincuentes. Yo había convencido a Sally de que, en la isla, había una competencia de barriletes, para entusiasmarla, porque ella quería quedarse en la habitación del hotel jugando con un ábaco que había comprado. Es sabido que los chinos sienten gran predilección por los barriletes, lo que revela un espíritu primario y retardado. Yo, por ejemplo, tempranamente perdí el interés por esas estupideces, cuando entré en la Marina.

El cruce hasta la isla fue tranquilo. No había viento, las aguas lucían calmas y eso me dio una razón para justificar, ya en la isla, la ausencia total de barriletes. La ausencia de barriletes y de toda manifestación viviente. El lugar era, en efecto, tal como nos había anticipado el viejo del hotel, una roca pelada, montañosa, sin atisbo de vegetación alguna. Una piedra pómez gigantesca, recalentada por el sol del mediodía. En el muelle de la isla había una casilla precaria y, dentro de ella, un chino con dos ranuras por ojos. Nos recibió con un parloteo que sonaba amigable, señalándonos hacia detrás de unas elevaciones rocosas. Comenzamos a caminar hacia allí tras los pasos del chino, que abandonó así su casilla con la total tranquilidad y convicción de que ningún otro turista aparecería por la isla.

Caminamos casi una hora, en ese paisaje lunar, envueltos en un silencio que hacía doler los oídos. Comencé a oler en el aire un aroma fuerte a azufre y a bosta, lo que acicateó mi imaginación con respecto a los dragones. Había de tanto en tanto algunos arbustos. O corría alguna lagartija entre las piedras. Sobrepasando una altura pudimos ver una casa de chapa junto a dos galpones muy grandes y unos corrales. Un cartel de madera, colgando de un alambrado, anunciaba "Dragon's House", en inglés, mostrando dentro de un círculo el dibujo torpe de la cabeza de un dragón lanzando fuego por la boca, que bien podría haberse confundido con un perro pekinés algo más trompudo. Pero una corriente de excitación me recorrió el cuerpo.

Ya en la casa de chapa, en una habitación amplia con un moblaje que intentaba convertirla en una oficina, nos recibió otro chino, más joven, más gordo y más jovial.

—¿Quieren ver los dragones? —nos preguntó. Asentí con la cabeza, aunque era una pregunta por demás estúpida. ¿Qué otra cosa podía haberse visto en esa isla inclemente, después de todo?

—Son diez dólares —me dijo el chino, sin dejar de sonreír. Le extendí un billete—. Diez dólares cada uno —me aclaró. Creo que puse fea cara—. ¿La señora tiene más de doce años? —señaló a Sally. No pude menos que decirle que sí. Había viajado más de un millón de kilómetros para estar allí y no quería comenzar una transacción diciendo mentiras.

Chu, que así se llamaba el hombre, nos llevó hacia los galpones. De cerca lucían más altos e imponentes que lo que me habían parecido de lejos, cuando sobrepasamos las primeras colinas. Y el olor a azufre se hacía más intenso. Era un olor crudo, acre, como cuando revienta cerca un obús.

—¿Tiene muchos acá? —le pregunté, ya perdido por la ansiedad, mientras caminábamos hacia los galpones.

—Sí. Muchos. Treinta y cuatro. Veinte hembras y catorce machos.

—¿Todos en esos galpones?

—No. Algunos están detrás de aquellos cerros. En el valle, alimentándose.

—¿Qué comen?

—Pasto.

—¿Alimento balanceado? —le pregunté, pensando en mi futura compra.

—No. Intentamos, pero lo escupían. Y es muy caro. El pasto es más barato.

—No veo mucho pasto por acá.

—Lo que comen es casi musgo. El que crece bajo las piedras. Y comen piedras también. Pequeñas.

—¿No les hace mal?

—Tienen estómagos muy fuertes, sabrá usted. Son rumiantes, en definitiva.

El señor Chu se asomó al portón entreabierto de uno de los galpones y gritó hacia adentro algo en chino, una orden al parecer, que retumbó en la amplitud interior. Luego nos indicó que nos acodáramos en la cerca de uno de los corrales, el más grande.

—¿Y no se vuelan? —pregunté yo, cuando el corazón me latía intensamente. Chu me miró con extrañeza—. Cuando los dejan en lugares abiertos... ¿no se vuelan?

—Los dragones nunca han volado. Eso es solamente

parte de la fantasía popular, de la mitología asiática. Nunca han volado.

Me quedé pensando. En Corea, luego de que el prisionero nos contara aquella historia, solíamos ver por las noches unas luces sospechosas sobrevolando nuestras posiciones. Los otros soldados suponían que eran de nuestros helicópteros, pero el teniente Lecca y yo nos mirábamos con complicidad y sabíamos que bien podían provenir del aliento de los dragones. Ahora el señor Chu daba por tierra con mis presunciones.

—Tienen —agregó Chu— una alitas degradadas, como las de las gallinas. Pero, al igual que las gallinas, no pueden volar. O vuelan muy corto, y bajito. Son animales muy pesados. Provienen de los antiguos dinosaurios. Sabrá usted que las gallinas también provienen de los dinosaurios.

—¿Están en extinción?

—¿Las gallinas? Por supuesto que no. Las verá usted por montones en...

Recuerdo que me dieron ganas de golpearlo. Dentro de su impavidez oriental yo no sabía muy bien si era sincero o estaba burlándose de mí.

—Pregunto si están en extinción los dragones.

Chu se encogió de hombros.

—No creo. No al punto de desaparecer, al menos. Peor están los pandas.

—Pero... ¿Nadie los caza, nadie los necesita, nadie los reclama para zoológicos, por ejemplo?

Chu frunció la cara de una manera desagradable.

—Seamos sinceros, señor Rogers, los dragones no sirven para nada. Su carne es dulce y correosa. La piel es pobre. Se decía que la cresta, molida, tenía virtudes medicinales. Que servía para cortar diarreas y mejorar el mal aliento. Pero con el advenimiento de las sulfas quedaron de lado.

Un bramido sofocado, bronco, profundo, me sacó del momentáneo pozo depresivo en que había caído. Miramos hacia la puerta abierta del galpón, que comunicaba con el corral. Yo, esperanzado, elevé mis ojos hacia casi el techo, de unos siete metros de alto. Pero el animal que apareció era mucho más pequeño, una suerte de lagarto con cresta, verde y sinuoso, apenas más alto que un perro gran danés, lo que me obligó a bajar nuevamente la mirada. De largo, contando la cola, alcanzaría los tres metros, y vino acercándose lentamente hasta el centro del corral, contoneándose, bufando a cada tanto, despidiendo unas volutas de aliento pesado y blancuzco por los belfos. Sobre las ancas anteriores, tenía realmente detrás de la cresta unas pequeñas aletas atrofiadas, que no debían servirle ni para abanicarse. En el centro del corral se detuvo de perfil, mirando hacia lo alto, estudiándonos con uno de sus ojos laterales, brilloso y húmedo, de donde le colgaba una suerte de lágrima mucosa. Tenía, sí, el aspecto de los dragones de los cuentos infantiles, pero pequeño.

—¿Es... es un cachorro? —atiné a preguntar. El señor Chu arrugó la nariz.

—Ya es adulto. Tendrá unos 123, 124 años...

—¿Tanto viven? —me alarmé, observando de reojo a Sally. En Dallas, Fred había metido en la casa, de polizón, un hamster. Y tuvimos que darle de comer durante cuatro meses, hasta que se murió repentinamente. Cuatro meses, un año, dos años, son periodos razonables para darle de comer a una mascota. Más de cien años ya me sonaba a demasiado. Siempre y cuando me decidiera a comprarlo. El tamaño casi ridículo del dragón había enfriado mi entusiasmo.

—¿No crecen más? —pregunté—. De tamaño, digo.

Chu negó con la cabeza. Me rasqué la frente.

—Y... ¿arrojan fuego?

Era la pregunta del millón, dadas las circunstancias.

—Sí. Por supuesto —dijo Chu, muy serio. Me volvió el alma al cuerpo. Miré a Sally, gozoso. Advertí que ella retrocedía un tanto. Era que el dragón enfilaba hacia nosotros, con esos pasos desacompasados, de cocodrilo, arrastrando la cola que trazaba un surco zigzagueante en la arenisca del corral. Se detuvo a dos metros más o menos, alargando su cabezota oscilante y llena de protuberancias hacia nosotros.

—Busca comida —dijo el señor Chu—. ¿Tiene goma de mascar?

Negué con la cabeza. Busqué en mi bolsillo y arrojé al suelo frente al animal, una tarjeta telefónica plástica ya vencida. El dragón no le prestó atención y permaneció inmóvil.

—¿No es peligroso? —pregunté—. ¿No puede arrojar fuego?

—Lo hace solamente en el periodo de celo. Y cuando se enoja.

—Hágalo enojar —pedí al señor Chu. El señor Chu no me hizo caso.

—Oiga —insistí—. No he viajado miles de kilómetros para ver a un dragón que no arroje fuego.

—Apártese —me indicó el señor Chu, haciendo un gesto con la mano. Nos apartamos prudentemente de la cerca del corral. El señor Chu tomó una rama casi seca del piso y se acercó al dragón. Con la rama le pegó un par de veces, no muy fuerte, entre los ojos. El dragón abrió la boca y despidió una llamarada azulina, como la de los soldadores de acetileno, que incineró la rama. No había sido una llama demasiado impresionante, su alcance no había ido más allá de medio metro, pero me encantó. Era, en verdad, poco habitual ver un animal lanzando fuego. Cuando los niños que concurrían a mi heladería molestaran a ese bicho pegándole con varas o arrojándole latas vacías de cerveza, el dragón iniciaría su número incendiario para regocijo de todos.

—¿A qué precio lo tiene? —pregunté, entusiasta.

—Éste, a cincuenta dólares.

Me quedé mirando al señor Chu. Me parecía un precio ridículamente pequeño. Yo había calculado no menos de mil dólares.

—¿Cincuenta dólares? —volví a preguntar.

—Si le parece caro se lo puedo dejar en cuarenta. ¿Le parece bien cuarenta?

Recapacité entonces que en China son todos pobres como ratones y esa cifra representaba para ellos una verdadera fortuna.

—Digamos cuarenta —acordé—. Tendré muchos gastos para su traslado.

—Unos diez dolares más, por la jaula.

—La jaula.

—Va a la bodega del avión en una de esas jaulas plásticas en que viajan los perros o los gatos. Un poco más grande, por supuesto.

—¿Qué ocurre si se enoja? —me preocupé—. Despide fuego e incendia el avión…

—Nada de eso. Viaja narcotizado. Le damos un compuesto de opio y Dramamine Adultos. Duerme como un cerezo todo el viaje.

Por fin habló Sally. Yo estaba esperando que lo hiciera.

—¿Vas a comprarlo? —me consultó, severa.

—Es barato —cuchicheé en su oído.

—Sabes que no quiero animales en casa.

—No es para la casa. Es para el negocio.

—¿Tú vas a limpiar eso? —Sally señaló hacia el corral. El dragón acababa de cagar una torta de bosta enorme, olorosa y delicuescente.

—¿Ensucia mucho? —pregunté al señor Chu, quien ya contaba su dinero. Chu meneó la cabeza, calculando.

—No es un canario, señor Rogers —advirtió—. Hace eso... —señaló la bosta— ...cada vez que come.

—¿Y come mucho?

—Todo el día... ¿Qué otra cosa quiere que haga un dragón?

Luego, con el señor Chu ya en su oficina, me cercioré de que todos los papeles del dragón estuvieran en regla para poder sacarlo del país. Había que solicitar una serie de permisos, cumplimentar algunos requisitos burocráticos, que hicieron mascullar protestas a mi esposa. Insistía en que el dragón no era para nada un animal impactante, que no tenía mayor atractivo que un perro siberiano, un guanaco de Sudamérica o, en definitiva, que un lagarto considerable, de los que había a miles en los montes rocosos de Nevada.

—Ésos no arrojan fuego, Sally —le insistía yo—. Ésos no arrojan fuego.

Yo fingía entusiasmo pero, en realidad, estaba bastante desalentado. Había soñado durante años, luego de Corea, con un animal formidable, gigantesco, casi del tamaño de un elefante o de una ballena, elevándose frente a mi heladería, como un King Kong, atrayendo a la gente, convocando a la prensa, cautivando a la clientela con sus rugidos llameantes.

Y el que acababa de comprar no reunía realmente ninguno de aquellos requisitos. Pero, al menos, me había resultado barato. Valía, por lo tanto, el intento.

El trámite de embarcar el dragón hacia los Estados Unidos fue un verdadero engorro. Primero el traslado por barco hacia Tien-tsin, con el dragón metido en una jaula de plástico donde apenas cabía. Pesaba como un demonio y olía terrible. Para colmo, era como llevar un peso muerto ya que casi no hacía movimiento alguno, como los estafadores del teatro manchú. Tenía la vivacidad y la gracia que podría tener un jarrón de terracota despintado. Debí alquilar un camión destartalado para llevarlo desde el puerto al hotel y luego del hotel al aeropuerto, entre las quejas permanentes de Sally, quien me quitó todo tipo de colaboración. Luego debí pagar a un veterinario, para que le aplicara una inyección con el narcótico que lo mantendría dormido hasta Dallas. El pinchazo enojó mucho al dragón y soltó uno de sus chorros de fuego, quemando parcialmente un gato de angora de otro pasajero. Tuvimos un altercado y debí pagar una pequeña indemnización. Sentí una verdadera tranquilidad cuando la cinta transportadora se lo llevó, haciéndolo desaparecer por un agujero en la pared a espaldas del mostrador de United. Había cagado, además, un par de veces dentro de su cubículo, por lo que apestaba. No hay que hacer un gran esfuerzo de imaginación para darse cuenta de lo que puede almacenar en su estómago un animal que echa fuego por la boca.

Cuando llegamos a Dallas, tras 53 horas de viaje, un agente de aduana me notificó, amablemente, que me faltaba un certificado sanitario que asegurara que el dragón no tenía fiebre aftosa. Que podía gestionarlo allí mismo y que, veinte días después, podía volver al aeropuerto y, si el trámite se hallaba terminado, retiraría mi dragón. Con un esfuerzo titánico, luego de tamaño vuelo, estuve dos horas más llenando formularios y firmando papeles. Cuando pudimos abandonar el aeropuerto, yo estaba harto.

Quince días después llamé a la oficina encargada y me dijeron que aún no habían llegado los permisos. Que algún problema había en la Asociación de Preservación de Especies Animales en Riesgo.

Creo que llamé otra vez, ya sin muchas ganas, a los dos meses. Y después no llamé nunca más. Vaya a saber qué fue de mi dragón. En una de ésas, por ahí, está de vuelta en Tien-tsin.

Yo, como atracción para la puerta de mi heladería, contraté a un gordo que baila *break-dance* y hace música con un corcho. Pero tampoco viene gente.

UN BARRIO SIN GUAPOS

Ustedes, siendo tan jóvenes, no pueden imaginar la vergüenza que sentíamos nosotros al vivir en un barrio que no tenía guapo. No digo tener dos o tres, como tenía Refinería, por ejemplo. Digo uno, uno solo, al menos uno, como todos los otros barrios. Tampoco la exageración de tener catorce, como Saladillo, pero no olvidemos que en Saladillo operaba el Frigorífico Swift y ahí ser cuchillero estaba a la orden del día. Era gente acostumbrada a la faca, a carnear animales, al contacto con la sangre. El mismo barrio La Florida, sin ir más lejos, asentamiento de familias de pescadores en aquella época. Ranchadas con tipos muy de lidiar con pescados bravos, como la vieja del agua, la tararira, la palometa o el apretador, por mencionar algunos. Yo una vez tuve en mis manos un apretador, también llamado bagre-sapo y es un pescado marroncito, de este porte, que cuando uno lo sujeta, aprieta las aletas y le agarra los dedos. Impresiona un poco, no les miento y no es para cualquiera dominarlo.

Esa gente, los pescadores, llevaban el cuchillo de filetear pescado como quien lleva la gorra o la billetera. Estaban acostumbrados a la pelea. El mismo barrio Belgrano tenía uno, el Loco Pesquiza, que había quemado viva a toda su familia por una discusión algo subida de tono sobre básquet. Barrio Triángulo tenía al Nene Rupp, Antenor Rupp, que después fue jefe de Policía en Cañada de Gómez. Fisherton, ahí como lo ven, tan elegante, tenía al Polo Barragán, un negro grandote, quintero; todo Fisherton era quintas en ese entonces.

A Barragán lo apodaban así porque se le dio por jugar al polo con Isidro Lucifora, el que después fue intendente de Villa Diego. Pero nosotros no teníamos a nadie, a ninguno teníamos.

Y les repito que eso nos daba un poco de verguenza. Era, digamos, una sensación ambigua, contrapuesta, ésa es la verdad.

Por un lado, una cierta tranquilidad. Un guapo, un pesado, uno de esos tipos prepotentes y atropelladores, siempre representaba un peligro para un barrio, hay que decirlo. Provocaban, insultaban, a veces escupían, o le decían cosas a tu mujer cuando vos salías a pasear con ella. Pero, dentro de todo, uno ya sabía en qué esquina hacían parada.

Y entonces los eludía. Era bastante sencillo. Pascual Centeno, el guapo de barrio Lisandro de la Torre, por ejemplo, solía pararse —me contaba mi padre— en la esquina de Antelo y Reconquista todas las tardes, y allí se quedaba hasta la noche. Con no pasar por esa esquina ya estaba, asunto solucionado, porque yo no he conocido guapos trashumantes, que salieran a recorrer la zona en una especie de control, o patrullaje. No. Eran de quedarse quietos. Y era mentira aquello de que se apoyaban en los faroles, porque en muchas partes no había faroles. Había, apenas, esas lamparitas amarillentas en el medio de la calle, colgando de un cable. Centeno, como les decía, había elegido esa esquina porque ahí había un kiosco. Un kiosco de revistas. Y entonces, mientras hablaba con el kiosquero, por ahí hojeaba un "Leoplán", o un "Vea y Lea", cuando no llegaba muy atrasado el "Mundo Argentino".

A veces tenía que detener la lectura para provocar a alguien o mirar desafiante a alguno que pasaba por la zona. Pero tanto tiempo de tener parada en esa esquina, lo hizo un tipo muy informado a Pascual Centeno, casi un intelectual. Que yo sepa, el nuestro era el único barrio donde no se había dado ningún caso así.

Sarmiento, por ejemplo... ¡Sarmiento!... un barrio textil, trabajador, hacendoso digamos, de tejedoras, bordadoras y modistas también tenía su guapo, miren lo que les digo. Ángel Forletta, un guapo de cuarta, acordemos, pero guapo al fin. Y Forletta no era matarife ni pescador ni nada que se le parezca. Forletta era peluquero y tenía una peluquería al lado del Club Argentino, ahí por Nansen y Mercante. Un amigo mío siempre pasaba por allí y me contaba que Forletta lo amenazaba desde adentro de la peluquería, con una tijera. No era Forletta un tipo muy corpulento. Era bajo, gordito y pelado, pero muy decidido. Había que cortar una americana y le metía, una media-americana y la encaraba, había que resolver un corte a la taza y lo resolvía.

Con la misma actitud había enfrentado tiempo atrás, se contaba, a un compadrito que solía pavonearse por el Parque Alem con un revólver en la cintura y al que le pegó semejante palazo por la cabeza que lo dejó fuera de servicio por varios meses. Un año había pasado y al compadrito aún se lo veía por las cercanías de la estación Sunchales hablando solo y vendiendo plumeros.

Pero nosotros no teníamos a ninguno. Y si bien les digo que, por un lado, eso representaba la tranquilidad de caminar sin sobresaltos por la zona, por el otro lado había una cosa de insatisfacción, vergüenza y, paradójicamente, inseguridad. Insatisfacción por la vergüenza. Vergüenza de que, entre treinta, cuarenta, cincuenta adultos que vivíamos en Las Heras no hubiera ninguno que pisara fuerte. Daba la impresión de que éramos un conjunto de monigotes, de pusilánimes y eso no era verdad bajo ningún aspecto.

Yo, sin ir más lejos, o mi hermano Braulio, fuimos siempre deportistas. Hemos jugado al básquet, hemos jugado al fútbol, yo jugué al rugby para Maristas, cuando para poder jugar había que confesarse antes con el padre Alfonso. Yo hice natación y pelota a paleta hasta hace algunos años. O sea que estaba acostumbrado a la fricción, a los choques, al contacto físico. Yo he ido a masajistas casi despiadados. El Rubio Mosklezuk, sin ir más lejos, del club Huracán, que desnucó al escribano Malvestitti, y al Chiche Ghio lo dejó parapléjico.

Callate, que íbamos a jugar al fútbol a la canchita de las Quebradas con unos nenes que daban miedo de sólo mirarlos. Pero éramos toda gente de otra educación, eso es lo cierto. De otra cultura. Con otro nivel de instrucción.

Las Heras fue siempre un barrio de contadores públicos, hay que decirlo, gente más acostumbrada a dirimir sus problemas con discusiones contables, entre números, o con razonamientos fiscales, ésa es la cosa. Entonces ninguno estaba muy predispuesto a agarrarse a trompadas por cualquier pavada, por cualquier tontera. Y lo que yo les decía de la inseguridad, de lo paradójico de la inseguridad, parte de la base de que cualquier guapo de otro barrio se metía en el nuestro y nos apuraba, desembozadamente. Aparecían, por ahí, por calle Moussy, por la plaza Hernández, por los bailes de Social Juventud, y se hacían los malos. Se hacían los malos y no había nadie para hacerles frente, para echarlos a patadas. Nos basureaban. Es cierto que, de más está decirlo, si los guapos no eran propensos a abandonar una esquina, mucho menos lo eran para abandonar sus barrios y meterse en barrios ajenos, pero solían darse esos casos tan extraños.

Un año apareció el cadáver de Aparicio Frutos, un pesado temidísimo de barrio Cerámica, en una acequia de barrio Grandoli en la otra punta de la ciudad. Después se supo que, borracho, lo había atropellado un tranvía y lo había arrastrado como noventa cuadras hasta dejarlo en esa zona.

Lo cierto es que un día empezó a aparecer por el barrio el Pocho Saucedo, que era un matón de La Vincha, el barrio pegado al nuestro —ahora todo eso es Bancario— y que empezaba a partir de la vía hacia el norte. Se suponía que este hombre, grandote, morocho, peinado a la gomina, jetón, que se balanceaba al caminar, se venía para el lado nuestro a comprar cigarrillos en el kiosco de don Matías.

Don Matías era un viejo que tenía un kiosco de caramelos en calle Lamadrid, a pocos metros de la escuela Pedro Jáuregui N° 28. Y al parecer recibía de contrabando unos cigarritos italianos marca "Capocannonieri", negros, fuertísimos, que nadie tenía.

No sé cómo este matón, Saucedo, se enteró del asunto y empezó a venir, para nuestra desgracia, todos los jueves a comprar cigarrillos. Y era una calamidad.

Amenazaba a los chicos que salían de la escuela, les decía barbaridades a las maestras; le pegó en una ocasión a una de las directoras, la señorita Mazzaferri que tenía como 76 años; le manoteaba alguna ensaimada a un entrerriano que vendía ensaimadas a la salida del turno tarde. Y, en más de una ocasión, se paraba en la esquina de Regimiento 11 y Reconquista y empezaba a putear a todo el barrio, pero absolutamente a todo el barrio. Se paraba en esa esquina, encendía un pucho de los que le compraba al viejo Matías y empezaba a los gritos: "Éste es un barrio de cagones, cajetillas y maricones, muertos de hambre y socialistas". Y así seguía.

Las madres escondían a las hijas especialmente, para que no escucharan esas barbaridades. La gente se ocultaba. Hubo quien, un tanto ingenuamente, lo denunció a la policía.

Una tarde, una tarde, vino un policía, un pobre pibe flaquito como una saraca, y le pidió que se fuera, casi le rogó que se fuera. Y el otro se fue, supongo que de lástima se fue ese día. Pero volvió a la semana siguiente y el policía no apareció más para ponerlo en su sitio.

Mi mujer siempre decía que la policía debía estar entongada con don Matías, el del kiosco, por ese asunto del contrabando. Estaban todos en la joda.

Porque también lo fuimos a ver a don Matías, me acuerdo que lo fuimos a hablar con el doctor Esmay —el padre del chico Esmay que hoy por hoy es cirujano plástico— para que no le vendiera más cigarrillos "Capocannonieri".

Pero don Matías nos dijo que el guapo lo tenía amenazado y que lo iba a marcar para siempre con un fierro caliente, como a las vacas, si no le vendía los cigarrillos. La cuestión es que éste era un tema que nosotros, en la mesa del boliche, hablábamos todos los días con los muchachos. Porque era un tema que, en cierta forma, nos lastimaba, nos ofendía. Por suerte este matón no pasaba por la esquina del bar, el café y tertulia "Nuevo Berlín", de Humboldt y Mister Ross, pero de tanto en tanto nos llegaban los comentarios airados de las viejas, diciendo "¿Cómo puede ser que no haya nadie que lo ponga en vereda a ese desgraciado?", como haciendo referencia a los hombres del barrio, a todos nosotros, incluso a los que frecuentábamos ese boliche.

Pero nosotros, Tristán, Bernardo, el doctor Usía, el Gordo Arredondo, Piovano, yo, ya habíamos hablado más de una vez del asunto y habíamos llegado a la conclusión de que ninguno iba a arriesgar tontamente la vida en una controversia con ese delincuente por una mera cuestión de que fumaba o no fumaba. Y entiéndase que estamos hablando de una época en que todavía no se había desatado una persecución tan abierta contra los fumadores como ahora.

Había, incluso, una diferencia de jerarquías sociales, de estratos sociales (sin querer aparecer yo ahora como un racista) con ese sujeto, que hacía totalmente desigual un enfrentamiento en el plano de la violencia y no en el de las ideas.

Se dio una circunstancia, sin embargo, que alteró un poco las cosas y fue precipitando el trágico final.

El dueño del boliche, el gallego González, era un tipo bonachón y tranquilo. Uno de esos tipos ideales para tener un boliche porque se tomaba todo con soda, trataba de apaciguar, por ejemplo, las discusiones sobre fútbol o política y no hacía mayores problemas si uno se quedaba debiéndole los fernets más de una quincena. "Después lo paga, Arturito", me decía a mí, cuando yo todavía estudiaba para contador público y no tenía mucho dinero como para pagarle día a día.

El gallego era así. Pero la gallega, la esposa, era terrible. Era una bruja.

Una vieja flaca, bastante alta, arrugada, con el cuello largo lleno de venas y tendones, amarga, siempre con un rictus fulero en la boca y en la nariz como de estar oliendo mierda, que ni siquiera saludaba cuando nos veía.

Por suerte no la veíamos demasiado porque la gallega se la pasaba en la cocina, del otro lado del mostrador, preparando sándwiches o picaditas, fritando, moviendo cajones, trabajando como una bestia de carga, es cierto, pero dejándole las relaciones públicas al marido, que era más dado.

De vez en cuando aparecía y era para reprocharle a los gritos algo al gallego, carajearlo, recordarle que ella se deslomaba como un asno y volverse a meter en la cocina mientras se secaba la transpiración con el trapo rejilla.

Nos daba apuro por el gallego, les digo, que en esas ocasiones se quedaba callado, cortado el hombre, avergonzado ante nosotros que hacíamos como que no habíamos oído ni visto nada y procurábamos seguir hablando como si tal cosa.

Pero un día estaba sentado con nosotros, como siempre, como todos los días, Humberto Alsina. El pobre Humberto era perito calígrafo y tenía la personalidad propia de un perito calígrafo.

Era un tipito pequeño, atildado, medio calvo, de lentecitos, muy callado, que pocas veces hablaba. O mejor dicho, pocas veces se hacía notar, porque hablar, hablaba. Lo que pasa es que prefería escuchar. Era un tipo muy educado, afable, inteligente, que cuando hacía alguna acotación era acertada, cauta, reflexiva. Daba una sensación de limpieza y fragilidad y había conseguido una relación de mucho respeto especialmente con el gallego, que tenía algunas atenciones para con él.

Por ejemplo, acercarle una silla limpia, o apresurarse a limpiarle con un trapo el asiento de la silla cuando él llegaba para que no se manchase porque, aun no siendo Humberto un tipo rico, era prolijo y muy cuidadoso en el vestir, siempre con saco y corbata.

Aunque en aquel tiempo todo el mundo andaba con saco y corbata. E, incluso, sombrero.

Y resulta que un día, que estábamos sosteniendo una conversación más que interesante sobre aportes previsionales y deuda fiscal, aparece la gallega desde la cocina y no sé cuántas barbaridades le grita al pobre gallego que estaba acodado detrás de la barra. De todo le dijo, pobre gallego.

Le reprochaba no sé qué problemas con los proveedores y golpeaba con un puño contra el mostrador, a los gritos, parecía uno de los Cuatro Jinetes del Apocalipsis. Para colmo, le gritó algo así como que él se entretenía y perdía tiempo escuchando las estupideces que decíamos nosotros, que éramos una manga —un "hato" dijo, en realidad— de golfos y cabrones y que lo único que sabíamos hacer era hablar al reverendo pedo.

Esto último fue sin duda un argentinismo, uno de los

pocos que había podido captar en sus años de permanencia en nuestras tierras.

¡Para qué! Se hizo un silencio de funeral en el boliche. Estaba la mesa nuestra y otras más pero el silencio que se hizo fue impresionante.

Y ahí lo vimos pararse a Humberto, che, ahí lo vimos, a Humberto, el perito calígrafo.

No lo podíamos creer porque, en medio del silencio, se puso de pie un poco teatralmente, bajito como era, un cigarrillo en una mano, apartando algo hacia atrás la silla y girando el cuerpo hacia la gallega de mierda esa.

Y le gritó: "¡Cállese la boca, vieja impertinente, y vuelva a la cocina, lugar que no debería haber abandonado nunca!".

Se lo notaba indignado, una vena del cuello le latía como si le fuera a explotar y se había puesto colorado como una gota de lacre.

¡El silencio que se hizo!... El silencio que se hizo se podía cortar con una trincheta.

Tendrían que ver ustedes la cara que puso esa vieja. ¡La cara que puso esa vieja! Porque, sin duda, nunca esperó que nadie le parara el carro de esa manera. Ella estaba acostumbrada a aparecer en escena muy de vez en cuando, gritar un par de barbaridades e irse, como si fuera un títere desagradable, o como dice la canción de Felipe Varela que "matando llega y se va".

Nos quedamos todos helados, apostando a que la vieja iba a agarrar la escoba con las dos manos, iba a salir desde atrás del mostrador y lo iba a moler a escobazos al Humberto y de paso, a todos nosotros. Pero la vieja se desencajó, fue como si le hubieran pegado un golpe de nocáut. Miró por un instante al Humberto, murmuró algo, pegó media vuelta y se fue para la cocina, la cola entre las patas, mustia, sin decir nada.

¡Para qué! Desde aquel día, Humberto pasó a ser una suerte de héroe civil para nosotros, una especie de paladín de la justicia que acuñaba un perfil bajo o que, como algunos superhéroes de historieta, tenía una doble personalidad. Públicamente era un tímido perito calígrafo, pero en su otra faceta se convertía en un defensor de los pobres y desprotegidos. Creo que ni él mismo supo bien lo que había hecho. O fue un impulso casi animal lo que lo llevó a aquello porque cuando volvió a sentarse estaba pálido y transfigurado, algo confuso, como quien vuelve de un mal sueño.

Durante los tres o cuatro días posteriores casi no habló, fue mucho menos locuaz, incluso, de lo que solía serlo, pero ya se había ganado el respeto y la admiración de todos nosotros. Y especialmente la del gallego, quien, con envíos de copetines que pagaba la casa, le hacía demostración del agradecimiento que sentía por él, por haber puesto en su lugar a esa vieja hija de puta, perdonando la expresión.

Habrá pasado un mes, no mucho más, y todo estaba más o menos como siempre en el boliche y en el barrio. Se seguía hablando de las mismas cosas, el guapo Saucedo seguía atemorizando a maestras y escolares y la gallega no había vuelto nunca más a aparecer a la vista del público ni siquiera para acercar un plato de mortadela en daditos.

Y una tarde salimos del boliche, todos juntos, como siempre, a eso de las siete —la hora en que cada uno se volvía para su casa—, cuando nos topamos así, a boca de jarro, con el guapo Saucedo.

Me acuerdo que estábamos medio exaltados, alegres,

nos íbamos a escuchar por radio un partido nocturno entre Argentina y Brasil que se jugaba en Uruguay y hacía bastante calor. O sea que no estaba muy oscuro todavía a esa hora.

Salimos del boliche, che, y nos topamos con el guapo Saucedo, que seguramente había tomado ese día por nuestra calle en lugar de tomar por Lamadrid hacia lo de don Matías y pasó entonces por la esquina del boliche. Lo reconocimos enseguida y nos quedamos paralizados.

Estábamos todos: Tristán, Bernardo, el Gordo Arredondo, el doctor Usía, el Chito Ayarza, el Flaco Antón, Humberto, Edgardo Piovano, que murió hace poco, yo, lógicamente...

Se hizo un silencio notorio, molesto, y Saucedo, que venía caminando despacio pero decidido por Humboldt, se tuvo que detener ante nosotros, y nos miró casi con una sonrisa de asco. Supimos que no iba a seguir de largo, sin darnos bola.

Era grandote y tenía un brillo perverso en los ojos chiquitos y achinados debajo de la sombra del ala del sombrero, como chispas. Y entonces, casi sin pensarlo, mecánicamente, el grupo nuestro se fue abriendo, apartándose, como para dejar a Saucedo frente a frente con Humberto Alsina, el perito calígrafo.

No sé por qué se dio así, pero hubo como una coincidencia tácita en que sólo Humberto Alsina podía enfrentar aquel momento, aquella amenaza. Hasta el día de hoy hay quienes nos reprochan —mi hermana Arminda por ejemplo—, que le hubiésemos tirado esa responsabilidad encima al pobre Humberto. Pero yo, dentro de la culpa que a veces me asalta, no estoy muy seguro de que haya sido de esa forma. Tal vez nos fuimos abriendo para dejar pasar al malevo, quizás el movimiento fue intuitivo como para abrirle un pasillo para que pasara entre dos filas sin darle nunca la espalda —por lo peligroso que era—, y eso lo dejó de cara a Humberto Alsina, que salía último del boliche porque siempre se demoraba un poco en saludar al gallego estrechándole la mano.

Lo cierto es que Saucedo tomó la cosa como si nosotros le estuviéramos señalando con un lenguaje corporal, sin palabras, al hombre que debía enfrentarlo.

Saucedo caminó dos pasos lentos hacia Humberto que no se había percatado muy bien de nada, mirándolo a los ojos y le dijo, todavía me acuerdo: "Así que vos sos el guapo de la barra".

Ésas, sus últimas palabras, las recuerdo como si las tuviera grabadas en la memoria: "Así que vos sos el guapo de la barra". Y, sacando un cuchillo de unos 25 centímetros de hoja, se lo enterró a Humberto en el estómago.

Vimos entrar el acero en la tela blanca de la camisa, sin un ruido, y vimos cómo tardó bastante tiempo en brotar la sangre por la herida. Con otro movimiento exacto Saucedo sacó el puñal y, sin apuro, con un pañuelo bordado que extrajo de uno de sus bolsillos, le limpió la sangre. Recién cuando Saucedo guardaba el pañuelo, Humberto empezó a caerse. Por suerte lo agarramos entre todos.

De cualquier manera, de cualquier manera, lo de Humberto Alsina no fue en vano. Porque Saucedo, asustado tal vez por lo que había hecho, no volvió al barrio.

Aun para un maleante, una cosa es ir a comprar todas las semanas cigarrillos de contrabando a un kiosco de caramelos y otra muy distinta es acuchillar a un perito calígrafo a la salida de un boliche. Se volvió a su esquina y supimos que tiempo después se fue a vivir a San Miguel de Tucumán donde trabajó en la sección Empaque de un ingenio azucarero.

Y Humberto, afortunadamente, sobrevivió a la herida que le había partido el hígado en dos pedazos. Tuvieron que extirparle uno, pero, por suerte, es un órgano noble que tiende a regenerarse y, en una de ésas, vos perdés el ochenta por ciento de tu hígado pero a los pocos años ya lo tenés trabajando igual o mejor que antes.

Pero, eso sí, nunca más volvió a la mesa del boliche. Pienso que quedó un tanto molesto con nosotros. Tal vez fastidiado.

Al menos algo así le manifestó al doctor Usía, que lo encontró una noche de carnaval, hace unos años, cuando le dijo que no podía ni probar un trago de aperitivo porque el alcohol le ocasionaba graves trastornos hepáticos, debido a aquel percance. Y, sin embargo, si bien el barrio siguió sin tener un guapo que lo representara, en el primer aniversario de aquel cuchillazo infame, la Comisión de Damas le impuso el nombre de "Salón Perito Calígrafo Humberto Alsina" al salón de juegos de mesa del Club Social Juventud, ahí en calle Necochea al tresmilsetecientos.

Y a Humberto lo vi hace poco, ya bastante viejito pero bien. No parecía un tipo al que le hubieran extirpado parte del hígado. Estuve tentado de saludarlo y consultarlo sobre un tema de aportes previsionales... Pero me dio no sé qué.

ISIDRO BABEL, CREADOR DEL "AUSENTISMO"

Un día de otoño, en 1935, Isidro Babel lanzó su corriente artística conocida como el "ausentismo", o ausencia total de la obra. Su audaz proclama tuvo lugar en el mítico café "La Recherche" de Rue de Rivoli, cerca de Laure, a pocos metros de la Place de la Madeleine, donde finaliza, prácticamente, el barrio argelino. Escuchaban su propuesta, con expresiones entre confusas y agrias, colegas tales como Théophile Rops, Cyprien Sasoon, su compatriota Lucio Fontana, Jean Cocteau, Simone Signoret y un pintor joven e irreverente, Romain Godebski, miembro del grupo "Renoir", que a poco se convertiría en el "pintor maldito" de su generación al contagiar de varicela a todos sus compañeros.

Habían pasado, apenas, catorce días desde la apertura de la muestra de Babel en la Galería Chevigné, de Rue d'Astorg 14, y de las posteriores y acerbas críticas a la misma de parte de casi toda la prensa especializada. "Una bosta", sintetizó, cáustico y con preciso sentido del lenguaje, el periódico parisino "La Canaille", en un intento de reflejar el sentimiento de frustración y abismamiento que produjo el planteo artístico de Babel.

"Babel —recuerda Miguel Vidal, biógrafo del artista santafesino— rentó con sus últimos ahorros la Galería Chevigné, un sitio reservado, históricamente, para los pintores clásicos y costumbristas.

"Pero para los mejores pintores clásicos y costumbristas.

"Octave de Greffulhe, por ejemplo, quien pintaba naturalezas muertas sobre piezas de caza, tales como liebres y faisanes, pero también incursionando en la caza mayor, con elefantes y rinocerontes, lo que exigía de sus telas dimensiones gigantescas. En esa mítica galería, Babel (quien tenía ya cierta fama entre la colonia sudamericana por su tendencia a invitar a reuniones de empanadas y vino) convocó a casi un centenar de personas. Cuando se habilitó la sala, los concurrentes encontraron que allí dentro —estoy hablando de un salón de ocho metros por 35— no había absolutamente nada. Nada que pudiera verse o palparse.

"Luego, Babel explicó durante casi dos horas los principios básicos de su filosofía artística, el 'ausentismo', la ausencia total de la obra.

"Juan Gris, por mencionar a uno de los notables más disconformes, lo interrumpió en un momento arrojándole un vaso de vino blanco, que le acertó en una ceja.

"Años más tarde, Babel definiría esa acción como un hecho artístico de notable relevancia. Porque se le hinchó bastante."

Para aquellos que conocieron los comienzos del plástico, la enunciación de una teoría tan polémica y avanzada pudo sonar extraña. Isidro Babel se había forjado dentro de los cánones formales y casi rígidos de la educación provinciana.

"Yo venía de una enseñanza metódica y puntual —asevera Babel en el libro *La perspectiva y sus perspectivas futuras*, donde debate intensamente con el pintor Spilimbergo—, producto de mis primeros y largos años en la escuela 'Doctor Antelo Nº 60' de El Trébol, mi pueblo de crianza. Allí, durante los tres primeros años, cursé 'Dibujo a mano levantada' con el maestro Epicúreo Anselmi, quien interpretaba la materia desde un punto de vista netamente político, al punto de que lo de la mano levantada lo condujo, lenta pero fatídicamente, hacia el movimiento nazi del cual fue fervoroso defensor durante toda la década del 40.

"Sin embargo, Anselmi era un profesor tenaz y muy severo y nos tuvo esos tres años copiando un conjunto de prismas blancos que había colocado sobre una silla. Eran dos conos y un rectángulo, todos de yeso, acompañados por una naranja de ombligo.

"No nos permitía usar el color ya que su material favorito era la carbonilla. Nos exigía sacarle punta a la carbonilla hasta formar prácticamente un estilete.

"Por supuesto, debido a la levedad de la carbonilla, los treinta alumnos debíamos sacarle punta cada cinco minutos, con lo que, a poco de comenzar la clase, el aula estaba invadida por un polvillo oscuro que flotaba en el aire.

"Varios de mis compañeros sufrieron afecciones severas en los pulmones. Ricardito Colarte, incluso, debió hacer cuarto grado libre en Tanti, donde fue para reponerse de problemas respiratorios.

"Mi madre, como tantas otras, pasaba noches enteras lavando con agua fría en el piletón del patio del fondo, porque cuando dábamos Dibujo volvíamos con el guardapolvo completamente negro, como si hubiésemos trabajado en una mina de carbón. Más de la mitad del curso repitió el grado por esa materia. Anselmi escribía en el pizarrón 'Lo que no mata, endurece'. Y yo creo que a mí realmente me hizo bien aquella disciplina".

Otra opinión que marcó al pequeño Isidro fue, por cierto, la de su maestra de Dibujo, Adela Movio, que lo tuvo como alumno hasta la finalización de la escuela primaria.

"La señorita Movio —recuerda, una vez más, Vidal— aún vive y a pesar de sus casi 112 años cuestiona a Babel por su cambio de postura. Movio ha planteado siempre, desde un punto de vista pedagógico, filosófico y geográfico, la presencia imprescindible, en toda obra, de la línea de tierra. Todo dibujo, toda expresión plástica, según ella, debe contar con una línea de tierra que le dé un sostén y una referencia. Llegó a hacer echar a un alumno de segundo grado C por no trazar la línea de tierra bajo el dibujo del corte transversal de una ameba, en clase de Biología".

Babel retomaría el tema, casi obsesivo, en una de sus habituales disputas verbales con Lucio Fontana.

"Creo —arriesga en una parte del extenso reportaje que le hiciera la periodista francesa Misia Bonnefoy en el libro *Esa línea*— que, tras la porfiada defensa que hacía mi maestra Adela Movio de la línea de tierra, había algo más que una pretensión plástica. Había, en suma, un enorme cariño por la patria, por la tierra que nos había visto nacer, por esa enorme y generosa pampa gringa que nos rodeaba y que ella veía, con temor, cómo iba cambiando y se iba deformando ante entretenimientos tales, por ejemplo, como la pelota vasca y El Cerebro Mágico. Sacar, quitar u obviar de un dibujo la línea de tierra era para ella como arrancar una parte de nuestra identidad como país".

Con tales profesores, no pudo extrañar que Isidro Babel abordara, ya adolescente, una pintura realista, concreta y comprometida con su tiempo. Empezó a pintar rostros de payasos con lágrimas en los ojos.

"Es la época que Antonio Seguí denominó, acertadamente, como de 'la payasada' —rememora el crítico de arte Fernando Farina— y que algunos colegas atribuyeron, equivocadamente, al deslumbramiento que Babel tenía por los circos. No fue así. Es verdad que pasaron circos por El Trébol y, es más, uno de ellos, el 'Hermanos Ringlinn', se quedó y hoy es una importante aceitera. Pero Babel no experimentaba demasiado interés por dichos espectáculos. En realidad, él comenzó a pintar esos motivos inspirándose en su propio padre, don Ezequiel Babel, un hombre pequeño y apocado, bastante dócil a los reclamos de su madre, la señora Malena, que sí era de carácter fuerte".

Para ese entonces, Babel ya se había trasladado a Rosario, atraído por las luces de la gran ciudad. Vivía con una tía en las inmediaciones del Parque Independencia y allí ofrecía sus telas a los tranquilos paseantes domingueros. También hacía algo similar durante la semana, ofreciendo otros tipos de telas —seda, piqué, viyela— en un negocio que su tía Águeda tenía en calle San Luis.

Es entonces, durante un paseo en derredor del lago del Parque Independencia, que algo estalla dentro de Isidro Babel.

"Descubrí el agua —explica el plástico a su biógrafo Miguel Vidal—. Descubrí el atractivo de ese elemento mágico, móvil, cambiante, sutil y desafiante. Llegué a meter mis pies descalzos en ese laguito, algunos días del verano, procurando captar el contacto del agua con mi propia piel, para trasladarlo de alguna forma a mis cuadros. Hasta el momento yo disolvía mis óleos con trementina y anís de alcanfor, pero desde allí comencé a hacerlo con agua, para acercarme al espíritu del elemento. Y supe que tenía que viajar y enfrentarme a ese desafío".

Desconcierta entonces, si se quiere, que haya viajado a Santiago del Estero para pintar sus marinas. Pero tenía allí, en esa sufrida provincia, más precisamente en Río Hondo, algunos parientes.

Pinta no menos de 300 marinas, inspirado en las vertientes termales y en algunos grabados de Doré que encuentra en una librería de viejo.

Son imágenes nocturnas de olas rompiendo contra las rocas, de marejadas arremetiendo contra las escolleras, de la marea cubriendo algarrobos, ceibos y mistoles.

Pero se había cansado ya un poco de la ortodoxia. Lo subyuga, entonces, la innegable influencia de Picasso y su inagotable creatividad en todos los campos.

Hace algún intento desafortunado con la poesía, editando una plaqueta con el título de *Estrofas estofadas* que su propia pareja de entonces, Ernestina Alfonso, tiene el tino de retirar del mercado.

Y aborda, luego, ya en Madrid, la escultura.

"Babel había tenido un acercamiento concreto con la plastilina —apunta Adela Movio, su maestra de cuarto, quinto y sexto grado— en el saloncito azul del kindergarten. Hacía figuras realmente atractivas y desopilantes. Recuerdo que un día atrajo la atención de toda la escuela, incluyendo las demás maestras y la directora, cuando se metió en una de las fosas nasales una bolita de plastilina y sólo se la pudimos sacar con ayuda de un enfermero y de tres mecánicos del taller que había enfrente del colegio, en una época en que en El Trébol aún había metalurgia".

Pero en Europa, las privaciones de la posguerra empujaron a Babel a manejarse con sus propios elementos, ya que el mármol, por ejemplo, la piedra bola y la bauxita se habían agotado en la confección de lápidas y monumentos recordatorios.

Las canteras de Caracalla, asimismo, habían sufrido los bombardeos irreflexivos de la aviación de Mussolini.

"Comprendió, entonces, Babel —dice su biógrafo, Miguel Vidal—, que debía aprovisionarse de sus propios materiales. Ya había tenido alguna aproximación a la escultura en su infancia y adolescencia. Probó con la cerámica en El Trébol. En los revestimientos de azulejos de cerámica del cine 'Astor', por ejemplo, aún se conservan inscripciones naïfs, muy elementales, de su propia mano. Y, además, improvisó en su casa un horno para cerámica con uno viejo de pan que había en un campo vecino, propiedad de amigos de la familia.

"Isidro modeló una garza y un cocodrilo, seguramente influenciado por la fauna de la zona y templó el horno a una temperatura enorme. Siempre fue un hombre muy ansioso y detestaba esperar demasiado".

Por cierto, esa característica personal, la de la impaciencia, ya la había denotado Babel en un reportaje concedido a la revista "El Pomo" de Carcarañá.

"El paso del ser humano por este mundo —aseveraba el artista en dicha entrevista— es lastimosamente fugaz, un suspiro apenas en la infinitud del cosmos, una chispa inapreciable en la hoguera de la energía. Por lo tanto, ningún ser humano puede perder tanto tiempo. ¿Cuánto hay que esperar para que se seque la pintura al óleo? ¿Cuánto hay que esperar para que solidifique el vidrio? ¿Cuánto hay que esperar para que no se corra la tinta china?"

El horno improvisado por Babel reventó, provocando enorme alboroto en el pueblo y entre la hacienda, que desató una estampida trágica. Babel quedó muy mal después de aquel episodio y le bastaba ver un cocodrilo para alterarse. Era una persona de extrema sensibilidad.

En enero de 1953, entonces, Babel emprende la difícil tarea de elaborar sus propias rocas, sus propias piedras, a fines de lanzarse a la escultura.

"Hizo una argamasa muy rara —narra Alphonse Reverdy, maestro mayor de obra nacido en Cannes, que lo ayudó en esa labor— mezclando bolsas de talco con cal y cemento líquido, al que le agregaba canto rodado, masilla y brea negra, esto último para darle cierta plasticidad a la masa. Obtuvo un bloque de unos cuatro metros por cuatro, con los que esculpió su famosa obra 'Las narcisas'".

Tal vez, el resultado de dicha escultura apresuró la decisión de Babel de encontrar una línea filosófica y artística con menor compromiso con el paso del tiempo y, fundamentalmente, con la espera.

Decisión que desembocaría, en definitiva, en el ausentismo.

"El problema —explica Marcelo Krass, amigo de Babel y plástico experto— es que la roca que Isidro había elaborado, no fraguaba nunca. Habían pasado seis meses desde su modelado, y aún estaba húmeda.

"Es más, el peso de las figuras vencía la resistencia del material. Los dos caballos piafantes que Isidro había plantado con rara maestría comenzaron a inclinarse más y más, día tras día, plegando sus patas, hasta tocar la base de la escultura con sus pechos.

"Por su parte, la victoria alada que contenía a los corceles comenzó a abatirse y, al mes siguiente, podía llegar a confundirse fácilmente con un ganso, una oca o un ánsar.

"El pobre Babel optó por ir cambiando el título de la obra, que un año fue 'Victoria con corceles' para luego convertirse en 'Aves de corral' y llegó a ser 'Volúmenes con espada'".

El ausentismo, explicado minuciosamente por Babel en su manifiesto "Por qué el ausentismo" (Marsella 1956), prendió fuerte en algunos círculos de la intelectualidad parisina, especialmente en el Círculo de Espiritismo "Thadée Cossart", y, más que nada, tuvo inusual aceptación entre los dignatarios de la Iglesia.

"Es que mi filosofía —revela Babel a Misia Bonnefoy en el mismo reportaje citado anteriormente— apunta por sobre todas las cosas fundamentalmente a la Fe. No es para los pobres de espíritu. Yo digo, proclamo 'Allí está la obra', y los fieles, los seguidores, los que creen, pueden verla, pueden apreciarla, valorarla y hasta criticarla si se les antoja. No es una apuesta fácil, para pusilánimes".

Pregunta, entonces, Bonnefoy: "¿Podría emparentarse, entonces, con el sentido espacial que campea en la obra de su compatriota, Lucio Fontana?".

Babel responde: "Yo tengo un enorme aprecio por Lucio. Es más, lo considero un pintor de relieve, condición que ha conseguido, por supuesto, al abandonar la pintura de planos. Pero su tesitura es mínima en comparación con mi propuesta. Él sigue aferrado, de una manera u otra, a lo terrenal, a lo corpóreo, a la materia. Siempre pensé que Lucio era un hombre vergonzosamente materialista.

"Le presté, en una ocasión, tres de mis mejores telas y las tajeó en forma miserable. Luego insistió en presentar aquello como una apertura hacia el espacio, pero yo aún sostengo que lo hizo movido por espíritu de revancha.

"Me había prestado antes una camisa de seda que yo le había pedido para la inauguración de una retrospectiva de Matisse, y se la manché sin querer con tinta de birome. Mi propuesta trasciende, repito, lo material. Es mucho más que el abstraccionismo, incluso. Va más allá de eso, y gente como Fontana no puede comprenderlo".

La abrupta notoriedad que el lanzamiento de su ausentismo brindó a Isidro Babel, le trajo aparejados, paradójicamente, los primeros inconvenientes con la comercialización de sus obras.

"Se había producido una verdadera explosión en torno a Babel —sintetiza, una vez más, su biógrafo, Miguel Vidal—. Cientos de jóvenes artistas europeos abrazaban esa causa. Se multiplicaron como hongos las muestras y exposiciones con propuestas en esa línea. Pero, por supuesto, los principales coleccionistas pretendían únicamente los trabajos de Babel, lo que ponía en aprietos a André Porel, su *marchand* oficial. No es fácil fijar un precio sobre una obra que está ausente.

"Admito que se fijaron precios en forma un tanto caprichosa o antojadiza. Pero se llegaron a pagar cifras escalofriantes por obras que, según el mismo Babel, no eran muy grandes ni tampoco muy buenas. Influía mucho en eso la participación del espectador. Si éste era un hombre de imaginación y espíritu frondoso, por supuesto que el precio podía subir a niveles de escándalo".

La falta de referencias, la dificultad de poner límites,

la imposibilidad de medir, contar o apreciar, precipitó, tal vez, el conocido final del plástico de El Trébol.

En agosto de 1967, Babel ya vivía con su tercera mujer, Irene Huysmans, en la isla de Córcega, donde había buscado refugio por consejo médico, para tratarse un rebelde herpes Zoster que lo perseguía desde niño. El clima lluvioso de la isla lo invitaba a quedarse en casa, lo que le permitía eludir la enojosa situación social de rascarse en público.

Hasta allí se llegó, sin embargo, el rico empresario siciliano Francesco Civitavecchia, en procura de adquirir una de las obras de Babel. Babel comprendió que no sería fácil contentar al *tycoon* del Tirreno. Civitavecchia era un hombre ya mayor, apegado a las costumbres tradicionales, defensor a ultranza de las virtudes de la familia y amante de los productos de la tierra, como las uvas de las cuales extraía el vino chianti: él mismo las cultivaba, con sus propias manos, en su enorme finca cercana a Marsala.

Dos días con sus noches estuvo Babel explicándole, minuciosamente, los fundamentos de su teoría plástica, el ausentismo. Sin entenderlo demasiado, Civitavecchia, práctico, operativo, le dejó el equivalente a un millón de dólares en liras de la época, y le dijo que volvería a buscar la obra seis meses después. Seis meses después, en efecto, Francesco Civitavecchia con su gente volvió a visitar a Babel, navegando en su yate particular "Il Cagnotto". Encontró sin grandes cambios, por supuesto, la hermosa casa donde habitaba Babel, en la cima de un monte y con vista al mar, pero no halló a sus dueños. Ni Babel ni su mujer, ni por supuesto, su adelanto en dólares, estaban ya allí. Un criado, solitario, olvidado, condujo a Civitavecchia hasta el vasto atelier del artista, para demostrar al potentado que no se encontraba allí obra alguna. En efecto, Civitavecchia sólo pudo observar el gran taller vacío, abandonado, al parecer, súbitamente, donde todavía podían apreciarse algunos pomos de óleo y pinceles por el suelo.

"No era un hombre, Civitavecchia —opinaría luego Rimsky-Korsakov, el famoso músico ruso quien solía frecuentar los círculos de la pintura en Francia—, lo suficientemente intelectual como para poder entender en su verdadera dimensión el ausentismo".

De Isidro Babel, el artista nacido en El Trébol, nunca más se volvió a saber nada. Una versión poco confiable debido a la disparidad cronológica decía que se había trasladado a México, que había interesado a León Trotsky en su particular filosofía artística poco antes del desgraciado suceso que le costara la vida al político, y que luego se había perdido su rastro en el desierto de Gila, tal cual sucediera con el escritor norteamericano Ambrose Bierce.

"Un hombre —recuerda con cierta nostalgia y tristeza la genial diseñadora de modas Coco Chanel, quien compartiera con Babel largas noches de vino y ajenjo en 'La Croix des Gardes'— capaz de llevar hasta las últimas consecuencias sus ideas. Como su obra, él se ausentó también, para siempre, y hoy sólo parece existir en la fe de sus seguidores".

YAMAMOTO

La verdad es que fueron injustos con Yamamoto. O, al menos, exagerados.

Injustos no, porque, en definitiva, él tuvo la culpa de lo que pasó con Omar. Pero —ahora lo pienso— le dieron un castigo de adulto a un adulto que, finalmente, era un chiquilín y hacía cosas de chiquilines.

Por supuesto que, en realidad, no se llamaba Yamamoto; entre los chicos le decíamos Yamamoto porque rompía permanentemente las bolas con sus relatos de guerra y, en especial, con el relato del ataque a Pearl Harbor comandado por el general Yamamoto.

Lo de romper las bolas es otra injusticia porque a casi todos los chicos nos gustaban esos cuentos. Que no eran cuentos, por otra parte, eran cosas que habían ocurrido en la Segunda Guerra Mundial. Les estoy hablando de comienzos de la década del cincuenta, cuando todavía el tema de la Segunda Guerra estaba muy latente y, más que nada, había cantidad de películas sobre ese asunto.

Gerardo —alias Yamamoto— era un fanático de la Segunda Guerra. Así como hay fanáticos del fútbol, o del aeromodelismo, o de la filatelia, él era un fanático de la Segunda Guerra. Y no creo que fuera un caso demasiado extraño. He encontrado muchos tipos como Gerardo, con ese gusto. Y él era una especie de tío, para nosotros, un tío joven o un primo grande; calculo que para esa época tendría alrededor de 30 años.

Papá contaba que no era en realidad hermano de Paco, sino que se habían criado juntos. Yamamoto era huérfano, amigo de Paco, y los padres de Paco se hicieron cargo de él. La cosa es que aparecía nada más que para las Navidades o para los velorios.

Fue precisamente en el velorio de Nona Alicia, me acuerdo, que nos contó a Marcelo y a mí, de punta a punta, "Regreso a Bataan", la película con John Wayne, con un grado de entusiasmo tal que luego, con Marcelo, jugamos durante dos días a esa película, sólo por el relato de Gerardo. Recuerdo que más de una vez, en el velorio, la gente se dio vuelta para mirarnos porque él abundaba en explosiones y ráfagas de ametralladoras.

—Quería meterse en la infantería de marina, en una época —me dijo una vez mi viejo refiriéndose a Gerardo, cuando yo le conté en la mesa mi asombro ante su entusiasmo por la cosa bélica—. Pero después no sé qué le pasó que no pudo.

—Sería físicamente inapto —meneó la cabeza mi madre, escéptica.

—No. Creo que no...

—O mentalmente.

Mi madre no quería demasiado a Gerardo y, si bien no lo consideraba un disminuido mental, lo tenía por un extravagante inútil o un vago directamente. Sin embargo sabíamos que Gerardo trabajaba en algo, que tenía una vida privada bastante cerrada y que no se le conocían mujeres. Pero no era un tema de conversación recurrente ni mucho menos, porque, como ya les dije, provenía de una rama medio dudosa de la familia y porque aparecía nada más que para las fiestas.

—Algún día —nos había dicho a Marcelo, a Sergio y a mí la última noche de Navidad antes del accidente— les voy a mostrar el revólver que tengo. Tengo un revólver y un máuser que conseguí del Ejército. Salgo a tirar todos los fines de semana. Me voy a un campito por Ibarlucea.

No le creíamos demasiado. Hablaba en un tono un tanto confidencial y casi conspirativo, mirando hacia ambos lados como con temor de que alguien de la reunión lo escuchara. Y nosotros no sabíamos si era parte de su show personal donde siempre jugábamos el papel de público cautivo. Generalmente, luego de comer y antes de que llegara la hora de repartir los regalos, se venía a la mesa de los chicos y nos contaba historias de la guerra. Ninguno de nosotros tenía más de doce años, y lo escuchábamos deleitados.

—Le cuenta todas esas idioteces a los chicos, cosas violentas... —se enojó un día mi madre, poco después de una Navidad.

—No le hagas caso —sonrió mi padre—. Inventa. Macanea. Le gustan esas cosas pero es inofensivo.

—No tan inofensivo. Me contó Pelona que anda armado. Que trabaja como personal de seguridad.

—¡Mentira! Bolazos que se le ocurren para llamar la atención —se rió mi viejo, despectivo—... ¡Armado! ¡Por favor! Me dijo Paco que trabaja de empleado en un depósito, algo así...

—Que acá no se aparezca con un arma... —insistió mi madre.

—¿Cuándo ha venido con un arma, Olinda? —se ofuscó mi viejo—. No exageremos. Lo único que hace es contarles historias de guerra que les gustan a los chicos.

—¿Qué sé yo si no trae un arma? Se la pasa hablando de esas cosas...

Y algo de razón tenía mi madre. Porque Yamamoto-Gerardo nos contaba sobre armas pesadas, cañones, obuses y otras piezas de artillería. La noche de lo de Omar nos estuvo explicando el funcionamiento de los antiaéreos Boffors, y en el movimiento de sus puños cerrados como pistones tiró a la mierda una jarra con limonada. Manchó a Angelita, una de mis primas, que para colmo se hartaba con esos relatos.

A las nenas —Angelita, Inés— no les atraían tanto, por supuesto, las narraciones de guerra. Aunque a veces Gerardo lograba atraparlas. Les explicó, por ejemplo, que las mujeres empezaron a usar el pelo corto durante la guerra, cuando tuvieron que ir a trabajar a las fábricas de armamentos y los cabellos largos podían enredarse en los engranajes de las máquinas que ensamblaban tanques, por ejemplo. Pero enseguida retomaba su curso y arrancaba a hablar de los tanques Sherman y ahí le daba.

Sin embargo, su atención, en esas fiestas, que generalmente se celebraban en casa, estaba centrada en la compra de petardos, cohetes y cañitas voladoras. Apenas llegaba a casa, siempre junto con tío Paco, me llamaba aparte y me preguntaba: "¿Compraste?". Y yo siempre había comprado algo, poco, temeroso de las reprimendas de mi madre y de abuela Clelia. Marcelo y Sergio, junto con Omar, también colaboraban con lo suyo, algunos petardos y, más que nada, "cuetes fósforo" marca Pechina, que eran una cagada, muy débiles, y se encendían como los fósforos raspando la cabeza de cada cilindrito sobre uno de los costados granulados de la cajita que los contenía.

No todos encendían, o se encendían y luego no explotaban. O no explotaban porque tenían el otro extremo mal sellado y toda la explosión se iba por allí, como un pedo zonzo. Un "pedo de oveja" solía comparar Sergio, que pasaba los veranos en el campo.

Los buscapiés o los rompeportones estaban absolutamente prohibidos en casa, por peligrosos. Las nenas se aterrorizaban con los buscapiés y, unos años antes, cuando las Navidades aún se celebraban en lo de tía Nora, Colita, el perro imbécil que tenía tía Nora, se tiró desde la terraza espantado por los petardos que se escucharon a las doce.

Colita nunca más volvió a caminar bien ni tía Nora a ofrecer la casa para celebrar la Nochebuena. Y de allí surgió la sospecha de que Gerardo había llevado los explosivos. Creo recordar que la sospecha era cierta.

Por supuesto que mamá y tía Luisa insistían en que los únicos elementos de pirotecnia que podían usarse eran las "estrellitas", esas bengalitas pelotudas, alambres finitos recubiertos de un compuesto plateado que, al acercársele un fósforo, despedían una enormidad de chispas.

Aún suelen verse. No hacían ruido ni nada, sólo estrellitas, que duraban un momento ínfimo. "Hacelo girar, hacelo girar", ordenaban las viejas a las nenas, para que no se les apagaran y antes de que algunas de las más pequeñas las tiraran al suelo por temor a quemarse.

Para nosotros era una distracción femenina, una diversión maricona, y preferíamos la espectacularidad de los petardos, las ristras y los rompeportones. Y fueron petardos, de los gordos, de los azules, de los más caros, los que me mostró Gerardo, la noche aquella de Omar, sacándolos furtivamente, en un puñado, de uno de los bolsillos de su campera. Creo que había llevado campera exclusivamente para eso, para ocultar los petardos, ya que hacía un calor enorme, como casi siempre en diciembre.

Me pidió que le enseñara dónde quedaba el baño y, ya allí, me los mostró, excitado, como si fuera de la edad nuestra.

Ésa fue la noche en que empezamos a llamarlo Yamamoto, con Marcelo, Sergio y Omar, porque nos contó todo lo de Pearl Harbor. Después de las doce, después de que nos habían dado los regalos, subimos todos los chicos a la terraza, con Gerardo y mi viejo. Oficialmente habíamos comprado sólo cañitas voladoras que, según mi viejo, eran lindas y no representaban ningún peligro, pese a las quejas de mi madre que decía que les podían sacar un ojo a alguno de nosotros o quemar la casa de un vecino si caía en un toldo.

Sobre la noche de Rosario, sin embargo, desde la terraza se veían elevarse infinidad de cañitas voladoras y fuegos artificiales que reventaban por todos lados. Ayudamos a Gerardo a poner la botella vacía en el piso de la terraza y todos los chicos, incluidas las nenas, saltabamos y girábamos a su alrededor con un entusiasmo notable. Papá miraba algo distanciado, controlando pero complacido, sin meterse mucho.

Alertaba "Ojo… ojo" cada tanto, o bien prevenía "Guarda, no te vayas a quemar", cuando era uno de nosotros el que encendía la mecha. Se escuchaban explosiones por todo el vecindario, no era una época en que estuvieran muy cuestionados los artículos de pirotecnia, y yo veía cada tanto que Gerardo arrojaba algo, velozmente, hacia la oscuridad de la noche, por sobre las paredes bajas de la terraza.

A poco de hacer esos movimientos rápidos, ejecutados en los momentos en que mi padre no miraba o se distraía, se oía una explosión seca y cercana. Me di cuenta de que estaba tirando rompeportones sobre los techos vecinos. Para mejor mi viejo, en un momento dado, algo aburrido, aprovechando que lo llamaban desde abajo para brindar, abandonó la vigilancia. Allí, entonces, salvo las nenas, todos tiramos rompeportones que Gerardo repartió entre nosotros mientras parloteaba algo sobre un asalto final y las fortificaciones de Guadalcanal. Para arrojar los rompeportones —había comprado como 50— simulaba todos los movimientos que los soldados hacen para arrojar una granada, fingiendo quitarles la espoleta con los dientes y contar hasta diez. Nos divertimos como locos, demás está decirlo, hasta que se nos acabaron los rompeportones y sólo quedaron los petardos gordos.

Hicimos estallar varios y luego a Marcelo se le ocurrió que las explosiones no eran demasiado fuertes y propuso hacer explotar uno adentro de una lata vacía que había en la terraza. Gerardo fue el primero en aprobar la idea.

La explosión, corta y retumbante, profunda, del petardo dentro de la lata que saltó del suelo como si estuviese viva, fue fantástica y saltamos y brincamos riéndonos a carcajadas, incluso las nenas, que se habían alejado tapándose los oídos antes de la explosión.

Entonces a Gerardo se le ocurrió hacer estallar otro dentro de la botella que habíamos usado para lanzar las cañitas. Tuvo la prudencia de poner la botella horizontal, explicándonos que sin duda el vidrio resistiría la detonación pero que toda la energía liberada a travez del pico impulsaría a la botella a destrozarse contra uno de los tapiales, "como una bazuca", explicó, haciendo salir a las nenas de la línea de disparo.

Pero algo falló. No fue así. La botella reventó en mil pedazos y todos recibimos trozos de vidrio en la cara, una lluvia de miles de pequeños fragmentos de vidrio astillado que no nos perjudicó más que en pequeñísimos cortes sangrantes y un susto mayúsculo.

Pero cuando Gerardo, lívido, desencajado, también sangrante por un cortecito sobre la nariz, preguntó si estábamos bien, no vimos a Omar. Estaba caído, en un rincón de la terraza, con la frente abierta como una sandía por el impacto directo del culo de la botella que había salido despedido por el aire como un disco filoso.

De más está decir que Gerardo no fue nunca más aceptado en una fiesta de Nochebuena. Luego del escándalo, del drama de aquella noche, de los gritos impresionantes de las mujeres, lo conminaron al ostracismo social por el consejo de hombres de la familia. Creo que fueron un poco desmedidos con él. Se trató, a mi juicio, de un accidente, que podría haber ocurrido en cualquier otra circunstancia. Mi tía abuela Pelona, sin ir más lejos, al poco tiempo, rodó por las escaleras de su casa, y se quebró la cadera. A los tres meses se murió por eso, sin haberse levantado ya nunca más de la cama.

De Gerardo, en casa, no se mencionaba ni el nombre. Ni en casa ni en ninguna de las casas de los demás. Había sido condenado al olvido y al desprecio. Ni siquiera tío Paco, que era quien lo había llevado siempre a nuestras reuniones, se atrevía a nombrarlo en los tantos domingos en que nos reuníamos al mediodía en su casa para comer pastas.

Sin embargo, unos cuantos años después, hubo una especie de amnistía general. Mi prima más grande, Stella, había vuelto a su casa luego de haberse ido a vivir con un trompetista de una orquesta de jazz de San Nicolás. Eso le significó, en principio, la repulsa general y, por sobre todas las cosas, el repudio encarnizado de sus padres que no admitían que la nena hubiera decidido unirse a un hombre sin casarse.

Pero Stella tuvo un hijo, anunció su próximo casamiento con el músico y éste, a su vez, se reveló como un buen tipo o al menos no peor que cualquier otro. Además, apareció un par de veces en un programa de televisión —el Club del Clan— tocando con su conjunto, con lo que adquirió chapa de músico exitoso.

Tío Paco y Matilde decidieron perdonar a Stella e hicieron una reunión para recibir a la pareja que volvía de San Nicolás a radicarse en Rosario. Allí anunciaron también que ellos habían decidido perdonar incluso a Gerardo, el marginado.

Preguntaron a los demás qué pensaban. Mis viejos, tras pensarlo un poco, estuvieron de acuerdo. Hasta mi madre, que siempre lloraba cada vez que veía el inmenso costurón en forma de media luna que serpenteaba por la cabeza de Omar (y que insistía en que el chico no había quedado demasiado normal), aceptó la decisión de Paco. Creo que ella estaba muy contenta en esos días, porque papá se había sacado casi 500 pesos en la lotería.

Así, a la Nochebuena siguiente, Gerardo volvió a aparecer por casa, junto con Paco y Matilde. Estaba igual, por supuesto. Se mostró más parco, pero amable, mesurado. Cuidadoso, en una palabra. La única diferencia era que ahora tenía unos bigotitos finos, algo ridículos, que no le quedaban mal después de todo. Y que ya no hablaba de la Segunda Guerra Mundial sino de la guerra de Corea.

No lo hizo decididamente de entrada, cauto y respetuoso. Pero sobre el final de la cena, se sentó en la punta de la mesa que se había reservado para los más jóvenes —ya no estábamos los chicos en una mesa separada— y nos contó con lujo de detalles "Los puentes de Toko-ri" con William Holden.

Llovía, esa noche. Había caído un chaparrón impresionante a la tardecita, que hizo discutir largamente a mi madre con Juana sobre la conveniencia de poner la mesa adentro o afuera. Por último la pusieron adentro; un acierto porque refrescó y caía de vez en cuando una llovizna.

Luego de comer, la ceremonia de los regalos fue bastante corta y un poco pava, porque ya no había niños muy pequeños, salvo el bebé de Stella y el trompetista.

Pero la cuestión de las cañitas voladoras se había mantenido, pese a la herida de guerra en la cabeza de Omar. Ya todos teníamos quince o dieciséis años pero nos seguían divirtiendo los fuegos artificiales. Subimos a la terraza en tropel, por la escalera estrecha. Gerardo se quedó abajo, algo mustio, conversando con los grandes en la sobremesa.

—Andá, Gerardo, que a vos te gusta —lo animó mi viejo, para demostrarle que todo había quedado en el olvido.

Mi vieja lo miró con mala cara, pero de todos modos Gerardo permaneció sentado, cuando nosotros ya lanzábamos, arriba, nuestras primeras descargas.

Sólo bastante después, a las cansadas, cuando apenas quedábamos arriba Marcelo y yo quemando las últimas cañitas, apareció Gerardo, las manos en los bolsillos, con una campera impermeable puesta, en actitud contemplativa.

—¿No trajiste petardos, esta vez? —le pregunté yo, tendencioso. Se sonrió sin contestar, encogiendo los hombros. Se sentó sobre uno de los tapiales bajos de la terraza, mirando hacia el cielo, surcado por infinitos fuegos. Marcelo bajó en ese momento. Había ido a buscar una suerte de farolito chino que, según él, se encendía, se largaba y se elevaba en el cielo hasta perderse.

Era muy lindo. Llamaría a las chicas, incluso, para que lo vieran. Entonces Gerardo dijo "Algo traje". Se abrió la campera que tenía cerrada hasta el cuello y, mientras le empezaba a relucir en la cara una sonrisa diabólica, desplegó ambos faldones hacia el costado para permitirme ver.

Yo no podía creerlo. Adosado al forro interior de la campera, aun en la parte que cubría su espalda, llevaba un verdadero arsenal de pirotecnia, racimos de cartuchos cilindricos rayados transversalmente rojos y blancos, conos voluminosos que pendían de sus hombros como granadas, ristras enteras de cohetes gruesos y colorados como los de los dibujitos animados. Lo miré con real temor y admiración.

—No son para acá —me tranquilizó, cerrando de nuevo la campera—. Son para después. A eso de la una me junto con unos locos que son fanáticos de esto. Uno es un oficial de Gendarmería. Si vos vieras cómo sale al patio de atrás de su casa y vacía los cargadores de su 9 milímetros Colt Combat Commander cromada. Increíble.

—Pará, pará —me le acerqué—. ¿Qué son esos conos que tenías ahí? —señalé la campera, cerca de uno de sus hombros.

—Uh... —volvió a abrirla un poco—. Vos no sabés lo que son éstos. Una cosa increíble.

—¿Qué hacen, qué hacen? —advertí que yo, ya adolescente, tenía la misma excitación de cuando era un chico.

—¿Querés saber qué hacen? —Gerardo se sonrió, para luego mirar a lo lejos, dudando. Tenía uno de esos conos en la mano—. ¿Querés saber?

—Uno solo —le pedí, advirtiendo su lógica turbación—. Uno solo, rápido, ahora que no hay nadie, antes de que vuelva Marcelo.

Gerardo, mientras se bajaba de su improvisado asiento sobre el filo de la pared, me hizo un ademán como para que me apartara. Puso el cono en el piso, en un rincón de la terraza y le pegó un par de pitadas al cigarrillo.

—Uno solo —asintió—. Como para que veas.

Yo me aparté hacia atrás.

—¿No hay botellas por acá? —dije, en broma, mientras él acercaba la brasa de su cigarrillo a la mecha.

—No jodás con eso —rió también. Fue lo último que dijo.

Como en aquella ocasión de la botella, no sé bien qué pasó. Tal vez la mecha del cono era muy corta, o muy rápida, o había un derrame de pólvora, lo cierto es que vi un fogonazo vivísimo y desmesurado que envolvió a Gerardo cuando todavía estaba agachado. Y una explosión fortísima, seguida por una segunda, ya desde el pecho de Gerardo, quien voló hacia atrás, con ojos de sorpresa. Y enseguida el resto. Todo su arsenal personal tomó fuego y yo me tiré intuitivamente al suelo, cubriéndome la cabeza. La última y postrera explosión sacudió la casa entera; yo pegué contra una de las paredes por la onda expansiva que me levantó en el aire. Quedé allí aturdido. Luego el silencio. De inmediato, el griterío despavorido, abajo, y el tropel subiendo por la escalera. Cuando me ayudaron a incorporarme había un intenso olor a pólvora que hacía dificultoso respirar, una densa humareda blanca cubría la terraza y el piso estaba cubierto de vidrios rotos. De Gerardo no había ni indicios.

Todavía al día siguiente la policía me preguntaba cómo había sido la cosa. Les conté sólo lo que había visto.

Me preguntaron por Gerardo.

Yo no sabía absolutamente nada. No se encontraron ni rastros de él, ni pedazos de su ropa, ni un zapato, ni una oreja, ni un dedo ni nada. Tampoco había elementos personales que pudiesen indicar que su cuerpo había caído sobre los techos de la vecindad. Mi padre decía que eso no era posible.

—En una de ésas... —aventuré, aún aturdido— ...sobrevivió a la explosión. Pero se asustó por los reproches que le iban a hacer por ser reincidente. Aprovechó entonces la humareda para escapar de la casa, malherido quizás.

Nadie me contestó, aunque es cierto que estaban tan shockeados como yo.

—Pero él no quiso hacer reventar todos esos cohetes —insistí yo—. Fue un error mío al pedirle que me mostrara cómo explotaba uno solo. Los demás tomaron fuego cuando el cono explotó de improviso sin darle tiempo a alejarse un poco.

Sin embargo, pese a mi teoría optimista, desde aquella noche Gerardo nunca fue visto por miembro alguno de la familia. Yo sigo pensando que está vivo, desfigurado quizás, escondido en alguna jungla como esos soldados japoneses que nunca supieron que había terminado la guerra.

Todavía este año, días atrás, luego de las fiestas, apareció una noticia sobre una fábrica de pirotecnia que había explotado entera, en Villa Cañás, muriendo catorce vecinos. Me acordé, no sé por qué, de Gerardo. Y resurgió en mí la esperanza de que esté vivo.

MATAR AL MENSAJERO

Según Aristágoras de Tesalia, la costumbre de matar al mensajero que traía malas noticias data del siglo VIII (a. de J. C.) cuando Régulo ordena lapidar al correo que le informa que Xantipo, su carnero predilecto, ha caído por un despeñadero, haciéndose pedazos.

La historia recoge más tarde los avatares de Sebo de Agrigento, un joven espartano que debe notificar al monarca Cayo Sempronio que sus tropas han sido exterminadas en la batalla de Salamina.

Esparta ya estaba en decadencia, pero conservaba aún vestigios de anteriores grandezas. Cayo Sempronio, hijo de Argólida y Sempronio I el Adulto, nieto de Terencio Emilio, hermano de Trasimeno y Pánfilo el Ilota, sobrino de Alcibíades y Elenita, amigo cercano de Publio Escipión, cliente asiduo de Cátulo y paciente ocasional del sabio Pisístrato de Rodas, había teñido con su carácter sensible y perceptivo, la nueva cultura de su ciudad, tradicionalmente guerrera.

Muerto su padre, a quien en la intimidad familiar llamaban "El Cruel", el nuevo monarca no vaciló en dejar de

111

lado las férreas costumbres militares que habían caracterizado al pueblo espartano. Durante su corto gobierno florecieron los cenáculos literarios, los juegos danzantes y los arreglos florales, reemplazando al adiestramiento de combate donde se habían forjado generaciones y generaciones de espartanos. Notificado del cambio, a través de trovadores trashumantes que cantaban las glorias de Esparta, la codicia floreció en el espíritu ambicioso de Aníbal, el Conquistador de las Galias.

Poco tiempo atrás, durante su campaña al Asia profunda, Aníbal había incorporado los elefantes a sus huestes, con lo que nació una nueva costumbre que habría de imponerse en todo el Peloponeso: el circo. Aníbal ya disponía de cuatro legiones reforzadas con elefantes, dos con osos bailarines y otras dos con perros equilibristas.

En el año 324 a. C. Aníbal, con su formidable ejército, cruza el Rubicón e invade las planicies de la Mesopotamia y el fértil valle del Metaponto, amenazando así directamente los dominios de Cayo Sempronio, a quien llamaban ya "El Esteta".

Cayo Sempronio no se intimida. Ante el disgusto de los principales pretorianos de su ejército y la inquietud de la población, pone al frente de sus tropas a Efraín de Cadmio, un pintor naturalista por quien sentía verdadera admiración y respeto.

Efraín no se arredra ante el desafío, pese a que debe enfrentar, ni más ni menos, a Aníbal y sus enloquecidos elefantes, flamantes conquistadores de toda Asia menor, parte de Asia mayor, trozos de África aborigen, y los imperios sunita, persa y mandarín, en el lejano y remoto Oriente.

Marco Polo, el viajero, es quien advierte a Efraín de Cadmio sobre los riesgos de su aventura. Polo es quien provee a Efraín de las telas para sus cuadros, trayéndolas desde los confines del reino de la Cochinchina en naves que han desafiado, ya, todos los mares. Conoce a Aníbal puesto que también ha comerciado con él, aprovisionándolo de elefantes, cocodrilos del Ganges y hasta gatos procedentes de Siam a los cuales Aníbal ha conferido cargos menores en su ejército de ocupación.

Efraín no duda. Convence a Cayo Sempronio de que deben tejer una alianza con las otras tribus de la región para detener a Aníbal.

"¡Datenta Aníbal! ¡Datenta Aníbal!", es la consigna que recorre, como un reguero del nuevo producto explosivo que han inventado los cochinchinos —la pólvora—, el valle del Éufrates, los olivares de Elche, los viñedos de Arcadia, las termas de Caracalla.

Los imperios vecinos deciden apoyar a Cayo Sempronio. Efraín de Cadmio reúne entonces bajo su mando a los oscuros cafres del vértice del Tigris, los asiáticos mongoles llegados desde las alturas de Tamerlán, los pálidos nativos alfareros de las riberas del Ganges.

Dispone, ya en el campo de batalla, los negros por un lado, los amarillos por el otro, y balancea los blancos de forma que el impacto visual no sea agresivo.

Diseña él mismo los uniformes, quitando cobres y brocatos, bronces y cuerinas, para reemplazarlos por aleaciones brillantes, capas vaporosas, tules y sandalias con coturno.

A fines del año 328 a. C., según Aristágoras de Tesalia, se produce la batalla de Salamina, donde Aníbal destroza sin piedad alguna a las legiones aliadas de Cayo Sempronio "El Esteta", bajo el mando de Efraín de Cadmio.

Siempre según Aristágoras, en sus escritos hallados a orillas del Mar Caspio, un solo hombre de Efraín salió con vida de la matanza, y fue el mensajero Sebo de Agrigento, un joven de apenas 14 años que corría como el viento.

Sebo, aún adolescente e inexperto, comprendió que la suerte estaba echada al observar que en el campo de batalla yacían sin moverse, sin hablar y sin emitir sonido alguno, los 130.000 hoplitas que su jefe había empujado a la contienda. El joven, sin vacilar, emprendió veloz carrera hacia Esparta, distante unos cien kilómetros de allí. Debía avisar lo antes posible a su emperador, Cayo Sempronio, que debía huir precipitadamente, evacuar la ciudad, trepar a una nave y remontar el Éufrates antes de que la ensoberbecida soldadesca de Aníbal cayera sobre la ciudad y la redujera a escombros.

No obstante, Sebo no quería repetir la triste experiencia de Peidípides, el soldado de Maratón.

Recordaba que aquella historia se había contado, con lujo de detalles, durante largas noches en los fuegos de Esparta, traída por viajeros, caminantes y derviches. En la batalla de Maratón, un mensajero había corrido doscientos kilómetros hasta Esparta, para anunciar la amenaza persa, cayendo muerto luego de cumplir con su heroico cometido.

Sebo de Agrigento no deseaba una novedad a lo Pirro. Quería alertar a su monarca, pero conservar un resto de aliento para huir luego, junto con él, en el esquife.

Por lo tanto, en pleno escape, dosificó el esfuerzo y moderó su carrera dado que le dolía ya un poco el bazo.

Sin embargo, pronto debió abandonar todo cuidado. A

sus espaldas le parecía escuchar el entrechocar de espadas enemigas, el retumbar de cascos de caballos, el jadeo estremecedor de los elefantes a través de los atanores de sus trompas proboscídeas.

Dos días y dos noches corrió Sebo de Agrigento, los pies en carne viva. Más de una vez rodó por los polvorientos senderos, flagelando sus carnes con las piedras filosas y las zarzas del camino que se prendían a sus cabellos como queriendo detenerlo. "¡Datenta Sebo! ¡Datenta Sebo!", parecían rugir las aguas procelosas del Tigris, río que debió cruzar ocho veces, desorientado.

A pocas leguas de llegar a las amuralladas puertas de Esparta, macilento y agotado, tuvo la fortuna de caer de bruces frente a una cueva donde habitaba una anciana macedonia.

La anciana, Argucia de Corinto, lo confortó brindándole agua, nísperos, dátiles y quesillo de cabra. Le aconsejó, además, que descansara en su cueva toda una noche antes de reanudar la marcha. Pero Sebo se opuso.

—Debo avisar a Cayo Sempronio y a toda la población de Esparta, que hemos sido derrotados y que, en un par de jornadas, las tropas de Aníbal y sus enloquecidos elefantes estarán por acá.

La anciana lo miró con firme conmiseración.

—No envidio tu suerte, muchacho —le dijo luego—. Se ha hecho habitual una repudiable costumbre, la de matar al mensajero que trae malas noticias. ¿Conocías tú a Filipo, de Sicilia?

—¿El hijo de Epaminondas, sobrino de Flaminia, nieto de Atajerjes y Massina, primo de Atilio?

—El mismo. Era mi hijo.

—Sí. Lo conocí en clases de teatro.

—Era mensajero, como tú —se quebró la voz de la anciana—. Cayo Sempronio lo mandó matar cuando Filipo le informó que Temístocles, su halcón predilecto, se había estrellado contra un álamo.

—¿Cómo pudo suceder tal infortunio?

—Uno de los cetreros del emperador olvidó quitarle la capucha que cubre la cabeza de los halcones mientras reposan. El ave fue lanzada a volar y se aplastó aparatosamente contra un álamo. Mi hijo relató la escena a Cayo Sempronio y éste ordenó que lo lapidaran.

—Debo irme —cortó la amarga conversación, ansioso, Sebo de Agrigento.

—Reposa en mi cueva, esta noche —insistió la anciana—. Mañana estarás fresco y vigoroso para difundir la mala nueva.

En eso, dos soldados de Cayo Sempronio acertaron a pasar por el lugar, montados a caballo.

—¡Sebo! —gritaron, reconociendo al muchacho pese a su aspecto desgraciado—. ¿Cómo ha terminado la batalla?

—Bien sabes, valiente hoplita —se irguió Sebo—, que nadie puede enterarse de una noticia antes que Cayo Sempronio. Pero uno de vosotros corra ya, vuele hasta el palacio para advertir al emperador que voy en camino. El otro, que me espere acá, mientras me aseo y me alimento, para estar presentable ante los ojos de los sabios.

Casi de noche, Sebo de Agrigento, hacía su entrada en Esparta, en ancas de la cabalgadura del legionario. Le sorprendió encontrar a toda la población despierta, reunida en las escalinatas del foro, portando antorchas y aguardando las noticias que él debía proclamar.

Sebo había sido veloz como el rayo. Si el éxodo comenzaba de inmediato, a nadie encontraría Aníbal para sacrificar, burlar, escarnecer o esclavizar. En el puerto, aguardaba con las velas extendidas el esquife que podría llevar a Cayo Sempronio a buen recaudo.

Sebo trepó las escalinatas, jadeando ahora por la emoción y la ansiedad. A sus frágiles 14 años sabía que concitaba la atención de sus conciudadanos, que todo el mundo estaba pendiente de él. Dentro del palacio, Cayo Sempronio había ordenado suspender la orgía. Callaron los timbales, los armuños y los sarcandos y dejaron de danzar las odaliscas. Se hizo un silencio ominoso.

—¿Qué buenas nuevas me traes, mensajero? —balbuceó Cayo Sempronio, tragando saliva. Se había percatado, ya, del aspecto enclenque de su correo.

Sebo elevó su mano derecha.

—¡Victoria! —rugió.

Un estallido de loca algarabía sacudió el palacio alcanzando a la gente que aguardaba en las escalinatas del foro, que comenzó a danzar, saltar y contorsionarse.

—¡Fácil victoria! —repitió Sebo, su puño en el aire. Cayo Sempronio logró hacer callar por un momento a la muchedumbre.

—Me alarmaste —rió— con tu aspecto menesteroso. Advierto laceraciones, hematomas y escoraciones en tu cuerpo, como si hubieses sido alcanzado por las azagayas y las alabardas del enemigo.

—Caí mil veces —Sebo bajó su mirada—, y mil veces me puse de pie para llegar aquí y contar la maravillosa noticia. Por fortuna, di con la cueva de la vieja Argucia, quien me confortó y retempló mi ánimo.

Esa noche nadie durmió en la ciudad de Esparta. Todos festejaron hasta las primeras luces del alba y luego comenzaron a preparar la gran fiesta con que recibirían a las tropas vencedoras al mando de Efraín de Cadmio.

De Sebo de Agrigento nada se supo, según cuenta Aristágoras de Tesalia en sus escritos, pero no hallaron jamás su cuerpo, luego de que Esparta fuera reducida a escombros y las legiones de Aníbal esparcieran sal gruesa sobre las ruinas. Lo único que se salvó de la quemazón y el destrozo fue el esquife de infladas velas que, según historiadores poco confiables, zarpó durante la misma noche del festejo, conducido, quizás, por el joven mensajero.

Así fue como, con el enojoso hábito de matar al mensajero, nació además la costumbre de la mentira, falsedad moral sobre la cual no había conocimiento hasta ese momento en la historia. O, al menos, no dan cuenta de ella —antes de este episodio—, ni Aristágoras, ni Demóstenes, ni Epaminondas de Cízico, como tampoco Aurelio el Cartaginés en su Piedra Roseta.

PRÓLOGO

Quien escribe un prólogo es como un abanderado. Es quien toma el pendón caído, lo enarbola y arremete contra la legión de lectores, alta la frente, abierto el pecho, oferente la actitud, generoso el gesto.

Es quien conduce, quien enfrenta, quien quiebra la primera lanza —quien clava la primera pica, el asta de su bandera, tal vez— en defensa del texto posterior.

No acostumbro no obstante, lo confieso, a escribir prólogos. Lo hice, y mucho, sí, en aquellos mis primeros tiempos de literato, cuando el futuro se mostraba prometedor y la crítica amable. Crítica de críticos que asumían, con justicia y conocimiento, su función de observadores intelectuales al servicio del público, sin soberbia ni ensañamientos. Actitud tan diferente aquella a la de estos tiempos crueles que nos toca vivir, en los que el crítico adopta la forma física, la organización social y el comportamiento de los chacales y otras alimañas de presa.

Pero por cierto hubo años durante los cuales los jóvenes escritores, más que nada, requerían de mi pluma para que yo hiciera las veces de recepcionista ilustrado, acogiendo al lector en sus primeros pasos, guiándolo hacia la lectura consiguiente, como un lazarillo voluntario.

Yo lo hacía de buen grado, pese al esfuerzo psíquico que me representaba asumir la responsabilidad de abrir un espectáculo, porque no es otra cosa que un espectáculo para el espíritu cualquier libro que se respete.

Pesaba en mí, sin duda, la negativa que recibiera cuando, casi adolescente, tuve el atrevimiento de solicitar a don Ignacio Sobrino y Ávila un párrafo de su insigne pluma para encabezar mi primer volumen de poemas *Improperios desde una cerbatana*.

Ahora, quizás, lo comprendo, con el paso de los años y los acontecimientos. Pero mi decepción ante su rechazo —pese a lo cordial de sus argumentos y su argentina risa desdeñosa— me lastimaron a un punto que no me atrevería yo hoy por hoy, a infligir daño parecido a la autoestima de ningún escritor joven.

Admito por otra parte que, en estos días de fría globalización y educación ramplona, dispongo de más tiempo para ocupar en estos menesteres, ya que mi tarea novelística de escritor de relieve parece ser poco solicitada.

Aparentemente, según lo que dicen algunos editores, tan eficientes ellos y tan profesionales, ya no interesan demasiado las historias policiales basadas en una trama ingeniosa y elegante, las novelas de detectives que deslumbran al lector con sus juegos de ingenio, sus deducciones sorprendentes, sus diálogos agudos e inteligentes.

Me cuentan, esos mismos editores, jóvenes muchos de ellos, eficientes y muy modernos, que ahora la novela policial se ha volcado a nuevas tendencias y sensaciones.

No se busca en sus páginas la perspicacia o la astucia, la información ni la cultura. El público actual, según me explican desplegando complejos estudios de mercado y encuestas computarizadas, se regodea ante historias donde campea la violencia pura y el sexo, la grosería y la sevicia, la falta de modales y la diferencia social.

Basta ya de aquellos detectives que fumaban en pipa, que sabían reconocer un buen whisky o que tenían conocimientos acabados de música clásica. Ahora triunfan simpáticos desharrapados, rufianes malolientes que beben y se drogan, que comercian con los propios delincuentes sin reconocer Dios, ética ni hogar.

Todo ante la vista de los niños, de los adolescentes, de los voraces jóvenes que leen esos libros y a quienes les da lo mismo degustar una confitura refinada que una hamburguesa grasosa. No se alista entre los escritores que perpetran tales atropellos, por supuesto, Abelardo Rodríguez, autor de las 234 páginas que usted, amigo lector, encontrará a partir del final de mi corto prólogo. Pues sé ocupar mi lugar por otra parte. Entiendo cuándo mi función es accesoria y no medular.

Abelardo Rodríguez, joven pero criterioso, primerizo pero con talento, me ha convocado, me ha concedido el privilegio de escribir las notas introductorias a su libro *Dos balas calibre 38*, pero no por eso he de caer en el error de tomarme el codo cuando me han ofrecido la mano.

Sé que soy apenas un maestro de ceremonias que, tras la presentación de rigor de la estrella principal, deberá hacer mutis por el foro y dejar a los lectores con los personajes, sin excederme, sin abandonarme al entusiasmo de recuperar el placer de ver editado un texto mío, aun exiguo.

Convengamos que han pasado ya dos décadas desde el último volumen de mi exitoso personaje, *El Inspector Finch y sus apasionantes investigaciones*. Abelardo Rodríguez, con la percepción de las nuevas generaciones, alcanza la fusión, el crisol, la mezcla, la amalgama. Y recrea, por fin, la intriga, la vieja y querida intriga vapuleada, violada y defenestrada por tantos y tantos escritores americanos que escriben con dedos amarillentos por la nicotina y aliento que apesta a alcohol. En *Dos balas calibre 38* torna el suspenso, la ansiedad por conocer el final de la novela, la antigua y sana expectativa por el desenlace de toda trama.

Arranca Rodríguez, se lanza, se catapulta (lo verá usted, afortunado lector) desde el comienzo, en un impulso que parece emparentarlo con lo peor del género, con la contaminante Serie Negra, cuando su personaje central, el policía marginal Rod Auchincloss, afirma deducir que, a juzgar por el cuerpo masacrado de la víctima, no caben dudas sobre la identidad del asesino. Allí, *Dos balas...* amaga con convertirse en otro ejemplo más del nauseabundo estilo de un Chandler o un McCoy, donde la intriga está abortada desde el comienzo y sólo vale la pena seguir el desarrollo del libro para conocer cómo hará Auchincloss para atrapar al criminal y con cuántas rameras de alta sociedad deberá revolcarse en una cama.

Pero es allí donde aflora la rebeldía de Rodríguez, la casta de un escritor que abomina de fórmulas vendedoras y se resiste a convertirse sólo en un disparador de los más repugnantes y bajos instintos.

Rod Auchincloss —encantador, tuerto, con un fragmento de su cráneo recompuesto a nuevo con una placa de

teflón y fibra de vidrio— advierte de pronto en un ramalazo de clarividencia que está siendo víctima de un engaño,
que se halla envuelto en un ardid tan enrevesado como el
enrevesado dibujo que trazan los 78 tajos que decoran el
cuerpo de la persona asesinada.

De ahí en más, el libro gana en emoción y suspenso,
atrapando al lector en un crescendo formidable. Abelardo
Rodríguez, militante de una nueva generación, audaz,
agresivo por momentos, irrespetuoso si se quiere, plantea
un entretejido clásico de conjeturas y deducciones sin des-
deñar, como una concesión al mercado, escenas fuertes y si-
tuaciones quizás escatológicas, como la de la doctora Gerst-
ner y el chancho de lengua curiosa en la granja educativa
de Silverstone.

Y lo hace con la misma naturalidad envidiable y el des-
parpajo con el que me solicitó este prólogo al tiempo que me
confesaba, ingenuo y cristalino, que no había leído jamás
ninguno de mis libros pero que se rendía ante mi prestigio.
Prestigio al que calificó como "tal vez, evanescente".

No menoscaba al maravilloso mecanismo del misterio
un tratamiento algo rústico y bestial del lenguaje. No ami-
nora en un ápice la avidez del lector por descubrir al responsable de las atrocidades, una cierta desprolijidad en el
uso de los diptongos. Habrá, sin duda, en el corazón, un
palpitar más fuerte al pasar las últimas páginas. Será más
veloz, más ansioso el discurrir de la vista por los renglones
definitorios en los suburbios mismos de *Dos balas calibre
38*, cuando el lector olfatee que, tras tantas sorpresas y des-
cubrimientos, se acerca el verdadero desenlace.

Y cuando el lector llegue hasta el fin de esta promiso-
ria y consagratoria ópera prima de Abelardo Rodríguez,

123

cuando se haya pegado ya una palmada en la frente excla-
mando, abismado, "¡Cómo no me di cuenta antes de que era
Thomas Stevenson, el jardinero!", comprenderá que no ha
perdido su tiempo y que ha leído uno de los más importantes aportes de los últimos tiempos a la novela policial.

EL SUEÑO DEL ÍDOLO

Ya es leyenda en todo el Estado de Goiás, queridos amigos, que Joelson Fagundes dormía durante los entretiempos de los partidos.

Era tanta la confianza que tenía en su capacidad puesta al servicio del equipo, el Goianía, era tan pequeña la inquietud que podía alterarlo con respecto al resultado final de los encuentros que, apenas llegaba al vestuario, se tiraba sobre una camilla y se dormía. Pero se dormía profundamente, estrepitosamente, roncando con ronquidos que superaban a veces el rugir de la multitud en la tribuna.

Alguien se podrá preguntar, desinformado, cómo era posible que un Director Técnico llegara a permitir semejante cosa.

Pero si alguien se pregunta eso, se debe, fundamentalmente, a que no conoce, no sabe, o no está informado sobre quién era el formidable Joelson Fagundes, capitán del Goianía campeón nacional de 1952.

Joelson fue capitán de aquel gran equipo durante quince años, cuatro menos de los que duró su exitosa carrera de futbolista, plagada de triunfos y éxitos resonantes. Siendo número cinco —*centrehalf* como se lo llamaba en aquella época— resultó goleador de su equipo en ocho temporadas y goleador del campeonato en tres.

Como cosa natural, congénita, dada, concedida por gracia del Altísimo, remataba penales y tiros libres con certeza y precisión notables. Gritón, impulsivo, temperamental, dirigía a sus compañeros como si fuera un verdadero Director Técnico dentro de la cancha, ya que conocía como pocos de tácticas y estrategias. La barriada de Garisto do Melo, donde había nacido, lo adoraba, y la afición futbolera del Goianía lo tenía por un héroe del viril deporte del balompié.

—¿Por qué duerme usted durante el entretiempo? —le preguntó un día mi colega Otoniel Pessoa, precisamente el periodista que lo bautizara "Bananao" allá en sus comienzos, por el año 1949, debido a la particular conformación ósea que tenía su cráneo.

—Porque tengo la conciencia tranquila —replicó Joelson, irónico y agrandado por la obtención de un nuevo campeonato.

Y era lógico que tuviera la conciencia tranquila ya que nunca abandonó el campo de juego —ganando, empatando o perdiendo—, sin dejar todo en la brega, sin recurrir hasta el último esfuerzo de su cuerpo de gladiador ni derramar la postrera gota de su sudor mulato.

Porque era mulato Fagundes. Y grandote como el cerro del Jataí, la elevación que domina el barrio pobre de Garisto do Melo. Grandote y fuerte, durísimo, a prueba de lesiones y golpes, blindado, jugó 673 partidos con la camiseta verdirroja sin saltearse ninguno.

—Conocí a un marroquí, en España —me contaba una vez Harmodio Remón, aquel gran jugador panameño que supo alistarse en el Valladolid—, que muchas veces, en el entretiempo, si coincidía el horario, se arrodillaba mirando a la Meca y rezaba sus oraciones. Incluso solía hincarse a orar durante el partido si el momento así lo imponía. Muchas veces los compañeros y los masajistas corríamos hacia él, pensando que había caído lesionado, y cuando llegábamos a su lado estaba rezando. Aziz El O Hcina se llamaba.

Y su problema consitía en que en ocasiones se desorientaba y no sabía a ciencia cierta dónde se encontraba la Meca, rodeado por las tribunas de los estadios. El pobre giraba sobre sí mismo como un perrito que busca la mejor posición para dormirse, hasta que encontraba, o creía encontrar la dirección correcta.

Lo mismo le sucedía lamentablemente con el arco. Jamás pudo localizar el arco contrario y se fue, luego de tres pobrísimas temporadas, sin haber convertido un solo gol pese a que llegó al Valladolid con reputación de artillero.

Regresó fracasado al Zoco de Tetuán, pero cada vez más creyente.

Pero Harmodio luego, agregaba: "Sin embargo, nunca vi a alguien dormir en los entretiempos, como dormía Joelson, cuando me tocó jugar con él en el Goianía, la temporada 51/52".

—¿Acaso al entretiempo no lo llaman, también, descanso? —preguntaba entre bostezos Fagundes, que fuera siempre fervoroso defensor de los derechos de los futbolistas—. Si esos quince minutos están dedicados al descanso —insistía— no veo por qué uno no puede aprovecharlos como mejor le plazca y nada ni nadie puede venir a interrumpir el reposo. Leyenda viva, prócer de carne y hueso, su advertencia parecía resultar ociosa. Ningún Director Técnico se atrevió a molestarlo en su sueño con la tonta excusa de una charla táctica. Es más, Paulo Bento, por ejemplo, el gran entrenador bahiano, impartía directivas a sus muchachos casi en susurros, procurando no perturbar el sueño del gran capitán.

—Resultaba hasta gracioso —aporta, una vez más, Harmodio Remón— porque había veces en que Bento, que era muy vehemente y calentón, insultaba y reprochaba a algún jugador por errores cometidos en el primer tiempo, pero lo hacía en voz baja, tratando de no despertar a Joelson.

No sólo eso. Diamentino Sousa "Pepé", utilero histórico del Goianía, era una suerte de escudero, ayudante y amigo fiel de Joelson Fagundes. Era el encargado de lustrarle los botines con grasa de acutí, tenerle lista la botella de guaraná y, además, apagar las luces del vestuario cuando do Joelson se echaba a dormir sobre la camilla.

Muchas veces la charla técnica, las discusiones, los reproches entre jugadores y técnicos, las voces de aliento de parte de directivos que se acercaban al finalizar el primer tiempo, se realizaban casi en penumbras, y con Pepé circulando en puntas de pies, con el dedo índice sobre la boca para evitar que alguien gritara.

Es más… ¡la hinchada hacía silencio! Cuando trascendió hasta el público esta particular costumbre de Joelson durante el descanso, la hinchada del Goianía detenía sus cánticos y se abstenía de hacer detonar fuegos de artificios o cualquier tipo de explosivos que pudieran alterar el sueño de su ídolo.

Se llegó a recubrir con paneles de corcho el vestuario de los locales, para aislar los sonidos, luego de un partido en que la *torcida* del Paraná, conocedora también de las siestas del capitán verdirrojo, tuvo la osadía de vociferar durante todo el entretiempo.

—Había partidos en que se hacía difícil despertarlo —recuerda, hoy por hoy, Ziraldo Monteiro, quien fuera presidente del club en aquellos años—. Especialmente cuando ya era más veterano, caía en sueños muy profundos que nos hacían sospechar lo peor. Bufaba y hablaba a veces en forma entrecortada.

Es que su esfuerzo en el campo era tal, que ningún ser humano, por más atlético que fuera podía soportar tamaño despliegue sin un sueño reparador. Hubo veces en que el mismo Pepé, nuestro utilero, mano derecha de Joelson, debía arrojarle un balde de agua fría para despertarlo. Joelson se despertaba sobresaltado, a veces llamando a su madre. "¡*Maecinha*, *maecinha*!", decía. En otras ocasiones preguntaba dónde estaba o bien, más lúcido, pedía que le recordaran el resultado del partido hasta ese momento, o el nombre del equipo contra el que estábamos jugando.

Sin embargo cuando recién empezaba su carrera, el sueño de Fagundes era siempre plácido y gozoso, como el de un bebé. Con el paso de los años, adquirió las características inquietas que narraba Ziraldo Monteiro. Ocurre que, queridos amigos del viril deporte del balompié, el tiempo es inflexiblemente despiadado, incluso con aquellos que parecen haber sido tocados por una varita mágica y configuran astros del firmamento deportivo. Cuando llegó aquel histórico e inolvidable partido final contra el Vasco da Gama por la Copa "General Othon Inacio", el rendimiento futbolístico de Joelson Fagundes ya había empezado a mostrar fisuras insospechadas, grietas que hubieran resultado inimaginables años antes.

—Estaba más lento —certifica Chico Zequinha, diestro delantero que integró aquel equipo del Goianía y participó de la final—. Joelson nunca había sido un jugador muy veloz, pero la edad lo fue convirtiendo en un hombre muy lento, especialmente cuando, con el paso de los años, el fútbol se hizo más y más rápido.

Sin embargo, en plena decadencia, ni al más desamorado e injusto de los hinchas verdirrojos se le hubiese ocurrido que el gran Joelson Fagundes de Sete Portas no integrara el primer equipo en aquella final contra el Vasco da Gama, esa noche en la que todo Brasil estaba pendiente del encontronazo.

Duele decirlo, pero el primer tiempo de Joelson en aquel encuentro fue lamentable. Jamás estuvo tan lento, tan torpe, tan desacertado. Nadie dejó de reconocer su intento por luchar, por pelear cada pelota como si fuera la última, su entrega conmovedora. Pero, en un partido donde el Goianía con un empate se coronaba campeón, el primer período terminó con una victoria del Vasco por 2 a 0.

Mientras 144.000 personas guardaban un silencio de ultratumba en el estadio de la Ladeira do Tabuao, Joelson, como ajeno a la realidad de que su juego había sido espantoso, bajaba las escaleras hacia el túnel, alentando y zamarreando a sus compañeros, convocándolos a dar vuelta el partido en el segundo tiempo. Cuando llegó al vestuario, como si fuera un partido común y silvestre, se echó sobre la camilla y se durmió.

Cuando se despertó, el vestuario estaba en penumbras y no había nadie. Se sentó, algo aturdido y despeinado, mirando hacia todas partes, sin recordar demasiado bien qué estaba haciendo. Poco a poco, reconoció banquetas y casilleros, duchas y lavatorios. Pero no había absolutamente nadie y el silencio que llegaba desde arriba, desde las tribunas, era insoportable.

—¡Pepé! —llamó—. ¡Pepé! —pero no contestó nadie.

Saltó al suelo y caminó hasta las duchas. El piso estaba todo mojado. Junto a las banquetas, había papeles y alguna venda tirada. Un brillo le llamó la atención en un rincón. Se veían cristales rotos. Se había roto un vaso y alguien había tenido el cuidado de juntar los pedazos y apartarlo de los pies descalzos. Sobre otra camilla de masaje descansaba una botella de champán, vacía. ¡Tal vez habían ganado la final y estuvieron festejando!

Joelson no lo podía creer, la bronca comenzó a crecerle desde la entrepierna. ¡No lo habían despertado! ¡Lo habían dejado durmiendo durante todo el segundo tiempo! ¡Incluso el traidor de Pepé! Ya despejado por la furia, corrió hasta su casillero y buscó su reloj, a manotazos.

Lo sacó de dentro de los zapatos, donde usualmente lo escondía, presionándolo bajo el par de medias. Era el reloj que le había obsequiado el club por el campeonato del año 52. Y marcaba ahora las cinco y diez de la mañana.

No se bañó. Porque sentía frío de tanto dormir destapado y porque se lo llevaba el diablo por la bronca. Se puso la camisa ámbar, el traje de seda gris, y no se anudó del todo la corbata roja con palmeras verdes. Tampoco se calzó los zapatos combinados. Se había quitado con esfuerzo los botines llenos de barro, quedando en medias. Absorto, descentrado, dejó el vestuario local y caminó largamente por pasillos desiertos cuyos pisos estaban alfombrados de papeles y vasos de gaseosas, escasamente iluminados por farolas empotradas en el techo cada cincuenta metros. Cada tanto se abrían accesos a las tribunas, pero veía el campo de juego completamente a oscuras. Tardó casi quince minutos en salir a la calle, que lucía igualmente vacía. Decidió caminar hasta la avenida Ouro Preto para tomar un taxi, si es que podía encontrar uno a esa hora. Cruzó un par de borrachos tirados por el piso y a varios jóvenes durmiendo. Estuvo tentado de despertarlos para preguntarles qué había pasado, pero prefirió no hacerlo. Tal vez se había suspendido el partido. Quizás había habido disturbios. O se había cortado la luz, eso era medianamente habitual. El árbitro había decidido suspender el partido y a él no habían querido despertarlo, para no molestar. Cosas de Pepé, que a veces se excedía en su obsecuencia. Posiblemente la pequeña *torcida* del Vasco da Gama había persistido en sus festejos ruidosos por el 2 a 0 parcial y la hinchada del Goianía, herida ante el resultado adverso y porque el jolgorio alteraba el sueño de su capitán insignia, la había atacado a palos y cuchilladas determinando que se suspendiera el partido.

En la esquina casi en penumbras de Passo Fundo y Tocantins encontró, sorpresivamente, un bar abierto. Era pequeño, con dos portales, uno hacia cada calle, de donde salían haces de luz amarilla. Adentro, una vieja mulata barría el piso. Había una sola mesa ocupada, con un tipo que dormía a pierna suelta junto a una botella de cerveza. El piso necesitaba de la escoba, sin duda alguna, porque estaba aún cubierto por tapitas metálicas, papeles y cáscaras de maní. Arriba de la heladera industrial, una radio dejaba oír, apagada y plañidera, una canción de Leo Belico.

—¿Habrá tiempo, señora, de tomar algo? —preguntó Joelson. La mujer lo miró sin un gesto. Dejó la escoba y marchó detrás del mostrador. Joelson se sentó junto a una mesa vacía, plegable, de latón celeste, que todavía mostraba los círculos húmedos donde habían estado apoyadas las botellas de cerveza, y pidió una "Natal". La vieja le trajo la cerveza y, paciente, volvió detrás del mostrador, donde empezó a repasar los vasos.

—¿No sabe cómo terminó el partido? —preguntó Joelson, tras apurar un trago, y sintiendo que la tensión le mordía el pecho.

La vieja lo miró con algo de extrañeza.

—Salió campeón el Goianía —dijo—. Empató 2 a 2.

Joelson se mordió los labios. Otro título para su carrera. No sabía si alegrarse o no.

—El partido... —vaciló—. ¿Fue normal? ¿Se jugó entero? ¿No hubo disturbios, no se suspendió?

—Que yo sepa —negó con la cabeza la vieja, sin mirarlo—. Ni siquiera durante los festejos. Yo no vi nada. Y eso que estuvieron acá hasta muy tarde. Recién eché a los últimos, unos muchachitos...

—¿No sabe...? —Joelson, pese a la cerveza, sentía la garganta seca—... ¿No sabe quién hizo los goles del Goianía?

La vieja volvió a encogerse de hombros, amarga.

—No sé —dijo—. Yo no conozco de esto. Soy hincha del

Goianía porque mi marido es hincha. Y porque cuando gana el Goianía nosotros trabajamos mejor, como esta noche... Pero no entiendo nada...

Joelson se quedó en silencio. Se recostó contra la pared y miró a un punto fijo, sin ver.

—Por suerte... —continuó sorpresivamente la vieja— ...lo sacaron al Fagundes ese. Era un desastre. Cuando lo sacaron empatamos. Con él hubiéramos perdido por goleada...

Joelson sintió que se le quebraba algo adentro. Tragó saliva.

—¿Muy mal jugó?

—Eso dice mi marido —graznó la vieja—. Yo no sé. Pero es lo que dice mi marido y lo que decían todos los que estaban acá, mirando el partido por televisión... Que ya no da más ese Fagundes. Está viejo. Jugar con él es como jugar con uno menos. No se da cuenta de que ya no puede jugar con los más jóvenes. Por suerte el Director Técnico tuvo la valentía de sacarlo... Así dicen...

Joelson golpeó con la base del vaso sobre la mesa. El tipo que estaba durmiendo en la otra mesa pareció despertarse, pero entreabrió los ojos y volvió a cerrarlos.

—Cóbreme —pidió Joelson.

—Deje —dijo la vieja—. Ya cerré la caja.

—Cóbreme, cóbreme —volvió a pedir Joelson, los dientes entrecerrados. La vieja le dio la espalda, pero hizo un gesto de negativa con la mano. Seguía acomodando botellas.

Joelson se puso de pie. Buscó en sus bolsillos y tomó diez cruceiros, casi el doble de lo que costaba la "Natal". Los tiró arriba de la mesa. Después salió a la calle y caminó hacia su casa.

MI ENCUENTRO CON JAWAHARLAL

Con seis meses de anticipación tuve que gestionar mi cita con Jawaharlal. En realidad yo, hace un año, no tenía la más mínima idea de la existencia de Jawaharlal, el brahmán levítico de la Senda de lo Intangible. Y Tamara me habló de él una tarde en que tomábamos sangría en esa especie de jardín de invierno que tiene en su casa.

Hacía calor, me acuerdo. Tamara, como siempre, estaba sentada sobre ese sillón color caca que tiene, descalza, recostada sobre uno de los apoyabrazos y con las piernas recogidas sobre los almohadones. Siempre le gusta andar descalza. Dice que la hace sentir más libre y la conecta con la energía de la tierra.

Es una mujer interesante, Tamara. Muchos dicen que está absolutamente loca, que se la pasa actuando, que ha compuesto un personaje de languidez permanente, pero así y todo es muy agradable. No sé. A mí me cae bien.

Por supuesto que a María Laura no. Aguanta mi relación con ella porque Tamara ya tiene como sesenta años y descuenta que yo no me voy a encamotar con una mujer tan vieja. Tamara tiene sesenta y los demuestra, son su orgullo.

Siempre dice que jamás ocultaría una sola de sus arrugas, que las arrugas son como los anillos que indican la edad de los árboles, o como las insignias que muestran el grado de los militares. Tenía puesta una de esas túnicas hindúes que son como de seda y fumaba.

Su casa está siempre llena de plantas, gatos, velas, sahumerios y música rara. Esa música hindú, que son como ruiditos, como ensayos de los instrumentos antes de empezar a tocar.

Pero a mí me hace bien hablar con ella. Nunca supe de qué trabaja o cómo se mantiene pero de todos modos siempre me cuenta que come tallos de bambú, como los pandas; soja, pétalos de flores, raíces, bulbos, glóbulos homeopáticos, cosas que, en definitiva, no cuestan un carajo y se encuentran tiradas por la calle o te las regalan en las verdulerías si comprás un camote. Y yo ya andaba bastante confundido por esa época. Me resistía a aceptar, sin embargo, que todos mis malestares, úlceras, esofagitis, arritmias, urticarias, se relacionaban con los quilombos que habían empezado a aparecer con María Laura, mi mujer.

—¿Escuchaste hablar de Jawaharlal? —me preguntó Tamara, cuando yo terminé de contarle mi último despelote familiar. Le dije que no—. ¿Tampoco leíste nada de él?

Volví a negar con la cabeza. Tamara me explicó que ya mucha gente importante de Buenos Aires, psicólogos, filósofos, decoradores, economistas, pintores, viajaban periódicamente a la India para visitarlo, conocerlo, acceder a la paz interior, recibir una palabra de esclarecimiento o intentar captar el sentido misterioso del tiempo.

—Viene ahora —me dijo—. A Buenos Aires.

—¿Ahora?

—En julio. Dentro de seis meses.

—Ah. Falta mucho.

—Según como se vea —suspiró Tamara, sonriendo, casi condescendiente—. Lo del tiempo es tan relativo. Tan relativo. Deberías reservar desde ya tu turno para verlo. Mañana a más tardar. Es la primera vez que viene al país y todo el mundo está desesperado por consultarlo. Son encuentros absolutamente personales, de más está decirlo. Viene a un hotel cinco estrellas de Buenos Aires y va a estar solamente dos días.

—Dos días... Es poquísimo...

—Es tan relativo, lo del tiempo.

Yo, para ser sincero, ya había intentado varias terapias de las llamadas alternativas. Mi mundo había empezado a resquebrajarse desde esa tarde en que María Laura me tiró por la cabeza con el multiprocesador Kenia en medio de una discusión sobre si al jugo de frutas convenía agregarle, o no, leche condensada y nueces secas.

Ella más de una vez había amenazado con agredirme físicamente, pero ésa fue la primera vez que lo intentó en forma abierta. Yo había fracasado ya con el Control Mental. Al principio me pareció interesante, pero me resultaba poco confiable que el tipo que dictaba el curso fuera el mismo que, tiempo atrás, le había dado un curso de venta de cosméticos a mi hermana.

No era que yo desconfiara de su versatilidad, pero ese conocimiento suyo de alguien de mi familia no me dejaba muy tranquilo. Confieso que prefería que nadie se enterara de esas actividades mías donde buscaba un poco de paz y sabiduría, porque enseguida empezaban a mirarte como a un loco. Tanto que le decía a María Laura que salía a correr a las siete de la mañana y me iba a lo del Control Mental. Apenas Pianovi, que era el tipo que dictaba el curso, me decía que me concentrara y cerrara los ojos, me quedaba dormido. Pero completamente dormido. Roncaba y molestaba a los demás. Babeaba. Duré muy poco en ese curso. Después, en la medida en que aumentaban mis peleas con María Laura, intenté unas clases de *bricolage*, la homeopatía y también el tai-chi-chuan. El tai-chi-chuan me hacía muy bien para la coordinación muscular, pero no lograba relajarme. Al profesor —"sabón" debíamos llamarlo— se le había metido en la cabeza que teníamos que practicar al aire libre, en las plazas, y a mí me daba una vergüenza tremenda. Me resultaba insoportable estar allí, en una plaza pública, moviéndome en cámara lenta, vestido como un maestro ninja, a la vista de todos, rogando que no pasara ningún conocido.

Volvía a mi casa y tenía que tomarme un Valium triple para relajarme. Lo soporté hasta el día en que me vio un amigo de mi hijo Marcos, a la salida de la escuela secundaria junto con otros compañeros. Adolescentes despiadados que podían gozar torturando animales domésticos y que yo adiviné de reojo mientras levantaba una pierna en ese movimiento identificatorio de la "cigüeña de Fu-chen", que me suele producir un calambre terrible acá atrás, en los aductores.

Escuché, de pronto: "¡Roberto!", y supe que el guacho de Alvarito me había detectado. O que había creído reconocerme y, estupefacto, deseaba confirmarlo. No le contesté, fingiendo estar concentrado en mi armonía corporal. Pero me di cuenta de que me había puesto rojo, y la transpiración me corría por las axilas como un torrente. "¡Roberto!", me volvió a llamar Alvarito. En medio de un giro, elevé un dedo de la mano, como saludando y oí que Alvarito decía: "¡Es Roberto, es Roberto, boludo!". Se alejó, con los demás, en patota, y segundos después escuché una explosión de carcajadas. Ese día no resistí más y abandoné el tai-chi-chuan.

Pasé también por el reiki, esa disciplina en la que una mujer (en mi caso era una mujer) le pasa a uno la palma de la mano muy cerca de la piel para captar las diferentes energías. Pero yo, mal informado, creí que se trataba de un estilo especial de masaje, el masaje tailandés o cosa así, donde, entre otras cosas, el masajista le camina a uno por la espalda. Me pasé el tiempo esperando que esa tipa me pusiera una mano encima, trémulo y anhelante. La veía acercar su mano a mi pecho, a mi estómago, a mis muslos, lentamente, prometedoramente, sin tocarme nunca y pensé que no se animaba a hacerlo, que era una principiante a la que le daba asco la piel masculina.

Yo soy un acomplejado con mi cutis, tiene granos, barritos, espinillas, y hasta verrugas. Pero no llegaba a explicarme cómo no me tocaba ni siquiera el pecho donde no tengo ni siquiera pelo. Eran momentos de ansiedad, confusión y frustración profundas. Al segundo día en que persistió en no tocarme no volví más, muy caliente. Después Tamara me contó que el reiki consistía en captar la energía con las palmas de las manos pero sin contacto alguno.

También un amigo del trabajo me habló del shri-ananda, una modalidad hindú que procura la armonía del espíritu con el cuerpo, la carta astral y la ropa blanca. Se basa en pequeños mordiscos que el especialista le aplica al paciente sobre la nuca. Me dijeron que era muy estimulante, pero no me animé. Luego leí que un canadiense quedó parapléjico con eso.

Y lo que ya me había desalentado definitivamente era el yoga. Acudí al yoga tras una de las peleas más encarnizadas con María Laura, cuando me confesó que yo era la peor basura que había conocido en toda su vida. Y no me lo dijo atacada por la furia. Me lo dijo fría y razonadamente, absolutamente convencida de lo que sentía, como si hubiese llegado a esa conclusión después de un análisis profundo.

No sé qué hubiese sido peor, si eso o la violencia física, porque María Laura enojada era de temer. Y si no, me remito al episodio del mutiprocesador Kenia. No pude en el yoga asimilar los cambios de respiración. La profesora, Teresita Ayerza, nos contaba que Gandhi, por ejemplo, respiraba tan sólo siete veces durante el día.

Dos veces antes de cada comida y una vez a la noche, cuando los problemas de la geopolítica ya lo abrumaban. Yo, admito, soy una persona simple, y tenía la firme idea de que nosotros sabíamos respirar desde chiquitos, de lo contrario todos hubiéramos muerto, pero al parecer no es así. Los orientales sí saben respirar. Lo hacen con el esófago y algunos, los de Sri Lanka, incluso con el hígado. Hay países, me decía Teresita, donde casi no se respira, es un hábito obsoleto. Pero ellos, los asiáticos, consiguen una mejor oxigenación de la sangre. La sangre de los malayos, por ejemplo, son puros globitos y es casi blanca. Diez mililitros de sangre malaya valen casi por medio litro de la nuestra. Dosifican, si se lo proponen, la irrigación del cerebro también.

En el Nepal, me contaba, hay lamas que tienen irrigación artificial, que no sé cómo la consiguen pero es muy cara. Irrigan más el cerebro durante el día, que es cuando lo necesitan, y durante la noche apenas si le dejan pasar algunos chorritos.

Llegará un día, estoy seguro, en que nos enteraremos de que tampoco sabemos mirar y que siempre hemos mirado muy mal. Que, por ejemplo, usamos apenas un cinco por ciento de la capacidad de la pupila. Que hay que hacerlo con los ojos entrecerrados, supongamos, o descargando toda la energía óptica en los lagrimales, como lo hacen los tibetanos.

O escuchar, sin ir más lejos. Seguramente escuchamos para la mierda y los que escuchan bien son los chinos, que ponen la oreja de otra manera, que discriminan los sonidos, que separan los agudos de los graves.

Al segundo día en que me empecé a poner morado en la clase de yoga el profesor me recomendó que no siguiera con eso de la respiración, por un tiempo, hasta que regularizara mi ritmo cardíaco.

Se lo agradecí profundamente. Pero me sentí desprotegido ante mi crisis matrimonial. Entonces, afortunadamente, Tamara me habló de Jawaharlal y las Ordenanzas de la Senda de lo Intangible.

Tuve que llamar a un número de teléfono que aparecía en un aviso de "Clarín" para concertar la cita con el brahmán. Me contestó una voz con fuerte acento extranjero hablando muy mal el castellano, que me tomó el nombre, me dio un horario y me preguntó cuál era mi problema. Le dije que tenía problemas de relación con María Laura. Me preguntó si María Laura era yo o mi mujer.

Le dije que mi mujer. Dijo "Ah" y cortó. No me dio tiempo a preguntarle cuánto me costaría esa visita. Tamara me dijo después que había muchas formas de pagarle al maestro y que una de ellas era con la "armonía sensitiva".

—¿Qué es eso? —me atreví a preguntarle yo.

—La armonía sensitiva —se encogió de hombros Tamara, entrecerrando los ojos y oscilando una mano en el aire, como si ese gesto aclarara el asunto por completo.

A todo esto yo tenía la sensación de que había algo que a mí todavía no me habían explicado, que me estaban dejando fuera de una conspiración conjunta o de una broma colectiva. Lo mismo que me ocurrió hace muchos años, en una reunión en casa del Gallego.

Habían decidido, después de comer, jugar al Detective, entretenimiento que yo no conocía. Tal vez por eso me habían elegido a mí como figura central. Tenía que salir del living y ellos —eran como 14— inventarían una historia relativa a un crimen. Luego yo debía entrar, comenzar con las preguntas y, a través de las respuestas, ir dilucidando el misterio hasta dar con el asesino. Muy animado —había tomado vino esa noche— dejé pasar el tiempo establecido para que ellos armaran la historia y volví al living.

Empecé con mis preguntas y ellos, según el reglamento del juego, sólo estaban obligados a contestar sí o no, al unísono.

Armé la historia, imaginé cómplices, acusé secuaces, acoplé parejas de amantes entre amigos y amigas allí presentes, hasta que me dijeron que la historia no existía. Que la había ido armando yo con mis preguntas. Que ellos simplemente se habían confabulado a contestar "sí" a todas mis preguntas que terminaran con vocales, y "no" a las que terminaran con consonantes. Por eso sonaban tan unánimes y convincentes las respuestas.

Me sentí un pelotudo y al volver a casa tuve una de mis primeras grandes peleas con María Laura que sabía cómo iba el juego y no me lo dijo. Argumentó que si me lo hubiera dicho no tenía ninguna gracia y me acusó de estar caliente con la negra Sofía a quien había sindicado, en mi historia, como mi informante.

Esa noche amenazó pegarme con uno de sus zapatos de taco alto, me gritó que no valía la pena ir a reuniones sociales conmigo y yo le dije que no soportaba que sus amigos me agarraran de pelotudo.

Me invadió un ataque de ansiedad por verlo a este hombre, al Jawaharlal, el sabio de la Armonía Sensitiva.

Cuando viajaba en el auto hacia Buenos Aires iba rebobinando lo de mi relación con María Laura. Cómo había ido empeorando todo, cómo se había ido deteriorando.

Tras una primera década medianamente buena, tranquila, reposada, empezaron las peleas, las discusiones, los griteríos. El reproche permanente, la queja, la intolerancia más que nada. Eso me fue llenando de ansiedad, de inquietud, de una angustia vaga y oscura que me rodeaba como una bruma. Yo soy un tipo bastante nervioso, lo confieso. Y un estado de constante agresión me saca de quicio. Es como caminar sobre una delgada capa de hielo que, a cada paso, se puede resquebrajar y uno sabe que, abajo, espera el agua helada, el frío mortal, el plancton, las orcas, las ballenas asesinas.

Difícil vivir así.

No comprendía demasiado bien cómo la convivencia había generado tal incompatibilidad, como si una lija hubiese estado raspando, raspando y raspando la piel de cada uno de nosotros hasta que finalmente, ahora, estábamos ambos en carne viva.

Jawaharlal, creo que ya lo dije, recibía en un hotel cinco estrellas de Buenos Aires, en uno de esos hoteles de Puerto Madero, nuevo. Si no digo el nombre no es por el hecho de no hacer publicidad ni ninguna de esas pelotudeces sino porque no me acuerdo. Tenía tal grado de excitación que ni me fijé en el nombre.

Sólo recuerdo que era de esos hoteles impresionantes, con un lobby gigantesco y muy luminoso y lleno de plantas. Algo impersonal, por otra parte. Son hoteles que no transmiten rasgos característicos de ningún país. Uno está allí adentro y puede imaginar que está en cualquier parte del mundo, da igual. Supuse que Jawaharlal, en su infinita sabiduría, lo había preferido así.

Posiblemente un hotel netamente aporteñado, o netamente argentino —si lo hubiera— con recepcionistas vestidos de gauchos o una vaca embalsamada en la puerta como en la parrilla "La Estancia", le hubiera quitado clima a su presentación, que uno suponía ligada a Bangalore, a Madrás, al Ganges, a los fakires y todo eso.

Sin embargo, sin embargo, cuando uno entraba a la habitación, a la suite de Jawaharlal, ya la cosa cambiaba. Toda esa impersonalidad desaparecía y uno se encontraba con un real clima hinduista. O, al menos, lo que uno supone un clima hinduista, a través de las películas.

Películas que en general hacen los yankis y que, en definitiva, vaya a saber si tienen, realmente, alguna conexión con la India verdadera. Porque las hacen en Filadelfia y los tipos andan tan disfrazados como Abbott y Costello en las películas sobre Arabia con alfombras voladoras.

Pero lo primero que me impactó al entrar fue el olor, como una cachetada. A incienso, por supuesto, muy fuerte.

A flores, a jabón, a humo de velas aromáticas. Y un leve, pero muy leve aroma a bosta. Un olor a Exposición Rural, a mierda de vaca, a fardos de pasto que, por otra parte, no se veían por ningún lado.

Pero el olor estaba, por ahí abajo, debajo de los otros aromas, y no resultaba desagradable ni mucho menos. Mucho almohadón por el piso, alfombras, cortinados, tapices, el techo cubierto por tules colgando, una luz algo débil, tenue, agradable.

Y la música, la música hindú, esa misma que fueron a estudiar los Beatles. Era como estar en Calcuta, en un rincón de Calcuta, donde no he estado nunca pero me la imagino. Faltaba alguna vaca sagrada, algún cebú, alguna cobra con su fakir, pero eso, eso, ya hubiese sido propio de Disneylandia. Sólo los yankis son capaces de animarse a hacer caricaturas de todas esas cosas.

Me atendió algo, no sé si era una chica o un chico, de pelo renegrido y largo a la cachetada, de piel color verde, ese tono morochón aceitunado que tienen los hindúes. Pero vestido así nomás, camisita blanca y pantalón negro y unas zapatillas tipo Boyero.

Me hizo pasar al salón principal. A mí me temblaban las piernas.

En el salón principal, tumbado sobre unos almohadones, sobre una tarima no muy alta y cubierta por tapices, estaba Jawaharlal, el brahmán levítico que me conduciría por la Senda de lo Intangible.

Era más chico, más pequeño de físico de lo que yo lo había supuesto viéndolo en la tapa del libro que me había mostrado Tamara.

Bastante gordo, pelado, de larga y desprolija barba

blanca, el poco cabello que le quedaba en la cabeza muy crecido, casi sobre los hombros. Tendría más de setenta años y menos de no sé cuántos. Porque el otro límite era indefinido. Estaba semirrecostado sobre esos almohadones, panzón, las piernas cruzadas. Llevaba puesta una túnica larga de color amarillo azafrán, un pequeño aro en la oreja izquierda, una guirnalda de flores rosáceas colgando del cuello.

Mi joven acompañante me indicó que me sentara en un almohadón, frente al maestro. Y allí Jawaharlal me miró. Hasta ese momento, desde que había entrado en el salón hasta que me senté, no me había dispensado ni siquiera un vistazo. Me miró con una mirada realmente profunda.

Tenía ojos verdosos muy claros, los párpados algo entrecerrados, a un punto que no supe si me estaba estudiando o se estaba durmiendo.

Permaneció así, largamente, en silencio. Supe que lo hacía para que yo tuviera tiempo de tranquilizarme. Y así fue.

El ambiente de reposo, la música, el incienso, me fueron devolviendo la calma. Había en Jawaharlal, es cierto, una vibración, algo trémulo, una energía. Pero mi preocupación era otra.

¿Hablaría castellano Jawaharlal? Tamara me había contado que dominaba 43 idiomas, pero que 37 de ellos eran dialectos pertenecientes a Siam y a las Islas Maldivas. Otro idioma era el portugués. Yo descontaba que otro más sería el inglés, por eso de la dominación británica. Pero... ¿qué motivo podría tener un brahmán levítico de Nueva Delhi para aprender el castellano? ¿Habría en Calcuta una Peña de Residentes Santiagueños, por ejemplo? ¿O un

Centro Gallego que organizara fabadas todos los fines de semana y lo invitara?

—Roberto... —dijo, de pronto, en buen castellano, pausadamente, con una voz algo gutural pero clara—. Tienes problemas con tu mujer...

Me sobresaltó, por supuesto que me sobresaltó. Además, al hablar, me había mostrado una hilera de dientes terriblemente manchados, marrones, casi negros. El agua contaminada del Ganges, seguramente. Nada bueno puede hacerle a una dentadura esa agua donde se bañan los leprosos, los mutilados, las vacas, los cocodrilos, donde arrojan los muertos. Llega un momento en que la placa bacteriana perjudica al esmalte. Eso le había pasado a Jawaharlal.

—No es eso, maestro... —vacilé, encogiéndome de hombros—. En definitiva eso no es otra cosa que...

Me daba vergüenza confesar que había ido a consultar a uno de los grandes filósofos de la actualidad por un doméstico problema con mi esposa. La sola enunciación, incluso, en sus labios, había sonado tan ramplona, tan vulgar, tan común a los millones de habitantes de este planeta que no me sentí merecedor de su atención.

—Eso es... —traté de continuar— ...apenas consecuencia de mi desestabilidad emocional...

—No te apresures —me dijo—. El pequeño problema que mora en nuestra casa... —se quedó en silencio por un instante, como buscando la continuidad de la frase. Luego, solivió un poco su cuerpo pesado y buscó una nueva postura. Se recostó sobre su otro flanco. Puso cara de fastidio, tal vez por no encontrar el aforismo adecuado. Aspiró el aire un par de veces. Temí que empezara con el tema de la res-

147

piración, como los yogui—. ¿Te agrada el aroma de este sahumerio? —preguntó.

Temí contestar una tontería. Me avergonzaba aparecer como demasiado terrenal frente a ese hombre. Pero las opciones para contestar no eran muchas. Dos, a lo sumo.

—Sí. Me gusta. Me gusta.

Jawaharlal se inclinó hacia un costado, con un pequeño bufido, e hizo sonar una campanita muy chiquita que tomó de una mesa ratona. La campanita, minúscula, casi no se veía entre sus dedos. Apareció uno de sus ayudantes.

—¿Qué sahumerio es éste, Lurgan? —preguntó.

—Palisandro, maestro.

—¿Pero es el palisandro que usamos siempre?

El servidor asintió con la cabeza. Gesto, al parecer, de comprensión universal.

—¿Seguro?

—Seguro.

Jawaharlal volvió a mirarme.

—Hay, Roberto, una armonía universal... —dijo, dibujando con ambas manos una esfera, en el aire—. Dentro de ella... —irguió los hombros, balanceó su cuerpo y acomodó el almohadón donde se sentaba. Se inclinó y volvió a hacer sonar la campanita. Como si todo estuviera concertado, apareció Lurgan con una taza de té y la puso sobre la mesita laqueada, junto al maestro.

—¿Lurgan? —preguntó Jawaharlal—. ¿Este almohadón es el mío, el de siempre?

Lurgan estiró el cuello para comprobarlo.

—Sí, maestro.

—¿Seguro?

—El de siempre.

—¿Puede haberse estropeado durante el viaje?

Lurgan se encogió de hombros.

—Puede —musitó, redondeando un diálogo que bien podría haber envidiado Kipling.

Jawaharlal buscó acomodarse sobre el enorme almohadón, tirando los hombros hacia atrás, contrayendo los glúteos. Sorbió un poco de té.

—Toda mujer, Roberto... —continuó— ...configura, de por sí... un... —se detuvo, frunciendo los labios, paladeando lo que estaba por decir—... ¿Es arándano? —se preguntó a sí mismo, observando el interior de la taza. Volvió a hacer sonar la campanita.

—¿Es arándano? —preguntó a Lurgan, mostrando la taza.

—Es tilo.

—¿No había arándano?

Lurgan negó con la cabeza en un gesto, por lo visto, también universal.

—Usted nos pidió que compráramos tilo —dijo—. Cuando se nos acabó el arándano en Buzios.

—¿Yo les dije? —el maestro se señaló a sí mismo apoyando ambos dedos índices en sus hombros—. ¿Yo les dije eso?

El jovencito aprobó con la cabeza. Jawaharlal musitó algo en un extraño idioma, más profundo, carraspeado, en un tono algo airado. Lurgan bajó la cabeza y se marchó.

—Se les acaba el arándano y compran tilo —me dijo Jawaharlal, bajando la voz—. Saben que a mí el tilo no me gusta. Afecta, por otra parte, a la membrana del tímpano. Siempre lo mismo —dejó la taza sobre la mesita. Volvió a revolverse, incómodo, sobre el almohadón—. La pareja, Roberto, es la conjunción de dos...

Se apretó los ojos con los dedos de la mano derecha. Estuvo así unos segundos, pensando quizás. Se quitó los dedos de los ojos y parpadeó:

—Saben que el palisandro me hace lagrimear... Pero insisten con el palisandro... —hizo sonar la campanita.

Apareció Lurgan.

—¿Pueden apagar ese sahumerio? —pidió Jawaharlal—. Me irrita los ojos.

Lurgan, sin una palabra, se llevó el sahumerio. Jawaharlal agitó su mano frente a su cara.

—Queda el humo —explicó. Tosió—. Me afecta la garganta. Saben que me afecta la garganta. —Dio dos palmadas breves y apareció Lurgan.— ¿Se puede abrir alguna ventana?

Lurgan negó con la cabeza.

—Son herméticas, señor. Puedo prender el aire acondicionado.

—Me seca el sistema respiratorio.

Lurgan esperó. El maestro le habló nuevamente, pero ahora en el intrincado dialecto. Había aristas duras en su voz. Luego de que Lurgan se retirara, me miró pasando una mano frente a su rostro como para graficarme que respiraba mal.

—Hay una imagen de Garuda Purana sobre la mujer, Roberto... —retomó el maestro— ...descripta en las Cuatro Esferas de sus Upanishads...

Lurgan entró trayendo otra taza de té. La dejó sobre la mesita y se llevó la anterior. Jawaharlal se revolvió en su asiento, lo adelantó un poco.

—¿Seguro que este almohadón es el de siempre? —consultó a Lurgan, cuando el joven se iba. Lurgan aprobó con la cabeza—. ¿No le habrá cambiado Jahyastithi el relleno?

—Voy a averiguar —vaciló Lurgan, marchándose. Jawaharlal dijo algo como para sí, en dialecto. Probó un sorbo de su nuevo té.

—La cobra, Roberto... no es un ofidio. Es una deidad... ¡Lurgan! —llamó, sin acudir ahora a la campanita. Se lo notaba definitivamente encrespado. Lurgan apareció de inmediato. Indudablemente ya se quedaba pegado a la puerta, del lado de afuera. Hizo un gesto inquisidor con las cejas. El maestro le señaló con el mentón la taza de té.

—¿Éste tampoco le gusta? —preguntó Lurgan, en un tono que me sonó algo descomedido.

—Está frío.

—¿Frío? Cuando lo traje estaba hirviendo. Le traigo otro.

—No. No traigas nada.

—Le traigo otro.

—No traigas nada. Se me pasaron las ganas de tomar té. No quiero tomar té.

Lurgan se encogió de hombros, retiró el té y se fue.

Jawaharlal apoyó su mentón en un puño y se quedó mirando un punto lejano. Resopló. Luego trató de acomodar nuevamente su almohadón.

—En ocasiones... Alberto... —retomó.

—Roberto —me atreví a interrumpirlo.

—Roberto... En ocasiones, el corazón de la mujer se llena de veneno... —se interrumpió, mirando fijamente hacia el techo. Sin que lo llamaran, apareció Lurgan, las manos entrelazadas frente a sus muslos.

—Se mueve... —señaló el maestro hacia arriba.

—¿Qué... se mueve? —con Lurgan acompañamos su mirada.

—La tela. Esa tela que cuelga. Se mueve. Me distrae.

En efecto, uno de los tules que pendía haciendo arcos desde el cielo raso, oscilaba levemente.

—¿Quién prendió el aire acondicionado? —preguntó Jawaharlal, ya colérico—. Yo digo que no prendan el aire acondicionado porque me seca la garganta y ustedes lo prenden.

—No prendimos el aire acondicionado —dijo Lurgan—. Prendimos el extractor de aire porque usted se quejaba por el humo del incienso.

—¡Pero mueve la tela! ¡Mueve la tela y me desconcentra! ¡No puedo ni siquiera hablar!

—Lo apago.

—¡Será posible! —se puso de pie Jawaharlal con impensada agilidad para sus años. De todas maneras, de pie se lo notaba más encorvado—. ¡Saben que no soporto el té frío! ¡Y este almohadón...! —se volvió y le dio una patada al almohadón—. ¡Así no se puede, así no se puede!

Yo estaba bastante trémulo, un tanto asustado ante el fastidio desatado del sabio. Habían aparecido, en actitud sumisa, Lurgan y otros dos asistentes, todos jóvenes.

—¡Que se vaya! ¡Que se vaya! ¡Que se retire! —bramó Jawaharlal—. ¡Así no puedo atender a nadie! ¡Se mueve esa tela! ¡Necesito quietud absoluta!

Comprendí que estaba indicando que había llegado el momento de marcharme.

—Que le devuelvan el dinero y que se vaya —ordenó, por último. Estaba dándome la espalda, con las manos tomadas sobre los glúteos.

—Gracias, maestro —atiné a decir, mientras Lurgan y otro muchacho me ayudaban a incorporarme. El brahmán apenas levantó una mano, a modo de despedida, sin darse vuelta.

—Pero... Yo no pagué nada... —le musité a Lurgan, que me conducía hasta la salida de la suite, presionándome levemente por el brazo. Lurgan se encogió de hombros, restando importancia al asunto. Me detuve frente a la puerta, ya abierta. Me di cuenta de que el encuentro había sido un fracaso. Tal vez podría haber otra oportunidad.

—En una de ésas, yo... —le comencé a decir a Lurgan. Lurgan me tocó apenas con los dedos de su mano derecha sobre el pecho, haciéndome callar.

—La enseñanza es ésta, señor Roberto —me dijo, en voz muy baja. Y, cerrando los ojos, elevó su dedo índice hacia lo alto. Se mantuvo así por un tiempo que se me ocurrió ridículamente largo, tanto que pensé que se había quedado dormido. Pero, luego, habló y dijo—: Los años no nos traen ni sabiduría ni tolerancia. Los años, por el contrario, agudizan nuestras manías, nuestras fobias, nuestras locuras...

—¿Eso es todo?

—Eso es todo.

Me señaló la puerta y yo me fui.

Volviendo a Rosario, en el auto, pensé en mi relación con María Laura, en nuestra intemperancia, en las alteraciones que produce el paso del tiempo y en mi poca paciencia para con ella. También repasé mentalmente las palabras finales del joven Lurgan. Y llegué a la conclusión de que el encuentro con Jawaharlal no había sido tan inútil, después de todo.

TE DIGO MÁS...

¿Te conté la del Gordo Luis cuando hizo de Papá Noel? Es mundial la del Gordo Luis cuando hizo de Papá Noel. Casi se convierte en otra víctima del imperialismo salvaje el pobre Gordo. Del colonialismo por decirlo de otra manera.

Porque, decime vos, qué carajo tiene que ver con nosotros y con nuestras costumbres el Papá Noel. ¿Quién le dio chapa al Papá Noel? Un tipo vestido para la nieve, abrigado como para ir a la Antártida, en un trineo tirado por renos. ¡Renos, mi querido! ¿Cuándo mierda hemos visto un reno nosotros? ¿Alguna vez vos fuiste al campo y viste un reno? ¿Alguna vez te fuiste a Buenos Aires en auto y viste al costado del camino un reno morfando pasto debajo de un árbol?

Ni siquiera en el sur, donde hace frío y a veces nieva encontrás un reno ni que te cagues. Un reno o un ciervo, un alce o como carajo se llamen esos bichos que tiran el trineo de Papá Noel. De pedo si los ves alguna vez en alguno de esos documentales que pasan en la televisión.

Te digo más, cuando yo era chico, Papá Noel ni figuraba, no existía Papá Noel. Era el Niño Dios el de los regalos.

Siempre de chicos en casa hacíamos el pesebre con el Niñito Dios los Reyes Magos y esa especie de algodón que tenía como partículas de vidrio para representar la nieve y que te dejaba las yemas de los dedos hechas mierda porque te pinchaba la mierda esa.

Claro, vos me dirás, también... ¿Qué sorete tienen que ver con nosotros los Reyes Magos y los camellos y toda esa historia? Está bien, de acuerdo, lo reconozco...

Pero eso viene de mucho antes, viene de siempre. Si es por eso nosotros, es verdad, no inventamos nada, todo lo trajeron los españoles.

Si fuéramos coherentes tendríamos que celebrar alguna fiesta indígena, reverenciar al Dios de la Lluvia, bailar en pelotas bajo la luna y esas cosas, pero...

Pero el apellido tuyo es turco y el mío italiano o sea que mucho que ver con los mapuches tampoco tenemos y entonces admitamos que hay muchas cosas, casi todas, que nos han impuesto.

Pero te digo que esto de Papá Noel es algo reciente, viejo, que trajeron una vez más los yankis para vendernos sus cosas.

Como Halloween ¿vos podés creer? ¿Vos podés creer que estén tratando de imponer Halloween y nosotros compremos ese paquete como unos pelotudos? ¡Somos unos forros, querido! Porque, llegado el caso, que ellos traten de vendernos sus costumbres, está bien, es el negocio de ellos, defienden su guita después de todo.

Te digo más, si algún mercachifle de acá, que tiene un salón de ventas como tiene la santa de mi hermana, el día de mañana empieza a vender esas calabazas para que los pendejos celebren Halloween y así hacerse un mango y poder parar la olla a fin de mes, bueno, está bien, lo comprendo, qué le vamos a hacer, hay que morfar.

Pero si el día de mañana aparece el más chico de mis pendejos con un zapallo en el balero para festejar Halloween, te juro que le pego tal voleo en el orto que lo mando a la vereda de enfrente del voleo que le pego. Eso tenelo por seguro.

Pero, te cuento, no quiero caer en la misma de siempre, en lo que siempre decimos todos y ya parecemos boludos de tanto repetirlo, eso de que todas las comidas de Navidad y Año Nuevo son comidas para los climas árticos, llenas de frutas secas, pavos rellenos, comidas más pesadas que la mierda, lógicas para esos países donde se cagan de frío.

Siempre repetimos lo mismo y es al pedo, eso ya está dado así y está impuesto. Tampoco pretendo que para Navidad aparezca un tío o un abuelo disfrazado de Patoruzú a repartir los regalos porque quedaría ridículo.

Pero el pobre Gordo casi la palma con esa historia... ¿No te conté la del Gordo Luis? Porque se la cuento a todos. Fue hace como quince años. El Gordo estaba en la lona total.

Pero en la lona lona, no tenía un mango partido por la mitad, lo habían despedido de la proveeduría donde laburaba y lo ponías cabeza abajo y no le caía una moneda.

Para colmo, se venían las fiestas y algo había que comprar para poner arriba de la mesa el 24 a la noche. El Gordo tiene dos pibes que eran muy chiquitos en ese entonces y a esa edad a los pendejos no les vas a andar explicando el fato del Fondo Monetario Internacional, la tecnología que reemplaza a los trabajadores y todas esas pelotudeces.

La cuestión es que empezó a buscar laburo, alguna changa, cualquier cosa, trabajar de lo que fuera. Primero empezó por su barrio, con los amigos y conocidos, ahí por Mendoza al fondo. Ya después entró a andar por cualquier lado para conseguir algo.

Y resulta que en barrio Echesortu, una vieja que tenía una casa bastante grande de electrodomésticos le ofrece disfrazarse de Papá Noel y repartir caramelos a los chicos en la puerta para promocionar el negocio. Lo de siempre. Le tiraba unos mangos, por supuesto, que al Gordo le venían bastante bien. Y ahí fue el Luis, che.

Ahora, imaginate la escena, porque estamos hablando de Rosario, Capital de los Cereales, ubicada a orillas del anchuroso Río Paraná.

El Gordo Luis, tenés que pensar en un tipo arriba de los cien kilos, fácil fácil debe andar por los 120 porque es alto, grandote, Luis.

Y te digo que resultaba perfecto para Papá Noel porque el Luis es más bueno que Lassie, nunca lo he visto enojado al Gordo, es un pan de Dios.

Pero tenés que tener en cuenta una cosa, ineludible. Rosario... pleno pleno verano... mediodía, un sol de la puta madre que lo reparió, algo así como 83 grados a la sombra, y ese gordo metido adentro de un traje de Papá Noel con una tela tipo felpa así de gruesa, así de gruesa no te miento, gorro, barba de algodón, bigotes, botas y guantes.

¡Guantes! Porque la vieja era una vieja hinchapelotas, conservadora, que quería que el Gordo se pareciera exactamente a Papá Noel y que se vistiera todo como correspondía, el pobre Gordo.

¿Viste que hay veces en que tipos hacen de Papá Noel pero sin guantes y hasta a veces sin barba, o pendejas jovencitas vestidas de colorado pero con polleritas cortonas, tipo minifaldas, y las gambas al aire así están más frescas?

Pero claro, el Gordo Luis era perfecto para hacer de Papá Noel y por eso se le ocurrió eso a esa vieja hija de puta. Porque lo vio al Gordo gordo y con esos cachetitos medios coloradones que tiene el tipo, el personaje, Santa Claus.

Hasta voz media ronca tiene Luis... ¿viste que Papá Noel se ríe siempre con esa risa ronca? Jo, jo, jo... Hasta eso tiene Luis, la voz ronca. Jo, jo, jo...

Pero vuelvo al tema.

Doce del mediodía, pleno diciembre, un sol que rajaba la tierra, un calor infernal, los pajaritos que se caían muertos al piso por la canícula, se venían en baranda y se desnucaban contra la vereda... Y el Gordo ahí, che, con el traje de lana gruesa, barba y bigote, sacudiendo una campana de papel maché o algo así y dándoles caramelos a los chicos que se juntaban para verlo.

A los quince minutos, a los quince minutos, te juro, el traje del Gordo ya no era colorado... ¿viste que esos trajes son colorados medio clarito? Bueno, era violeta, violeta era por la transpiración a chorros que largaba el Gordo.

Pero no un pedazo, alguna zona del traje, no. Ni tampoco era solamente debajo de los brazos o arriba de la zapán que es donde uno transpira más, no.

Era todo, completo, íntegro. Al Gordo le corrían ríos de sudor sobre la piel, ríos, torrentes que le empapaban acá,

acá, acá, las ingles, las pelotas, las pantorrillas, ríos que le inundaban las botas, por ejemplo.

Me contaba después —porque todo esto me lo contó él mismo— que sentía las botas llenas de agua, como si las hubiera metido en un balde de agua caliente, le chapoteaban. Todo alrededor, no te miento, todo alrededor, en el piso, en un diámetro de ocho metros más o menos en torno al Gordo, parecía que habían baldeado. Toda la vereda mojada, querido, de lo que chivaba el Gordo, se le saltaban los goterones de la cabeza, parecía las Aguas Danzantes el Gordo, imaginate.

Te digo que ya era un espectáculo grotesco, lamentable, pero Luis le seguía metiendo voluntad, le ponía ganas, caminaba de un lado al otro, se reía, llamaba a los chicos, hablaba en voz alta, hasta creo que disfrutaba, incluso, de ser un centro de atención para la zona.

En eso, una vecina, una vieja de ésas que nunca faltan, que están al reverendo pedo como bocina de avión, que vivía a unas dos puertas del negocio de electrodomésticos, sale a la puerta y lo ve al Gordo.

O escuchó el griterío de los chicos y salió a ver qué pasaba.

Lo ve al Gordo y se apiada de él... ¿Viste? Esas viejas comedidas, bienintencionadas, chuecas, que caminan medio encorvadas, que les cuesta moverse pero que rompen las pelotas permanentemente, un cuete la vieja, una ladilla.

Se manda para adentro de nuevo la vieja, flaquita ¿viste? bajita, canosa con un rodete y aparece al rato con una jarra así de grande, pero así de grande, con un líquido amarillento que parecía limonada, lleno de hielo. Transpiraba de fría la jarra. Y se la ofrece al Gordo, che.

El Gordo medio le dice que no, que no se hubiera molestado, que no puede desatender su trabajo pero, en definitiva, la acepta, lógicamente.

Además, los hijos de mil putas del negocio de electrodomésticos no le habían alcanzado ni un vaso de agua al Gordo. ¡Ni un vaso de agua siquiera! Después hablan de los norteamericanos.

Nosotros somos tan hijos de puta como ellos para explotar a la gente. Si acá hubiera negros los tendríamos laburando en el Chaco con el algodón. ¡Al pobre Luis que se estaba deshidratando como un chancho y que le picaba todo y que andaba como mono con tricota el desgraciado, no le habían dado ni agua! Lo que pasaba también es que a esa hora había quedado un solo encargado en el negocio.

La vieja que contrató a Luis no había venido. El dueño del boliche, esposo de la vieja que contrató a Luis, tenía como cinco negocios por otras partes de la ciudad y andaba de recorrida; y el otro empleado que laburaba ahí se había quedado en el fondo del local, rascándose las bolas debajo del único ventilador de techo que tenían esos miserables.

La cuestión es que la vecina saca un banquito chiquito a la calle, lo deja al lado de la puerta de su casa, medio sobre el umbral para que no le diera el sol directo, le dice a Luis "Aquí se lo dejo", y ahí se lo deja.

Cuando el Gordo pudo zafar un poco del pendejerío, te imaginás que con ese calor llegó un momento en que había mucha menos gente en la calle, se prendió a la limonada y se bajó media jarra de un saque, jadeando como un perro al que lo han corrido a palos...

Pero resulta que no era limonada, boludo, no era limonada.

Era vino blanco. Vino blanco era. La vieja le había zampado en la jarra un par de botellas de vino blanco, le había metido hielo a rolete y se lo había dejado ahí, con la mejor de las intenciones. De esas viejas que van a la iglesia, te cuento, que son las que hacen las peores cagadas, las que te incendian la casa con las velas a la Virgen.

El Gordo, con la desesperación, con el calor que tenía en el cuerpo, recién se dio cuenta cuando ya se había mandado más de catorce litros sin respirar, de un saque.

Y, aparte, seamos sinceros, cuando ya se dio cuenta, no pudo parar, no pudo parar, no pudo parar. Te estoy hablando de un muchacho de 120 kilos después de estar moviéndose casi tres horas a pleno sol con 4000 grados de temperatura. No pudo parar. Se mandó todo el vino blanco de una, fondo blanco. Fondo blanco.

Bueno... te imaginarás... te imaginarás el pedo tísico que se levantó ese muchacho. Una curda inmediata y espantosa, demencial, una curda como para trescientas personas.

Casi no había desayunado, estaba sin almorzar, no había morfado ni tan siquiera un pancho con una coca y se manda casi dos litros de vino blanco bien helado.

Para colmo el Gordo no era un tipo que tomara mucho alcohol, al menos que yo recuerde. Un poco de vino, con la cena, nada más. Alguna copita de sidra. O a veces, en los bailes, alguno de esos tragos maricones como el gin-tonic, pero con mucha más agua tónica que otra cosa.

¡El pedo que se agarró ese muchacho, Dios querido, el pedo que se agarró!

No te digo que empezó a cantar boludeces, ni a caminar torcido, ni a vomitar contra las paredes ni nada de eso.

Pero entró a regalar todo lo que tenía a su alcance, se

le dio por la beneficencia, le dio un ataque de comunismo acelerado. Primero terminó en cinco minutos con la existencia de caramelos y chocolatines que tenía para toda la tarde...

¡Y después empezó a regalar los electrodomésticos! Empezó regalándole una tostadora eléctrica a un pendejo. Después le regaló un ventilador a la madre de otro de los pibes, después siguió con multiprocesadoras, veladores, hornos a microondas, etcétera...

Llamaba a la gente a los gritos, entraba al negocio y les daba algo, repartía, entregaba todo.

Y el empleado que se rascaba las bolas adentro del negocio ni se dio cuenta, debía estar en el fondo, en una oficinita que estaba detrás, arreglando papeles, o apoliyando una siesta mientras esperaba que se hiciera la hora en que el patrón llegaba.

Lo cierto es que, te imaginás, a los quince minutos, en la puerta del negocio había un mundo de gente, que venía de todas partes —es una zona muy transitada—, alertada por los otros que ya habían ligado algo de arribeño, por la mamúa del Gordo.

La gente pensaba que era una promoción del negocio o, en todo caso, se hacía la turra, cazaba los artefactos, se los llevaba y a otra cosa mariposa, si te he visto no me acuerdo, andá a cantarle a Gardel.

Tremendo quilombo frente a la puerta del negocio, una multitud amontonada allí, ya no sólo chicos te cuento. Chicos, grandes, medianos, jovatos, familias enteras tratando de aprovechar la generosidad de Luis.

En eso aparece el dueño del boliche, un pelado con cara de amargo que llegó en su auto, un coche nuevo.

Y cuando el tipo se dio cuenta de lo que estaba pasando se puso loco, lógicamente se puso loco. Entró a gritar, a arrebatarle las cosas a la gente, a recuperar licuadoras, televisores portátiles, radios que la gente se llevaba.

A los gritos ese hombre, desesperado, tironeando con los beneficiarios. Ante el despelote se despertó el empleado de adentro y salió cagando aceite a ayudarlo al pelado. Había tironeos, forcejeos, agarrones, hasta voló algún puñete. Y en eso llegó la cana, un patrullero que andaba de ronda.

En el despelote, cuando medio se enteró de cómo había venido la mano por lo que le contaban los que se piraban con las licuadoras y todo eso, que gritaban que Papá Noel se las regalaba, el pelado les indicó a los policías que lo metieran en cana al Gordo, responsable de todo ese quilombo.

Y bien dice el Martín Fierro, que no hay nada como el peligro para refrescar a un mamado. Ahí el Gordo se despejó, se dio cuenta, volvió a la realidad, se esclareció el Gordo.

Además, ya había vuelto a transpirar como un litro del vino blanco me imagino, se había aliviado un poco de la tranca y comprendió la cagada que se había mandado.

Pero te conté que es un tipo manso, un tipo tranquilo, no se iba a poner a resistirse o a echarle la culpa a nadie. Supo que tenía la culpa y, entonces, todavía medio tambaleante, bajó la sabiola, se fue para adentro del negocio para cambiarse la ropa en el baño y meterse, derecho viejo, solito, sin que nadie le dijera nada, adentro del patrullero.

Afuera seguía el desbole entre el pelado, su empleado, la gente y los canas que ahora también se habían unido a la tarea de recuperar todo lo que había regalado el Gordo.

El Gordo fue al baño, se mojó la cara, cosa que terminó de despejarlo, se sacó esas pilchas de mierda de Papá Noel, se puso la ropa que había llevado él en un bolsito y salió de nuevo para la calle.

Cuando salía para la calle —el negocio es bastante largo— lo ve venir al dueño con uno de los canas, desencajado el pelado, a las puteadas, buscándolo.

Claro, lo ve al Gordo sin el traje colorado, de camisita celeste y pantalones vaqueros, un bolso en la mano, pelo negro achatado por el agua de la canilla, y no lo reconoce.

No lo reconoce porque tampoco era él quien lo había contratado sino la conchuda de su esposa. "¿Adónde está? ¿Adónde está?", me contaba el Gordo que preguntaba el pelado, que venía a los pedos con el policía. Y el Gordo pensó que se refería al traje de Papá Noel que él se había sacado.

Yo no sé si el Gordo lo entendió así, seguía en curda o se hizo bien el boludo, la cosa es que señaló hacia el baño y el pelado y el policía se mandaron para allí. Cuando el Gordo salió a la calle todavía había un amontonamiento de gente y el otro empleado discutía con medio mundo reclamando facturas o recibos de compra.

Nadie lo reconoció entonces al Gordo, sin el disfraz. Incluso, de última, el otro policía del patrullero, que se había quedado afuera, lo encara al Gordo cuando el Gordo ya se piraba y el Gordo piensa "Cagamos".

Y el cana le pregunta: "¿Ese bolso es suyo?". El Gordo me contó que él le iba a decir la verdad, que sí, que era suyo.

Pero tuvo miedo de que el cana le hiciera más preguntas, o que se lo hiciera abrir y le dijo: "No, lo vengo a devolver". Y se lo entregó, un bolso de mierda que después de todo a él no le servía para un carajo. El gordo se piró haciéndose el pelotudo, temeroso todavía de que alguien lo reconociese y lo mandara en cana cuando ya estaba a una cuadra. Casi termina preso el Gordo, mirá vos. Zafó porque la vieja que lo contrató tampoco sabía ni cómo se llamaba, ni adónde vivía. Era un contrato basura pero realmente basura el del pobre Gordo. Pero casi termina engayolado. Por tener que disfrazarse de Papá Noel con esos vestidos de invierno, podés creer. Que los argentinos nos tengamos que vestir con ropa de abrigo en pleno verano porque a los yankis se les ocurrió que Santa Claus vende más que el Niñito Dios.

Eso le decía yo al Gordo, después, en el club. "El año que viene ofrecete para algún pesebre viviente, Gordo. Por lo menos de Niño Dios te ponen en bolas en una cunita y te cagás de risa porque estás fresco. Les pedís que te pongan un espiral al lado de la catrera y dormís como un sapo al lado de la oveja".

Eso le decía yo, para joderlo.

"De lo único que puedo hacer yo en un pesebre viviente es de vaca, Zurdo —me decía el Gordo—. De vaca".

Pero por lo menos es un animal conocido, ¿no es cierto? Un bicho familiar al paisaje, el rumiante emblemático de la pampa húmeda, base de la riqueza de nuestro país. Algo nuestro... ¡Qué me vienen con que a los chicos les gusta Papá Noel, el trineo y los alces esos! Si mis pibes me vienen a pedir un alce de ésos les pongo tal voleo en el orto que aterrizan más allá de la Circunvalación del voleo que les pego, tenelo por seguro.

Ya bastante que el otro día les compré un conejo, un conejo de verdad, que es terriblemente pelotudo y lo único que hace es comer lechuga y cagarnos todo el patio. Y si me insisten con esas pelotudeces inventadas por los yankis, que se vayan a vivir a Cincinnati, pendejos colonizados de mierda.

Que a mí no me dicen el Zurdo al pedo, querido, me lo dicen por tener una formación doctrinaria... ¡Pobre Gordo! Estuvo a punto de convertirse en una nueva víctima del capitalismo salvaje.

TÍA NELA

Tía Nela siempre fue una vieja turra. Jodida. De carácter fuerte, como se dice cuando no se quiere decir directamente que una persona es jodida. Fumaba. Siempre la recuerdo fumando, el faso en la mano, los dedos medios amarillentos por la nicotina. Y el aliento, pesadón, denso. No la veía muy seguido, no te vayas a pensar. Para las fiestas, más que nada, cuando se reúne toda la familia. Aparecía siempre a los gritos, muy sargenta, dando órdenes, mandoneando a todo el mundo. Turra, la vieja. Soltera.

También... ¿quién la iba a aguantar con ese carácter? Eso decía mi vieja. Que la Nela había tenido algunos novios pero a todos los había corrido, comentaba. Sin embargo mi viejo sostenía que Nela tenía buen corazón y mucho sentido del humor. Que decía las cosas que decía por joder, por romper un poco las pelotas.

Pero era dura. Tendría sentido del humor y todo lo que quieran pero era dura. No se le dice a un chico, como me dijo a mí para unas Navidades, "Che, qué petiso te quedaste vos", comparándome con mis primos, y adelante de ellos. Me hizo mierda. Mierda me hizo. Después la quiso arreglar diciéndome que yo todavía estaba en edad de crecer un poco y todo eso pero ya la había cagado. Yo creo que era mala, directamente. Porque las personas malas son las que dicen cosas graciosas porque tienen malicia. Mi primo Edgardo, por ejemplo, es un pelotudo. Pero un pelotudo, pelotudo. Y mi vieja siempre decía: "Pero... es tan bueno". Claro, si no tenía malicia para ser malo. Era más aburrido que chupar un clavo. No te cagaba, eso sí, pero nunca te iba a contar algo o iba a hacer algo que fuera ni medianamente interesante.

Pero volvamos a la tía Nela porque el asunto gira en torno a ella y lo extraño de su final. Si es que hubo un final, como yo presumo.

Jodida o no jodida, sargentona o no sargentona, lo cierto es que a mí, de cuando en cuando, tía Nela me tiraba unos mangos. Poca cosa, es cierto, pero me tiraba. Le pasaba a mi vieja un sobre donde había guita para mí y para mi hermana.

Hoy por hoy si alguien te pasa un sobre ponele la firma que es merca. Pero en aquella época era guita. Yo sé que les daba a todos mis primos también, porque la Nela tenía una buena jubilación y le había quedado dinero de una rama de la familia bastante pudiente.

No sé en qué árbol viviríamos nosotros pero a nosotros no nos tocaba ninguna de esas ramas. Ella pertenecía a la rama de los Estévez Casacuberta, todos medio culosroto, medio cajetillas, de los que tenían el negocio aquel de la yerbatera. Y manejaba algún dinero.

No mucho, tampoco, no vamos a exagerar. Creo que le

sobraban unos pesos para las fiestas porque era muy medida con los gastos. Mi viejo decía que sacarle un mango a la Nela era más difícil que sacarle una muela a un indio, y lo decía porque seguro que él le había pedido guita más de una vez y la Nela lo había sacado cagando. Pero a mí me daba. No deben haber sido muchas veces, pero a los pibes les quedan muy grabadas esas ocasiones. Entonces, cuando la mano se me empezó a poner pesada, pensé en ella. Digo pesada porque, a cierta edad, a uno ya le entra a dar un poco de vergüenza andar pidiéndole guita a los padres. Uno puede manguear guita hasta los 18, 19 años, pero cuando ya se están por cumplir 29 aparece una especie de pudor.

Entonces me acordé de Nela. Tal vez podía pedirle algo a ella, una ayuda, alguna colaboración. Mi hermana, por ejemplo, cuando se casó con el nabo de mi cuñado, fue a la casa de Nela y le jeteó un mueble de esos viejos, de madera, un ropero de la gran puta, que no sé ni lo que cuesta, esas cosas ya no tienen precio hoy por hoy, no se hacen más. Todo repujado, todo torneado, barnizado, con un espejo y una especie de cajoncito que uno lo saca y hay una palangana para mear. Parece mentira pero es así. Un orinal, creo que se llama. Se ve que en esa época los tipos se metían en un ropero y meaban ahí. No habría baño. Millones de dólares vale ese ropero.

Pero la cosa no era fácil para mí porque nuestra familia, después de ese saqueo de mi hermana, prácticamente había perdido todo contacto con Nela. Cuando se dejaron de festejar las Navidades en casa porque se murió mi viejo, y los pibes nos hicimos grandes y todo eso, ya no hubo oportunidad de juntarnos con ella. A mi vieja, para colmo, tía

Nela le rompía soberanamente las pelotas y ni siquiera la llamaba. "Pobre —decía— está muy sola". Pero no la llamaba casi nunca o, de pedo, a las cansadas, a fin de año. Para colmo, aparentemente la Nela, con la soledad, con el aislamiento y con los años, se había puesto más amarga, más ácida y más mal llevada que nunca, según sabía contarnos Mercedes, una amiga de mi vieja que solía frecuentarla. Yo, entonces, no encontraba la forma, la manera, el camino para contactarme de nuevo con tía Nela sin que se notara demasiado que iba por su fortuna, por sus muebles, por sus jarrones, por alguna alfombra, alguna araña de caireles que pudiera vender y hacerme de una moneda.

La oportunidad se dio una tarde, escuchando que mi vieja hablaba por teléfono con Mercedes y Mercedes le decía que tía Nela solía reunirse con otras viejas chotas como ella —lo de chotas es un agregado que hago yo, una licencia poética— todos los jueves, en una asociación de viejas literatas o cosa así, el Grupo Numen. De esas viejas que se juntan para escribir o hacen concursos de poemas ilustrados.

Yo nunca supe que a tía Nela se le diera por ese lado, pero admito que ella tenía una cierta aureola de mujer de mayor cultura que nosotros, que manejaba más información, que hablaba mejor, que había viajado o cosa así. De aspecto, nomás, parecía que nos miraba desde arriba, y eso que no era muy alta. Siempre muy erguida, muy erguida, el mentón casi metido en este huequito del cuello, tirada para atrás.

No me sorprendió enterarme de que se le había dado por la literatura. Ni le pregunté nada a mi vieja. La escuché hablar de eso pero ni le pregunté, me hice el sota. Ya mi vieja venía sospechando de mí, rompiéndome las bolas porque no trabajaba, investigando sobre qué hacía o dejaba de hacer con el Banana, y le iba a parecer medio nebuloso que yo, de pronto, empezara a averiguar sobre tía Nela.

La cuestión es que al día siguiente agarré el diario y me empecé a fijar en la sección de Cultura, donde sale el programa de actividades. Y ahí encontré el horario y la dirección de las reuniones del Grupo Numen. Tampoco le comenté nada al Banana. Está tan zarpado ese muchacho que podía llegar a proponer que la matáramos. O que la secuestráramos y pidiéramos rescate. Que mandáramos de advertencia una oreja de Nela en una caja. Que la reconocieran por el aro. Mi vieja, de envidiosa nomás, conocía todas las joyas de la familia. Que después la descuartizáramos y distribuyéramos los pedazos en distintas macetas. A él se le ocurrían esas ideas. Ya me cagó bastante con la que se mandó con la venta de los huevos Kinder.

Al jueves siguiente, como de casualidad, empecé a patrullar la puerta de una casa de alto, antigua, de calle Zeballos al 800. Ya era de tardecita, en invierno, y había una luz prendida iluminando una escalera larguísima que iba hasta arriba. Tenía como cuatromil escalones. Me imagino la cantidad de viejas que se harían mierda cayéndose por esas escaleras en cada reunión. Rodarían como quesos bola las viejas por los peldaños, pobrecitas, hasta la vereda. A la reunión siguiente las demás escribirían poemas por el alma de las desaparecidas. A eso de las ocho, empezaron a bajar, en grupos, hablando a los gritos, riéndose. La pasaban en grande esas viejas.

Quedaron reunidas en un montón, frente a la puerta, antes de despedirse y yo ahí, pasé frente a ellas, tratando de detectar a tía Nela para saludarla, como si fuese un encuentro marcado por el destino. Pero no la vi. O no la reconocí, en principio. Me hice el que iba a cruzar, algo forzadamente, para poder seguir mirándolas. Y nada. No estaba. Crucé hasta enfrente y desde allí, con la tranquilidad de que ninguna me miraba, seguí el estudio. Por ahí ese día no había ido, por ahí eran todas macanas eso de que iba al Grupo Numen. Crucé de nuevo y, de golpe, cuando una de ellas se movió un poco, dando la cara a la luz de la escalera, la reconocí.

Tía Nela. Tía Nela quince años después. El mismo porte, la misma actitud erguida. Pero mucho más chiquita. No digo un centímetro o dos centímetros. No sé, medio metro, un metro y medio, algo terrible. Es cierto que siempre uno tiene una noción equivocada de las cosas que vio en su niñez; cuando uno era chico las mesas eran altas, las puertas enormes, los corredores anchos. Y lo mismo ocurre con la gente. Mi viejo me parecía una estrella de la NBA y resulta que era un sorete que no pasaba del metro y medio.

Admito que a mí me sucedió algo así con Nela, pero era demasiado grande el cambio. Mientras me dirigía hacia ella calculé que Nela ya debía andar cerca de los ochenta, no mucho menos, y eso podía justificar su reducción. Sé que hay cadáveres que se reducen bastante tiempo después de ser enterrados, pero se ve que con tía Nela habían empezado mucho antes, tal vez para ganar tiempo, quizás para ahorrar dinero.

Dinero. Dinero. La aguda reflexión sobre los cadáveres me concentró de nuevo en el asunto. Ella ya se alejaba del brazo con una amiga y yo la retuve, levemente, del codo. Se dio vuelta y me miró con una mezcla de enojo, curiosidad y sorpresa.

—Vos sos Nela —le dije, con mi mejor sonrisa. Entrecerró los ojitos, desconfiada.

—¿Y vos quién sos? —me preguntó, sin ningún tipo de recelo. Volví a percibir ese aliento a tabaco, que recordaba desde niño, como un cachetazo. Era ella, sin duda. En la mano derecha, finamente levantada, tenía el faso.

—Soy tu sobrino Ernesto.

Nela exhaló una exclamación airada, un "Ahhhohhh" algo ronco. La amiga, que no la había soltado del brazo, me miraba con una expresión cercana al terror. Tenía las mejillas muy rojas, surcadas por venitas, y toda ella parecía inflada. Se debían haber dado con algunos saques de anís o de aguardiente, las viejas.

Me tuve que agachar para besar a Nela en la frente. Olía a nicotina, por supuesto, y a un perfume sofocante. También a licor dulce, posiblemente licor de huevo.

—Mi sobrino Ernesto. Ernestito, Amalia —me presentó Nela a su amiga. La otra seguía catatónica. Posiblemente hacía siglos que no se le acercaba nadie menor de ochenta años a menos de un metro de distancia. Estaba esperando, posiblemente, que yo sacara una navaja y las degollara. Ven muchas cosas en la televisión y se impresionan esas viejas.

—Pero estás hecho un gigantón, Ernesto —me miró Nela—. Y yo recuerdo que eras casi un enano. Era un enano, Amalia. Así. Y mirá lo que es ahora.

Observé a Nela y pensé que quizás yo me estaba equivocando. Estaba bien vestida, como siempre, pero muy sencilla. Un tapadito, un vestidito, su carterita. Por ahí la pobre vieja ya no tenía un mango, se había hecho cagar todo el dinero jugando a los burros o pagándole a algún proveedor para que le diera sexo del bueno y ahora estaba en la lona total. O quizás ella nunca había tenido en verdad mucha guita y eran todas fantasías de nuestra familia, leyendas de gente de clase media, medio pelo, pirinchos de cuarta que se deslumbran con los apellidos.

—Te iba a preguntar por tu familia —estaba diciendo Nela, con esa voz nasal que adquiría cuando el humo le bloqueaba las vías respiratorias— pero no te pregunto nada porque seguro que están todos bien ya que no me llaman ni me vienen a visitar ni nada por el estilo entonces yo deduzco que deben estar todos bien...

—Yo te voy a ir a visitar, tía, yo te voy a ir a visitar —prometí.

Nela agitó la cabeza, como fastidiada. Chasqueó los labios.

—Promesas que hacen los hombres, Amalia. Puras promesas. Nos vamos —cortó de golpe el emotivo encuentro—. Chau, querido. Saludos a los tuyos.

Adelantó su mejilla hacia mí, decidida.

—Te voy a visitar, seguro —la contuve—. ¿Seguís viviendo donde siempre? ¿A qué hora estás, Nela?

—Todo el día estoy, querido ¿Me ves aspecto de andar yirando por la calle? A menos que vayas un domingo que estoy en misa, cosa que no creo.

—Voy a ir. Tengo ganas de hablar con vos... —siempre he acreditado cierto talento para la repentización. Si alguna habilidad tengo para algo es para eso. No sé de dónde saqué lo que le dije—... Estoy bastante unido, desde hace algún tiempo, a una congregación religiosa, y sé que vos conocés de esos temas... Me gustaría charlarlo...

Nela frunció el entrecejo.

—Vendría bien un cura en la familia —dictaminó—. Vírgenes no hemos tenido pero un cura vendría muy bien... Venite. Venite y lo charlamos.

Se fue, con su amiga Amalia. Dejé pasar un par de semanas antes de ir a verla. Bah... en realidad yo quería ir a verla al día siguiente, para que ella no se olvidara del asunto. Pero el Banana volvió a distraerme convenciéndome con el verso ese de organizar una entrega de premios a gente de la cultura. Algo así como "El Monumento de Platino". Inventábamos una Asociación de algo y entregábamos plaquetas a artistas locales en una fiesta donde cobrábamos entrada. El Banana calculaba que con la plata de las entradas pagábamos el alquiler de un salón de fiestas y todavía nos quedaba un margen considerable. Por la comida no había problemas porque, según él, a los muertos de hambre de los artistas con unos quesitos, unos saladitos y una damajuana de vino blanco los arreglábamos. El premio era una foto del Monumento, blanco y negro, impresa sobre papel plateado. Iba pegada sobre una base de felpa rosa, con su marquito de plástico y un vidrio. Quedaba bastante linda.

Por supuesto que el asunto no funcionó. Ya están todos muy avivados en esta ciudad y al primer peluquero estilista que le ofrecimos venderle el premio en 500 mangos nos sacó cagando. Ni en 150 agarró viaje. Pero me llevó dos semanas ese asunto y no pude verla a la Nela. Por supuesto, el fracaso del proyecto de los premios me hizo retornar más empecinado sobre la idea.

Un lunes a la tardecita fui a lo de Nela. Y cuando me recibió sufrí otro impacto. Estaba más chiquita todavía. Una cosa increíble. Cuando me abrió la puerta, creí que era un efecto de la distancia, porque es una de esas casas antiguas, alargadas, con pasillos interminables, donde todo está lejos, en la loma del orto. Pero no. Tía Nela parecía haberse reducido aun más desde que la vi saliendo del Grupo Numen. Tal vez me impresionó así porque ahora estaba vestida más de entrecasa, con un batoncito largo, caro, de seda, pero batón al fin. Y con unas chinelas chatitas. Pero lo cierto es que, cuando pasé y le di un beso, no me llegaba ni a la cintura, ni a la cintura me llegaba. Y otro detalle. En esta oportunidad la encontré encorvada, ya no tan erguida como antes. Tal vez la vieja tenía dos versiones: la altanera y tirada para atrás de su versión pública, y la vencida y jorobada de su versión doméstica. O por ahí, para salir a la calle usaba uno de esos tensores ridículos, esos aparatos ortopédicos con bridas que te sostienen los hombros para atrás y que te ofrecen en las ventas por televisión. Tantas porquerías suelen usar las mujeres bajo la ropa que no me hubiese extrañado. Por ahí compraba, por Internet, consoladores en algún *pornoshop* y de paso pedía lo de las bridas.

Me hizo pasar, fumando por supuesto, a una especie de living comedor enorme, bastante en penumbras.

—Ahora me acuerdo de esta casa —le dije, observando todo.

—Si vos viniste de chiquito, un montón de veces —graznó Nela—. Me acuerdo que venían vos y tu hermana. Eras un gurrumín. Un enano.

Y dale con el enano.

—Había un patio.

—Tres patios, querido. Tres. Vení. Vení que te muestro.

La seguí a través de un montón de piezas a oscuras.

Las maderas del piso, bajo las alfombras, crujían como barcos.

—Ésta es la pieza de la pobre Arminda —se detuvo Nela, prendiendo la luz de una de las habitaciones y señalándome una cama con el mentón, sin sacarse el pucho de la boca—. ¿Te acordás de Arminda?

Le dije que sí y le mentía. No me acordaba un carajo de Arminda. Debía ser otra tía, o una prima, o alguna hermana, algo así. O por ahí una sierva de ésas que en aquellos tiempos vivían como mil años en una casa y al final ya ni se acordaban si era la sierva o la dueña o una amiga que se había olvidado de irse o qué carajo era.

Además yo estaba atento al mobiliario, a la decoración. Y había visto, en esa pieza de la pobre Arminda, un jarrón como de dos metros de alto, más alto que la misma Nela por cierto, de porcelana, que debía costar sus buenos mangos.

—Está igual, igual, que cuando murió —dijo Nela.

—¿Quién?

—La pieza —Nela apagó la luz y siguió el recorrido hacia el fondo—. Así la dejó ella, que era muy prolija, y así quedó. No la he tocado. Ni entro, siquiera. Cada dos meses viene una chica que limpia y le pasa una plumereada, pero nada más. Sabés que yo nunca he sido muy dada para la limpieza.

—Pero está todo impecable, Nela.

La seguí hasta el fondo. Me mostró algunas flores, unos maceteros, una ermita con una Virgen que era la Virgen de algo pero que no me acuerdo. Lo del jarrón que estaba en una pieza donde nadie entraba durante un lapso de dos meses era un buen dato.

Volvimos al living comedor y Nela me ofreció algo de

tomar. Le pedí agua pero enseguida cambié y le pedí un té. Quería mantenerla un ratito, al menos, en la cocina, para poder estudiar con tiempo qué podía pedirle, o llevarme, directamente. La casa estaba llena de cosas que parecían valiosas. Cuadros, mueblecitos, espejos enormes, arañas, alfombras. Incluso muñecas de porcelana, sentaditas junto a las almohadas sobre las camas. Yo había leído avisos de anticuarios ofreciendo buena guita por esas muñecas.

Nela me trajo el té, se trajo un vaso enorme de agua mineral para ella y nos sentamos a conversar. Cuando se sentó, comprobé que los piecitos le colgaban sin tocar el piso. Yo sé que todos nos vamos encogiendo con los años. Leí en no sé dónde que, pasado los cuarenta, ya nos hemos comprimido como dos centímetros, que la columna vertebral se va aplastando, las vertebras se van juntando unas contra otras, como ñoquis. Pero a tía Nela se le debía haber caído el techo en la cabeza y la había aplastado, directamente, pobrecita. De un saque la había reducido medio metro, una cosa bárbara. No me extrañaba que, en esa casa tan vieja, se hubiese venido en banda un cielo raso y la hubiese recauchutado a la vieja contra el piso.

—¿Qué mirás? —me preguntó, al verme mirando hacia el techo—. ¿La araña?

—Sí. Una maravilla. Debe pesar como veinte kilos.

—Más todavía. Ya no se hacen, por supuesto. ¿Dónde la metés en esos departamentos minúsculos que se construyen hoy?

—Me encanta ese rinconero —señalé, cambiando el ángulo de la conversación. Quería probar su grado de condescendencia, o de generosidad, a riesgo de ser muy obvio—. Es lindísimo.

—Era de Quico.

—En mi pieza necesitaría algo así. Para los libros. Estoy comprando muchos libros sobre religión.

—Es muy práctico.

No aflojó. Si yo esperaba que me dijera "Llevalo" o "Te lo regalo" o "Tu hermana se llevó un ropero así que sería un acto de estricta justicia que vos te llevaras ese rinconero", estaba cagado.

La vibración de algo, peludo, sobre el rinconero en sombras, me sobresaltó.

—¿Qué tenés arriba? —le pregunté—. ¿Un oso de peluche?

—El gato —Nela largó el humo por la nariz.— Duerme ahí. Bartolo se llama. Por Bartolomé Mitre.

En el bulto peludo destelló una lucecita. Bartolo había abierto un ojo.

—¿Ves? Sabe cuando uno habla de él —dijo Nela.

—No parece dar mucha pelota.

—Salvo cuando tiene hambre. Cuando tiene hambre, sí.

Era un gato gris oscuro, enorme, de la gran puta. Le iba a preguntar de dónde lo había sacado, pero Nela comenzó a interesarse sobre cómo era eso de mi vuelco hacia la religión. Tuve que comenzar a improvisar sobre un milagro que había conseguido el Padre Ignacio con la salud de un amigo, mi curiosidad por el tema y todo eso. Hablé como media hora. Cuando terminé, tía Nela me dijo que eso de los milagros eran un montón de pelotudeces.

La cosa fue convencerlo al Vasco de que me acompañara a verla de nuevo. El Vasco había trabajado un tiempo en una galería de arte que también vendía antigüedades y algo sabía del asunto. O, por lo menos, sabía más que yo, que no puedo diferenciar un clavicordio de una palangana esmaltada. El Vasco, cuando le dije, empezó a mandarse la parte de que él veía un candelabro y sabía lo que costaba. Como esos futboleros que dicen que, de sólo ver cómo se para un jugador, ya saben si juega bien o juega mal. El Vasco parece que veía cómo un jarrón abría la boca, como se ponía los bracitos en jarras, y ya sabía la guita que se podía sacar al venderlo.

Mentiras, exageraciones. Lo habían echado de la galería de arte cuando, para demostrarle a un cliente la resonancia que tenía una figurita de porcelana del año del pedo, le pegó un tincazo y le arrancó la cabeza. La hizo mierda.

Pero él era preferible antes que pedirle al Banana que me acompañara, por lo que ya dije del secuestro y el descuartizamiento. La cosa era no errarle, porque cargar con ese jarrón podía ser complicado. Sacarlo no hubiera sido problema. Yo le decía a la Nela que prefería un té y Nela, entre que iba y volvía de la cocina, tardaba un año. Si se lo pedía con limón, un año y medio. La cocina quedaba atrás de todo, en el fondo y para llegar había que tomarse el 217. Además, la vieja caminaba medio chacabuca y entonces el viaje se hacía lo suficientemente largo como para que yo fuera hasta la pieza de la pobre Arminda, la malograda Arminda, agarrara el jarrón, se lo pasara al Vasco que esperaría afuera y a otra cosa mariposa.

A la semana siguiente fui, en efecto, con el Vasco. Y lo juro por mi vieja que se caiga muerta ya mismo: tía Nela estaba más chiquita todavía, una cosa de locos. Debía medir, no te miento, cincuenta centímetros, no más, cincuenta centímetros. Una enana, una liliputiense. Incluso el Vasco, a quien yo ya había prevenido sobre el minimalismo de mi tía, quedó impresionado, no podía creer lo que veía. Me insistía, después, cuando nos íbamos, que a la que debíamos afanar era a mi tía y no el jarrón. Que la podíamos mostrar, encadenada, en ferias de pueblo, en esos programas de televisión donde se presentan monstruos, en alguna documental de la Nasa de ésas donde aparecen filmaciones de alienígenos verdes.

Pero era tan amena tía Nela, tan divertida, tan mala para decir las cosas, que al poco tiempo uno ya se había olvidado de su altura. Al final, tenía razón mi viejo cuando decía que era una mujer de buen corazón y gran sentido del humor. Se había achicado, simplemente, a la medida de un niño.

—El Vasco es el amigo que te conté, tía —le dije a Nela—, que estaba desahuciado y lo fue a ver al Padre Ignacio.

—Me tocó y me curé, Nela, aunque usted no lo crea —sonrió el Vasco.

—¿Pero qué te tocó, querido? —fingió escandalizarse Nela—. Porque hay que ver. Por ahí ese hombre tiene habilidades muy especiales. En una de ésas yo voy también, para que me toque.

—La frente, Nela —se rió el Vasco—. La frente me tocó.

—Ah, no —dijo Nela—. De eso ya tengo. Cuando voy a Brambilla, el oculista.

—Lo tocó y se cayó de espaldas —agregué.

—¿El Padre Ignacio se cayó de espaldas? —otra vez fingió sorprenderse Nela.

—No, él.

—Yo —rió el Vasco.

—Yo también, m'hijito. Si hoy por hoy me toca un hombre me caigo de espaldas.

—Al Vasco le gustaría ver la Virgencita que tenés en el fondo, tía. Yo le conté de eso y le gustaría verla.

—Sí —musitó el Vasco—. Quedé muy sensible después de aquel episodio.

—Ah. Vengan, vengan —dijo Nela. Saltó, prácticamente, desde el sillón al piso y se encaminó hacia el fondo. Yo sabía que haríamos la consabida parada en el santuario de la pobre Arminda y el Vasco podría hacer una certera tasación del jarrón codiciado. Nela, caminando frente nuestro a pasos irregulares, tenía la altura, lo juro, de una gallina copetona.

La última vez que fui a verla, quince días después de esa visita, acordé con el Vasco que él esperara afuera, con el auto que le había mangueado al padre.

El Vasco había dado su consentimiento con el asunto del jarrón y calculaba que, en una casa de antigüedades que él conocía, podíamos sacar casi 800 dólares. La única duda que me quedaba era cuánto podía pesar y si lo podría levantar yo solo. El Vasco me aseguraba que sí, a menos que el jarrón estuviera lleno de monedas de oro. Y en ese caso, acordamos que dejaríamos de lado toda prudencia y entraríamos en la casa a sangre y fuego, tipo piratas, violaríamos a tía Nela, incendiaríamos los dormitorios y colgaríamos al gato del palo mayor, o de la verga llegado el caso.

Otra opción, arriesgué yo, era que dentro del jarrón se hallara el cadáver momificado de la pobre Arminda. Yo había leído cosas parecidas, de viejas que hacían ese tipo de locuras, que conservaban así a sus maridos, o a sus hermanas, y les hablaban a los jarrones por las noches, en batón, con todas las mechas blancas revueltas y un rosario en las manos.

Pero nadie atendió cuando toqué el timbre. Insistí, porque había hablado por teléfono con Nela media hora antes para asegurarnos de que estaba allí. Pero veía luz adentro. Pasé al hall y espié por los cristales de la puerta, a pesar de que las cortinas caladas me molestaban para mirar. Probé el picaporte entonces y vi que la puerta estaba abierta. Entré y al entrar nomás, algo, en el aire, me dijo que había pasado algo raro. Sentí que se me erizaba un poco el pelo de la nuca. Había una luz prendida en el living. Caminé casi en puntas de pies hasta allí pero Nela no estaba.

—¡Nela! —llamé, un par de veces. Sobre la mesa advertí, entonces, que había un vasito de agua. Pero mínimo, pequeñísimo, más chiquito de los que suelen poner los bares acompañando el café. Una miniatura de vaso. Parecía un dedal invertido, de esos cilindritos que se les ponen a los picaflores para que tomen agua. Espié hacia la continuidad de piezas oscuras, hacia el fondo. Había luz en la cocina. Quizás Nela estaba allí y no había escuchado el timbre. Dudé en llamarlo al Vasco, porque tenía mi flor de cagazo, pero pensé que sería desarmar la planificación tan milimétricamente pensada. Caminé hacia la cocina dando palmadas, repitiendo el llamado cada tanto.

Me asomé a la cocina y no había nadie. Fue entonces cuando lo vi al gato, a Bartolo, casi debajo de la mesa, gris, enorme, acostado sobre su panza, moviendo la cola como hacen los gatos cuando están nerviosos. Me miró, fastidiado quizás porque lo había interrumpido en algo que estaba haciendo. Entre las patas delanteras, bien juntas, tenía algo blanco, pequeño. di un paso hacia adentro de la cocina, aún agarrado al marco de la puerta y me agaché para mirar. Tenía un zapatito pequeñísimo, como de muñeca. Tragué saliva, pegué la vuelta y salí casi corriendo de la casa. Afuera estaba el Vasco con el auto, esperando. Me subí al auto y no pude contarle nada hasta el día siguiente.

ESTIMADA AURELIA...

Si me atrevo a tomar la pluma y escribirle es, más que nada, porque me he enterado de su delicado estado de salud. No piense, por favor, que estuve averiguando o haciendo preguntas sobre su vida, pero el destino quiso que escuchara parte de una conversación de dos vecinas en el almacén donde siempre hacíamos las compras en el barrio. Tampoco fue un chismorreo, al que no hubiese dado crédito, sino un par de comentarios al pasar, bastante cautos y respetuosos.

Comprenderá usted, con el conocimiento que le da el hecho de haber convivido conmigo algo más de siete años, lo difícil que me resulta escribirle, pero no quisiera pasar por descortés o desinteresado. Temo, le confieso, asimismo, que la lectura de esta carta le provoque algún tipo de inconveniente, como ser el de tener que incorporarse en su cama y adoptar, quizás, una posición forzada que agrave aun más su estado de salud. O que le obligue a forzar la vista acarreándole, tal vez, dolores de cabeza insoportables si es que su afección es de índole mental, cosa que desconozco y que lejos está de mi intención conocer.

Le aclaro: no pretendo ningún tipo de respuesta ni de explicación sobre su extraño mal, ya que no es mi ambición avanzar sobre algo absolutamente personal suyo y de carácter, a juzgar por los comentarios, francamente íntimo. Tampoco le pregunté nada aquella vez ¿recuerda? cuando apareció usted en casa con un ojo negro, producto, sin duda, de un golpe. No quería, en aquella incómoda situación, abundar sobre un hecho que, seguramente, le resultaba doloroso ante su sola mención. ¿Qué sentido tiene revolver en heridas pasadas? ¿Para qué recrear, con mi curiosidad, el mal momento que usted había vivido? Conozco la fea sensación de ser invadido en mi privacidad de esa forma porque también resultaba, para mí, muy molesto cuando la gente me preguntaba, por ejemplo, sobre mi varicela, contraída, no se habrá usted olvidado, a poco de iniciada nuestra convivencia. Yo quería, Aurelia, olvidarme del trago amargo y había amigos inoportunos que se empeñaban en refrescarme el fastidioso mal.

Pero, además, si he decidido no incomodarla con preguntas, es porque imagino —disculpe que me tome la libertad de imaginar— que lo suyo se trata de lo vulgarmente conocido como embarazo, deducción a la que accedo casi, por deformación profesional. Es lo mío.

Sabe usted bien, Aurelia, que mi paso por este valle de lágrimas es en puntas de pies, procurando no perturbar ni molestar a nadie. Y menos que menos a una persona como usted, por la cual sólo guardo afecto y respeto. Sucede que, ahora, a la distancia, comprendo un poco el malentendido que pudo suscitarse con mi conducta basada en el antiguo precepto de que los derechos de una persona terminan donde comienzan los derechos de los demás. Admito, Aurelia, que puede usted haberse sentido un tanto herida por mi renuencia a preguntarle cosas sobre su vida, o sobre su actividad o, simplemente, sobre lo que había hecho, día a día, de los tantos que compartimos en pareja. Pero usted sabe que no me gusta meterme en las cosas de los demás. Comprendo, ahora, a la luz de los acontecimientos, que mi actitud podía interpretarse como desinterés de mi parte, frialdad o lejanía. Sin embargo, no era otra cosa, Aurelia, que un sumo respeto por su vida privada, el deseo de no invadir jurisdicciones, la intención de no herir a usted ni con el pétalo de una rosa.

Ahora advierto que la cuestión de su estado interesante agudizó esa controversia. Es cierto, yo la notaba a usted más gorda y más gorda, observaba cómo crecía a ojos vista el volumen de su abdomen. Pero... ¿cómo puede un hombre educado, criterioso, medido, centrado, hacer ese tipo de preguntas a una señora? Digo a una señora y no a una perdida cualquiera que pueda encontrarse por la calle. Y no sólo digo a una señora sino... ¡a su propia señora! ¿Cómo preguntarle sobre una deformación física y estética, absolutamente incómoda, relacionada directamente con procesos internos femeninos, sin sentirme un grosero, un procaz o un patotero? Y especialmente en estos días, donde la gordura es vista como un pecado venial y se exaltan las dudosas ventajas de la anorexia. ¿Cómo instalar en nuestras conversaciones, de común sencillas pero inspiradas —siempre girando en torno a la poesía de Martí o a la prosa de Mallea, cuando no se refería al cuidado de las plantas—, un tema tan delicado como el de la gravidez, baluarte, por otra parte, del espíritu femenino? La prudencia, Aurelia, ha sido siempre mi rasgo de carácter y admito que ya fue un motivo de desconcierto para el querido padre Anselmo cuando me tuvo que rogar tres veces para que yo contestara si la quería a usted, o no, por esposa. ¿Cómo me iba él a preguntar tal cosa, Aurelia, frente a tanta gente, sin ponerme en una situación comprometida? Con la cabeza asentí, lo recuerdo, Aurelia, y me retiré de la iglesia como siempre lo he hecho, en puntas de pies, para no perturbar a los allí presentes.

No era que no me importara, le juro, no era que yo fuese indiferente a todo. No era que no me acongojara verla llorar, revolcarse en la cama, escucharla gritar que se sentía muy sola y todo eso. Se supone que, si alguien llora, es porque lo acongoja algo muy íntimo y personal y la intimidad de las personas es un santuario donde yo no debo meterme para nada, Aurelia. Suponía yo que esos llantos obedecían a problemas suyos con su señora madre y, por lo tanto, se trataba de conflictos familiares que no me eran atinentes. Cada familia es un mundo, decía mi padre. Mantuve siempre mi lugar, Aurelia, silencioso pero firme.

Recuerdo como si fuera hoy cuando usted me regañó por no preguntarle nada acerca de sus continuas náuseas y, disculpe la expresión, repetidos vómitos. Aurelia, hubiese sido como si usted me preguntara sobre mi hernia inguinal. ¿Cómo contestar a semejante pregunta sin mencionar partes recónditas de mi cuerpo, sectores poco agraciados, detalles torpes y escatológicos? ¿Cómo referirme (y perdone si soy crudo) a la higienización del braguero, sin herir su sensibilidad ni romper esa maravillosa complicidad poética y espiritual que alguna vez supimos conseguir? No podré borrar jamás de mi memoria todos los ácidos reproches que derramó usted sobre mí, pálida y desencajada, tras uno de aquellos episodios. Y mi silencio, mártir casi.

Me atenazaba la duda, lo confieso, ya que yo ignoraba lo de su embarazo. La notaba rara, es cierto, corpulenta, pero también en alguna oportunidad lo noté corpulento al general De Gaulle, en una foto del "Life" y sin embargo no sospeché nada. Después, ya fuera de esa casa que fuera nuestra y que aún extraño, calculé los meses, hice cuentas y comprendí que sí, que bien podía relacionar su particular proceso como el resultado de nuestro amor, físico, no platónico, para llamarlo de algún modo.

Me dolió, lo confieso, la expulsión del hogar. Su enojo, su estallido, su descontrol. Entiendo que tal vez usted necesitaba a su lado a alguien más invasor, más entrometido. O, quizás, más expresivo. Alguien que la volviera loca a preguntas, que la cansara interrogándola sobre esa ropita color celeste que usted sacaba día a día y dispersaba sobre nuestra cama y que yo siempre pensé que era para vender entre las amigas y conocidas. Cuando la conocí, Aurelia, recuerde, usted se mantenía vendiendo *tupperware*, por lo tanto no era descabellada mi teoría. Le confieso, eso sí, y no lo tome a mal, perdone mi imprudencia, que me gustaría saber el nombre que ha de llevar la criatura. No soy de los que se mueren por conocer el nombre de todas las personas, y eso es algo que me ha perjudicado bastante en mi carrera de Oficial de Investigaciones. Tampoco le pregunté el nombre de aquel señor que la acompañó de vuelta hasta casa aquella noche en que usted volvía de una cena de ex alumnos, tal como me lo notificó, desafiante, porque entendí que todo debía quedar en la habitual complicidad cerrada de los grupos de estudio. Sucede, simplemente, que quisiera enviarle unas flores con una tarjetita para usted y nuestro hijo el día en que éste nazca y me agradaría incluir vuestros nombres. ¿Era Adelaida el segundo nombre suyo, o la memoria me juega una mala pasada? Y, en cuanto a las flores, creo recordar que, en algún momento, regando en el patio, usted comentó que los crisantemos eran sus preferidos.

CAMINAR SOBRE EL AGUA

Yo nunca me opuse a que la nena fuera a catecismo, hasta el día en que me enteré de que la mujer que la catequizaba le enseñaba a caminar sobre las aguas. A ver si nos ponemos de acuerdo: soy creyente, pero un creyente moderado. *Light*, digamos, por así decirlo. Creo que existe un "algo" superior, un "algo" que rige el movimiento de los planetas, el destino de las personas, la temperatura del cuerpo, el sabor de las frutas y esas cosas. Pero no sé si es un dios, un espíritu o un ente administrativo. De todos modos, cuando Marilú cumplió doce años empezó con el asunto ese de tomar la comunión, avalada por el respaldo de la madre y por el hecho de que todas sus amigas tomaban la comunión. Yo pensaba que con el bautismo ya se daría por conforme pero es increíble cómo las mujeres, desde chiquitas, desean más y más de esos sacramentos.

La madre, mi mujer, es terrible. Cada día aumenta su devoción. Algunos rincones de la casa, la escalera que da al altillo, por ejemplo, se han convertido en pequeños santuarios a distintas Vírgenes. Yo llego y encuentro allí velas encendidas, rosarios colgando, estampitas en pequeños marcos de madera. Respeto todas las creencias y sólo protesté un poco el día en que casi se nos quema la cortina del living, o la tarde en que el aroma a sahumerio me hizo pensar en que los vecinos estaban quemando otra vez un perro muerto.

Una conversación intrascendente con Casissa me alertó.

—Mi hija más chica —me dijo, tomando un café en el Augustus— también fue a aprender catecismo con esa señora. Y les enseña a caminar sobre las aguas.

Tuve que interiorizarme un poco del tema, porque si bien yo tomé la comunión, eso pasó hace miles de años y no me acuerdo casi nada del asunto. Sólo recuerdo que iba a la escuela religiosa de España y Tucumán, donde me habían sugerido que, cada vez que me sintiera tentado a decir una mala palabra, me mordiera la lengua. No puedo decir que aquella enseñanza me resultara de mayor utilidad a lo largo de mi vida, pero por alguna razón permanece aferrada a mi memoria como una planta trepadora.

—¿No es un cura el que le da catecismo a la nena? —le pregunté esa tarde a Susana.

—Eso era antes —dijo ella—. Ahora hay un grupo de mujeres, cercanas a la parroquia, que se ocupa de algunas de las tareas religiosas. Y dar el catecismo es una de ellas. Esta señora adonde va Marilú es una señora muy buena de Barrio Parque, que a veces hace pastafrolas en las kermesses de la parroquia.

No sé muy bien si la información me tranquilizó o terminó de preocuparme. Siempre he tenido, lo confieso, una cierta prevención sobre los curas.

Esa vida recluida —en esos antros oscuros y silenciosos, entre hombres solamente, comprimidos por las mil y una prohibiciones de su credo— los acerca, sin duda, a los pensamientos más viles y pecaminosos. Los adivino libidinosos, admito, excitándose con esas imágenes sacras que muestran un hombro desnudo, un codo, algunas pantorrillas sangrantes, unos pies huesudos. Los imagino febriles, agitándose levemente ante la visión, desde abajo, de los fibrosos músculos aductores del Cristo crucificado. ¿Por qué, entonces, algunos de esos curas no podrían sentirse exaltados ante la presencia cercana de una niña de doce años, frente a esa carne lozana, pura e inocente?

No hice ninguno de estos comentarios a mi mujer cuando me dijo que Marilú empezaría catecismo porque nunca sé cuándo puedo precipitar a mi esposa hacia el pánico o el enojo. Por esa misma razón tampoco me atreví a decirle aquello de caminar sobre las aguas.

—¿Cómo? —vacilé ante Casissa—. ¿Cómo es eso de que le enseña a caminar sobre las aguas?

Casissa se encogió de hombros, como si estuviese hablando de algo absolutamente normal.

—No es lo más importante de la catequesis —me dijo—. Es una especie de capacitación adicional, digamos, que esta mujer les ofrece a los chicos que van a aprender el catecismo con ella. Incluso no sé si la Iglesia lo exige. Pero, bueno, tengo entendido que es una de las enseñanzas de Cristo...

—Y... tu hija... ¿aprendió?

—Sí —volvió a encogerse de hombros Casissa—. Por supuesto. No es muy complicado. Al parecer es una cuestión mental, más que nada, de concentración. Y vos sabés que a esa edad es todo más fácil de aprender, los chicos tienen la mente más receptiva...

Eso me consta. Yo debí haber ido a aprender inglés cuando tenía ocho o nueve años, y no ahora, como lo estoy haciendo, y me cuesta un huevo. A esta edad a uno ya se le ha acartonado el cerebro, fosilizado, ha ido tomando la consistencia de una piedra pómez y es mucho más difícil que las enseñanzas se instalen allí adentro.

—Por supuesto —siguió Casissa—. Después se olvidó, con el tiempo...

—¿Se olvidó de caminar sobre las aguas?

—Y claro... Si vos no lo practicás. Es como cualquier cosa...

—¿No es como la bicicleta, que uno puede dejar, pero cuando la agarrás, aunque haya pasado una pila de años...?

—Parece que no, que no es lo mismo. Al menos Luisina dice que no.

—¿Luisina es tu hija?

—Sí.

—Pero... ¿Vos la viste caminar? Caminar sobre las aguas, digo.

Otra vez Casissa se encogió de hombros.

—En Mar Chiquita —dijo—. Porque parece que la cosa es más fácil en una laguna, o en un lago, que en el mar o en el río...

—¿Por qué?

—Muy simple —se reía Casissa—. Porque no te mueven el piso. Es elemental. Por ahí llevás a tu piba para que camine acá, en La Florida, en el río Paraná, y el movimiento de la corriente se le hace muy complicado...

—Es como caminar en esas cintas mecánicas de los aeropuertos...

—Claro, que parece que andás en patines, o que volás... Por ahí empezás a caminar acá frente a La Florida y en donde te descuidás te encontrás frente a Villa Constitución...

No me daban ganas de reírme. Ni de sonreírme. Adivinaba algo turbio en esa historia de la señora que enseñaba catecismo, en ese desafío de las leyes naturales, en esa supuesta posibilidad de caminar sobre las aguas.

—¿Tu hija sabe nadar? —me preguntó Casissa, adivinando mi recelo. Asentí con la cabeza—. ¿Entonces? ¿De qué te preocupás?

Pero había algo más que a mí me jodía, en realidad, y era eso de las sectas. Un temor que me revoloteaba, y me revolotea en la cabeza desde que aparecieron. Porque esto es como el Concejo Mundial de Boxeo. Antes, cuando yo era chico, había un solo campeón mundial. Ahora hay como quince, de quince federaciones diferentes. Lo mismo ha ocurrido con la Iglesia y no quisiera con esto ofender a nadie.

Antes estaba la Iglesia católica y alguna otra, subsidiaria. Los mormones, los adventistas, los de la Iglesia de los Santos de los Últimos Días o algo así, los Rosacruces, que te mandaban folletos... y nada más. Ahora hay mil templos, hermandades, congregaciones y... sectas. Me aterraba que Marilú pudiera caer en manos de esos tipos que les dan vuelta la cabeza a los chicos, les hacen un lavado de cerebro y se los llevan de sus casas.

—Primero de todo —asesoré a Susana— los convencen de que tienen que dejar de comer. Les meten en la cabeza que todo lo que comen es basura y especialmente les dicen que no deben comer más carne porque, por ejemplo, la vaca, el chancho o el pollo son animales satánicos. Después se la agarran con el pan, la sopa, el matambre, la garrapiñada, las verduras, cosa de que el chico se debilite y pierda la voluntad y la energía. Lo convierten en un despojo humano desde el punto de vista físico y anímico. Y así lo dominan...

Susana, tan proclive a caer en el pánico, no hizo ninguna conexión entre lo que yo decía y la concurrencia de nuestra hija a catecismo con esa señora que le enseñaba a caminar sobre las aguas. Sin duda, hacía toda una negación y su sistema deductivo —tan proclive a relacionar cosas elementales como "café con leche-quemaduras de tercer grado", "tijera-pérdida de un ojo", "ascensor-caída al vacío", en el destino de su hija— no podía concebir una cercanía entre la profesora de catecismo y alguna tendencia esotérica.

Me cuidé de decirle a Susana lo que me había comentado Casissa, sin embargo. Recordaba su reacción aquel día cuando le conté, desaprensivamente, que había escuchado en la radio que habían aparecido alacranes en algunos barrios de Rosario. Me hizo desalojar totalmente el garaje, sacando a la vereda el auto, las bicicletas y los cuatro cajones con porquerías inservibles que pesaban una tonelada, para ver si encontrábamos alguno de esos bichos repugnantes.

Hizo fumigar toda la casa, levantó el piso del galpón, roció de insecticida la ropa y estableció una nueva ermita, tipo capilla ardiente, con ocho velas en el hueco que queda debajo de la escalera.

No obstante, me mantuve atento a los mínimos comentarios de Marilú, cada vez que volvía de catecismo, mientras estábamos almorzando.

Sin duda el catecismo había atemperado a mi hija. Se convirtió, por esos días, en una niña mucho más silenciosa y reservada. Llegaba con la cabeza levemente baja y reclinada sobre uno de sus hombros y hablaba en un hilo de voz con las manos cruzadas sobre su regazo. Casi podría decir que despedía un halo ambarino de su cabeza, muy parecido al que lograba con la vincha de colores flúo que le habíamos comprado para el verano. Sin duda, la influencia de la señora catequizadora era muy fuerte.

Llegué a temer que Marilú, en cualquiera de esos almuerzos, nos anunciara su deseo de convertirse en una monja de clausura, de unirse a las Carmelitas Descalzas, por ejemplo, en lugar de hacerlo a su grupo de la colonia de vacaciones del Club Bancario. Sin embargo, los comentarios de Marilú, en la mesa, eran otros.

—¿Qué es Dios? —preguntaba, por ejemplo, justo cuando yo miraba el compacto de goles en el noticiero del mediodía. La madre, trémula y severa, sin decir palabra, quitaba el sonido al televisor. Yo quedaba en silencio, buscando una respuesta más o menos convincente mientras llegaba a la conclusión de que era más fácil contestar aquellas viejas preguntas sobre cómo se engendran los niños.

Pero era la misma Marilú la que se adelantaba con la respuesta: "Dios es Padre, Hijo y Espíritu Santo. Tres personas distintas y un solo Dios verdadero". Y callaba, la cabeza algo gacha, la vista fija en la sopa que ya aceptaba sin protestas. Yo, en tanto, rogaba que no me preguntara, por ejemplo, cómo era eso de que tres personas podían ser una sola, porque ni los miles de casos de promiscuidad en las villas miseria me aportaban un argumento convincente.

Por otra parte, todo triunvirato dificulta la toma de decisiones. Especialmente a ese nivel.

En otras ocasiones, lo de Marilú no eran preguntas. En medio de alguna charla trivial sobre si se conseguia en el supermercado tal o cual marca de galletitas, ella decía: "No comerás dátil ni quinoto, no comerás el pan con el avaro, ni codicies sus manjares, porque cual es su pensamiento en su corazón, tal es él", dejándonos un tanto confusos, pese a que su madre aprobaba dos o tres veces con la cabeza.

La cosa se precipitó cuando Patricia, la madre de una compañera de colonia de Marilú, vino con la novedad de que, en el club, Marilú lamía las heridas en las rodillas de sus compañeritos, imbuida sin duda del espíritu de San Francisco de Asís. Era una situación algo habitual porque los chicos, en sus juegos un tanto brutales, se caen y se raspan a cada rato, despellejándose los codos y las rodillas con una frecuencia notable.

Bueno, al parecer, según Patricia, en esa ocasiones, nuestra hija lamía las laceraciones de sus compañeritos para brindarles alivio.

Sin duda alguna mi mujer también había caído bajo el influjo de la profesora de catecismo pues su reacción ante la noticia no fue la que podía esperarse de ella.

En cualquier otra ocasión su actitud hubiese sido absolutamente distinta y, por cierto, dramática. "¡Se va a contagiar con esas heridas infectadas! —hubiese gritado, seguramente—. ¡Hay que ir ya mismo a ponerle la vacuna antitetánica!". Sin embargo, en aquel momento, Susana sólo meneó la cabeza y musitó: "Ella tiene esas cosas...".

Pero para mí la cuestión ya había ido demasiado lejos. Al día siguiente le ofrecí a Susana ir a buscarla a Marilú a sus clases de catecismo, cosa que nunca hacía por mis horarios de trabajo. Inventé una excusa tonta y me fui hasta Barrio Parque cerca del mediodía.

Era una casa en apariencia amplia pero bastante sencilla. Me atendió un chico de unos ocho años que se quedó un rato colgado del picaporte mirándome, y después se fue hacia adentro llamando a su madre a los gritos. Casi enseguida apareció la señora, una mujer cincuentona bastante gorda, muy sonriente, que hubiese pasado desapercibida en una reunión de vecinas en el almacén. Desde otra habitación me llegó la voz de mi hija diciendo algo.

—Ya viene Mari —me dijo la señora, luego de saludarme con una mano fofa y gordita, blanca—. Está terminando unas cosas con otra chica. ¿Quiere pasar?

En otra ocasión no hubiese aceptado entrar ni loco, siempre urgido por algún apuro injustificado, pero esa vez tenía una misión esclarecedora por cumplir. El decorado del living respondía al aspecto general de la casa. Muebles de estilo, ya pasados de moda, un aparador con espejo, algunos estantes, pequeños adornitos *kitsch* como caracolitos pintados recuerdos de Miramar, un "Pequeño Pony" rosa, jarroncitos y apenas una imagen, módica, de una Virgen que no alcancé a individualizar. No me senté, pero me quedé tomado del respaldo de una silla. Había olor a estofado.

—Me comentaron —empecé, jovial, como quitando espesor al asunto, y mientras la señora anunciaba "Le voy a decir que se apure"— que, entre las enseñanzas que usted brinda, está... ¿puede ser?... la de caminar sobre las aguas.

La señora se detuvo casi en la puerta, dándose vuelta.

—Sí... Sí... —optó por volver, como interesada en mi

199

interés—. Es lógico... —recién allí el tono de su voz tomó un matiz litúrgico—. Ha sido una de las enseñanzas de Cristo y a mí me parece razonable transmitirla...

—Pero...

—Por supuesto —agregó, siempre sonriente, la gorda—, no todos los que enseñan catecismo enseñan eso. Incluso muchos curas no lo hacen. En mi caso...

—Yo hice la comunión y no me lo enseñaron —interrumpí.

—Es una cosa más nueva. Una modalidad de los últimos años. Usted sabe que la Iglesia debe ofrecer cosas nuevas ante el avance de tantas y tantas sectas que andan por ahí...

Me pareció que la gorda me había adivinado el pensamiento. Tal vez, en efecto, tenía poderes extrasensoriales.

—Yo nunca escuché hablar de algo así —dije.

—La verdad, la verdad... —la gorda se puso una mano sobre el pecho— ...es más bien algo que se me ocurrió a mí, en mi intención de brindar algo adicional a los chicos y por el hecho de tener una piletita de natación en el fondo. Nada más que por eso. No tengo constancia de que lo hagan otras personas que dictan catecismo...

—¿Usted tiene una piletita?

—Sí. En el fondo.

—¿Y eso, digamos... está aprobado, está permitido, por ejemplo, la parroquia conoce estos...?

—Por supuesto, por supuesto... Usted sabe que la historia sagrada tiene una profunda relación con el agua. Su conversión en vino, sin ir más lejos.

—La apertura de las aguas del mar Rojo... —aporté—. Moisés y toda esa historia, ¿no?

—Por supuesto, por supuesto —se entusiasmó la gorda—. Pero, claro, ése de Moisés es un caso ya más difícil de enseñar porque usted necesita... ¿cómo decirle?

—Un mar.

—Lógicamente. No dudo que alguna catequesis de Mar del Plata o de Necochea lo habrá intentado, pero aca... —se rió— ...tengo que conformarme con la piletita...

En eso apareció Marilú.

—¿Tenés todo? —le preguntó la gorda, con voz dulce. Marilú asintió con la cabeza—. Acá, tu papá, no cree... —Marilú elevó las cejas, como acostumbrada a mi falta de fe—. Lo de la pileta, digo...

A Marilú se le iluminó la cara, irguiéndose. Esto pareció alentar a la gorda.

—¿Quiere verla? —me preguntó—. Es un momentito... ¿Querés, Mari?

Me di cuenta de que el corazón me había comenzado a latir intensamente. No dije nada, accediendo.

—Es un momentito —repitió la gorda—. Venga por acá.

Seguí a mi hija y su profesora, primero, a través de la habitación donde enseñaba catecismo y donde todavía estaba sentada frente a una mesa la compañerita de Marilú. Luego pasamos a la claridad de la cocina donde el chico que me había abierto la puerta, sentado en el suelo de mosaicos, miraba dibujitos animados. Allí, obviamente, el aroma a estofado era más fuerte.

—Éste es el más chico —señaló la gorda al pibe—. Los otros andan por ahí, con los amigos del barrio.

Salimos al jardín trasero que yo había entrevisto por la ventana amplia de la cocina. Un perro chico, blanco y negro, ordinario y amistoso se acercó ladrando.

En el jardín, no muy grande, cerca del muro del fondo, había una pileta azul de plástico rígido, en forma de riñón, bastante grande o, al menos, desproporcionada para el lugar. Pero no quedaba muy grotesca ya que la habían enterrado en un montículo de tierra y estaba medio metro sobreelevada del nivel del suelo, rodeada de césped.

—Dejá tus cosas acá —le indicó la gorda a Marilú, quien, decidida, se encaminó hacia la pileta. Yo me quedé bajo la sombra de un toldo metálico que formaba una suerte de galería frente a la puerta y la ventana de la cocina.

—¿No se...? —iba a decir "¿No se saca la ropa?", pero enseguida me di cuenta de que era una tontería. Aparte, estaba realmente emocionado. El entorno no le daba a la escena ningún tinte sobrenatural o místico, con el perro que había vuelto a tirarse a la sombra de unos helechos, la lengua afuera, ajeno al momento, o un triciclo un poco oxidado que reposaba volcado bajo un gomero. Pero había algo en la intensidad de la luz del mediodía, en la blancura del vestidito sencillo de mi hija, en la mixtura aromática del césped con el estofado, que insuflaba un extraño aire milagroso al asunto.

—Concentrate bien. Concentrate —recomendó la gorda a Marilú. Marilú, parada a un paso del borde de la pileta, cerró los ojos, juntó las palmas de sus manos a los costados de sus muslos y me pareció que musitaba algo con sus labios, casi en la misma actitud que muestran los ejecutores de saltos ornamentales.

Luego, y ante mi expectación, dio un paso al frente y vi cómo su zapato derecho tocaba el agua. Y, aunque resulte difícil de creer, dio luego otro paso y se mantuvo sobre las aguas como si unas manos invisibles la sostuvieran desde abajo. Caminó así sobre la superficie, originando en ella pequeñas ondas expansivas, sin despedir ninguna gota, sin ruido alguno, grácil, liviana y siempre con los ojos cerrados.

Incluso una pequeña pelota verde de plástico que flotaba en la pileta, giró apenas sobre sí misma, alejándose de la proximidad de mi hija.

Cuando llegó a la otra punta, luego de unos once pasos, Marilú sobrepasó el borde y allí pareció recobrar la conciencia. Extendió los brazos para conservar el equilibrio, abrió los ojos y se sonrió con esa sonrisa que la hace tan encantadora. Tomó impulso al bajar de la leve sobreelevación de la pileta y casi trotó hasta mí, que la esperaba sosteniendo sus libros.

—¿Vamos? —me dijo. Yo no podía articular palabra. Es cierto que uno suele ser algo reticente a admitir los grandes progresos que pueden hacer los chicos y al decir esto recuerdo la sorpresa que me deparó la misma Marilú, a los once años, cuando la escuché hablar en inglés con su profesora, con total seguridad, de corrido y repitiendo sólo en dos oportunidades la palabra "yes", que fue lo único que pude reconocer.

Acerté a mover un par de veces la cabeza, aprobando, totalmente perturbado por lo que acababa de ver, en un gesto que podía entenderse como de aprobación o saludo. Creo recordar que Marilú me tomó de la mano y salimos a la calle. Alcanzo a recordar algún ladrido del perro también.

Cuando llegamos a casa le conté todo a mi esposa. La observé abrir cada vez más grandes los ojos mientras le contaba como su hija había caminado sobre las aguas.

Susana me escuchó en silencio, luego llamó: "Mari...

Vení acá". Marilú vino preguntando qué había de comer. Susana la empezó a tocar, casi tan demudada como estaba todavía yo. Primero le tocó el pelo, luego le rozó las mejillas, le controló el cuello, se apartó un paso atrás para mirarle el vestido, la pollera, las piernas, las rodillas, con mirada de águila. Por último se agachó y le tocó las zapatillas y las medias. Se irguió nuevamente y, sin mirar a ningún lado, su frente se llenó de arrugas. Pareció que se iba a largar a llorar, se puso una mano sobre la mejilla y la boca.

—Todas mojadas, todas mojadas —gimió, al borde del llanto.

—¿Qué? —dije yo, un poco molesto.

—¡Las medias, las zapatillas, todas mojadas! —gritó.

—¿Dónde?

—¡Tocá, mirá, tocá! —se enfureció Susana, agachándose de nuevo a cubrir con sus manos las capelladas de las zapatillas de Marilú—. ¡Todas mojadas! ¿Cómo no se va a resfriar después esta chica si se moja las medias? ¡Los pies helados tiene, se puede agarrar una pulmonía! ¡Sacate inmediatamente esas medias y esas zapatillas, querés! —le ordenó a Marilú, que no había abierto la boca—. ¡Sacate esas medias por favor y pegate una ducha caliente!

—Susana —atiné a decir—. No es para tanto...

—¿Y vos no le dijiste nada a esa idiota? —rugió Susana—. ¿No se te ocurrió decirle nada a esa imbécil? ¿Te quedaste parado ahí tan campante mientras la chica se mojaba todos los pies y las medias y las zapatillas?

Conozco a mi mujer. Sé que en esa ocasiones no hay que contestar, no hay que ofrecer resistencia activa, no presentar pelea frontal, al menos. Me planteo, a veces, que en esos momentos soy yo el que necesitaría asistencia espiritual, el respaldo sólido de la Iglesia para atravesar este sendero de zarzas, en lugar de disfrutarlo ella, mi esposa devota y creyente.

—¡Pero no va más, no va más! —oí decir, por último, a Susana, mientras yo procuraba alejarme subrepticiamente de la escena—. ¡A la casa de esa irresponsable no va más! ¡Ahora mismo lo llamo al Padre Alfonso y le pido que me dé la dirección de alguna otra mujer que enseñe catecismo, pero a lo de esa loca, Marilú no va más!

Escuché también, a lo lejos, las protestas y algún llanto de Marilú, que había escuchado los alaridos de su madre, mezclados con el ruido de la ducha de agua caliente. Y salí a la calle, pretextando que iba hasta el kiosco a buscar el diario.

EL TÍO JAMES

James salió un día lluvioso de la penitenciería de Milwaukee y aún recuerdo la impresión que le dio sentir la lluvia sobre la cara.

—¿Sabes cuánto hace que no tengo esta sensación, Kenneth? —me preguntó, mirando hacia arriba, ofreciendo su rostro a las gotas y rechazando la protección de mi paraguas—. Años oyendo el ruido de los truenos afuera, viendo a veces los reflejos de los relámpagos... —continuó diciendo ya en el coche, mientras tomábamos la autopista a Chicago, rumbo a mi casa— ...pero sin poder sentir nunca la lluvia sobre mi cabeza. No sabes lo que hubiese dado por una gotera, al menos... Pero esas celdas son condenadamente herméticas... ¿Cómo se llamaba aquella canción? —la tarareó, muy mal.

—"Gotas de lluvia caen sobre mi cabeza" —le dije—. De la película "Butch Cassidy".

—De la película "Butch Cassidy" —asintió James, pensativo.

Durante todo el trayecto hasta Chicago casi no habló.

Lucía más viejo, por cierto, y algo más gordo. Lo vi seguir con la mirada la oscilación del limpiaparabrisas, como un tonto, meneando la cabeza. Lo hizo durante tanto tiempo que preferí mencionárselo, riendo, como restándole importancia.

—¿Sabes cuánto tiempo hace que no veo un limpiaparabrisas, Kenneth? —me dijo, lo que aumentó mi inquietud. Quizás los años de encierro habían impreso en su cerebro algunas vetas de locura—. Por otra parte, no puedo mirar a lo lejos. Ha sido mucho tiempo de mirar siempre cosas que estaban muy cerca. La celda es pequeña, Kenneth.

—Tendrás que acostumbrarte.

—Si hubiera sabido lo que era la cárcel, hubiera hecho lo que hicieron ellos.

—¿Quiénes... "ellos"?

—Butch Cassidy y Sundance Kid. Hubiese salido haciendo fuego hasta que me mataran...

Susan había preparado un bizcochuelo y chocolate caliente para recibir a James, cosa que no había hecho ni siquiera cuando Roy volvió del campamento de scouts. Roy mismo estaba contento de tenerlo a James en casa. Hasta dejó de tocar la batería y bajó de su pieza para recibirlo. Le parecía interesante, me dijo, tener a un ex convicto entre nosotros, le resultaba más interesante que tener un hamster, el ratón lustroso que corría vanamente todo el día en su rueda de madera, como si fuera un atleta preparándose para los Grandes Juegos de los Roedores.

—No se trata de un asesino, Kenneth —me comentó Susan, poco antes de que yo fuera a buscar a mi tío a la penitenciería—. Él fue a la cárcel por defraudación y estafa. Una cuestión de números.

En rigor de verdad, yo nunca supe muy bien por qué tío James fue a parar a la cárcel. Siempre me había parecido un hombre correcto y ligeramente aburrido. Trabajaba, cuando aún vivía con tía Lucille en Green Bay, para una sociedad anónima o algo así, como recaudador. Hubo una diferencia en las cuentas, al parecer, y James fue a parar a la cárcel.

No resultó fácil tenerlo en casa los primeros tiempos. No lograba habituarse, por cierto, a la libertad y permanecía mucho tiempo encerrado en el baño. Al principio creíamos que se había descompuesto o algo así, porque permanecía allí horas y horas.

Luego comprendimos que se sentía más seguro en ese lugar pequeño. Se llevaba su radio portátil y, sentado en el borde de la bañera, escuchaba los resultados de las carreras del hipódromo de Los Ángeles. Fumaba, además, una barbaridad.

Insistía sin embargo en que le consiguiéramos algún trabajo. "Antes de que me ponga demasiado viejo", repetía, como si la edad de 64 años no fuera una cifra ya suficiente como para desalentar a cualquier empleador.

—Cualquier trabajo —me dijo—. No puedo pasarme todo el día en tu casa, sin hacer nada.

—¿La compañía donde antes trabajabas —le pregunté yo un día en que mirábamos los patos del parque Roosevelt— no puede ayudarte a encontrar algo o ya se han fundido?

James meneó la cabeza con aflicción.

—No se han fundido, Kenneth. Esas compañías grandes no se funden. Pero ya no me deben ningún favor —me dijo—. Es cierto que tuve que ir a la cárcel para salvarle la ropa a algunos jefes importantes, pero también es cierto que yo había cometido un error grave. Estamos a mano. No me contó nada más. Yo tampoco le pregunté nada. En nuestra familia éramos así, no nos inmiscuíamos demasiado en la vida privada de los otros. De la separación de mi hermano Joe, por ejemplo, nos enteramos recién cuando nos invitó al bautismo de su hijo Michael, que había tenido con su segunda esposa.

Una sola vez, una tarde, un señor mayor vino a casa a visitar a James. Bajó de un auto con chofer y vidrios polarizados. Vestía un sobretodo costoso y saludó a James con un beso en cada mejilla. Hablaron afuera, bajo la galería, durante cinco minutos, y el hombre se fue tal como había venido. Tampoco en esa ocasión James me comentó nada.

Seis meses estuvimos buscando un empleo para James, infructuosamente. Él se mostraba más y más molesto con la situación. Yo sabía incluso que lo sacaba de quicio el ruido del lavarropas. No decía nada, pero volvía a calarse los auriculares de la radio portátil y escuchaba cualquier cosa. Roy mismo había perdido interés en James. Al principio, durante el almuerzo, le preguntaba cosas sobre armas y violaciones dentro de la cárcel, pero James parecía no saber nada de eso y se asombraba ante las preguntas de Roy.

—¿En la cárcel? ¿En la cárcel de Milwaukee pasan esas cosas? —preguntaba, algo escandalizado—. No descarto que yo pueda haber sido violado —admitió una noche—. Pero habré estado dormido, porque no me enteré.

—¿No sientes molestias al sentarte? —lo pinchó Roy. Pero mi tío no parecía entender las ironías.

Comencé a mover influencias para conseguirle un

puesto a James. Nunca pensé que habría de resultarme tan difícil. Hubo un empresario, amigo mío, que llegó a decirme que los coletazos de la gran depresión del 30 todavía se hacían sentir. Y lo que estoy contando transcurrió a fines del 93. Otro mencionó la caída del Muro de Berlín como si éste hubiese caído directamente sobre su negocio. Por último, James decidió salir él mismo a buscar empleo. Eso significó un avance en su conducta porque implicaba dejar la casa y aventurarse en el mundo exterior. Seguía, sin embargo, aferrado a algunas cosas del presidio, como usar una vieja camisa de tela basta, grisácea, de la que no se desprendía ni para dormir.

A mí no me molestaba que la llevara a sus entrevistas con sus posibles empleadores, pero éstos indudablemente se impresionaban ante el número que James llevaba sobre el pecho. Aceptó cambiarla, por último, por una de Roy, negra, con una imagen rugiente de Santana tocando la guitarra, que tampoco era lo más apropiado para un hombre de 64 años que busca trabajo.

—Hoy hice un buen contacto —me anunció una noche, mientras cenábamos.

Me ilusioné, por un instante

—Conocí a otro desempleado. Un muchacho que estuvo en Vietnam. Nadie quiere aceptarlo. Era artillero de un helicóptero. De los mejores. Pero es una actividad que no tiene mucha aplicación en la vida civil. Me citó para mañana en una cafetería del Loop. Cree tener algo para una persona de mi edad.

Al día siguiente, sin embargo, convencí a James de que abandonara su cita y me acompañara a ver a mi amigo

Kreiman, a cargo de la Sección Personal de las Grandes Tiendas Michigan. Kreiman contrató a James.

—Ya veremos dónde lo metemos, Kenneth —me dijo, palmeándome la espalda—. Pero algo haremos por él. Son épocas muy duras para incorporar personal, pero tú me has ayudado en otras oportunidades.

Era cierto. Tiempo atrás, yo le había vendido a Kreiman un seguro de vida para su esposa y, a los dos meses, ella se estrelló con su Cadillac contra una de las columnas metálicas del tren elevado. Kreiman nunca olvidó aquel favor.

Esa misma noche, cuando conté en la mesa que James ya tenía trabajo y brindábamos por la buena noticia, vimos por televisión cómo el amigo de James, el ex combatiente de Vietnam, había asesinado con una ametralladora a catorce personas en la cafetería del Loop, antes de que lo despanzurraran con una ráfaga de proyectiles encamisados en acero. James quedó bastante mal. Suponía que tal vez su amigo se había enojado porque él no concurrió a la cita.

—Nadie concurre a una cita con una ametralladora, James —lo tranquilizó Roy, con cierta lógica.

James comenzó a trabajar en los grandes almacenes Michigan, como ascensorista.

Duró poco allí. Se hallaba muy a gusto en ese pequeño cubículo que subía y bajaba porque le recordaba a su celda. Pero impresionaba un tanto a los clientes dado que, mientras duraba el ascenso o el descenso, se aferraba a las rejas corredizas que tenían esos viejos elevadores, mirando hacia afuera con expresión dolida. Golpeaba en ocasiones esas rejas y gritaba "¡Atica! ¡Atica!", recordando la sangrienta rebelión de aquel presidio.

Lo pasaron entonces al mostrador de Informes, y allí fui a visitarlo.

Era un puesto agradable, detrás de una pequeña tarimita algo sobreelevada, frente a las escaleras mecánicas, casi en el centro del inmenso salón de ventas, en la planta baja. James lucía majestuoso con su gorra de visera negra, la corbata blanca sobre camisa igualmente blanca, con unas moderadas charreteras y puños con ribetes rojos.

—Me hubiera gustado que me viera Dixon —me dijo, al verme.

—¿Quién es Dixon?

—Mi amigo, el de Vietnam. Se hubiese dado cuenta de que yo también puedo llevar un uniforme.

—¿Has tenido mucho trabajo, hasta ahora?

—No, para nada. Verás que acá está todo muy bien señalizado, y un mostrador de Informes es casi innecesario. Además, la clientela es antigua y conoce perfectamente los siete pisos del negocio.

Me estaba ya por ir, satisfecho, cuando una señora de unos sesenta años, bien vestida, se aproximó al mostrador de James.

—¿Me puede informar —preguntó, dubitativa— dónde queda la sección Cocina?

Observé cómo la cabeza de James, sorpresivamente, retrocedía como si hubiese recibido un impacto. Entrecerró algo los ojos y se tomó muy fuerte del mostrador con ambas manos.

—La sección Cocina —repitió la señora.

James siguió sin contestar. Me sofoqué. Adiviné, en un instante, que James no tenía ni la más mínima idéa de dónde quedaba esa sección. Tal vez no había tenido tiempo de estudiar detenidamente la ubicación correcta de todas las secciones, que eran muchísimas y distribuidas por los siete pisos del edificio. Pero debía contar, supuse, con un plano de la tienda o bien disponía allí, al alcance de su mano, de un teléfono interno para consultar llegado el caso.

—Acá no ha habido nunca una sección Cocina, señora —le escuché decir a James, con voz algo contenida, tensa.

—¿Cómo que nunca ha habido una sección Cocina? —se escandalizó la señora, que no parecía ser de las que se desalientan fácilmente—. Si yo he estado en ella...

—No, señora... Usted se confunde —meneó la cabeza, James.

—¡Compré allí, la semana pasada —se ofuscó la dama— una cacerola de teflón, que impide que la comida se pegue en el fondo! Y ahora sé que la han cambiado de piso... Salió en el diario...

—No hay ninguna sección Cocina, señora... —siguió negando James—. No la hay y nunca la ha habido. Se confundirá usted con otra tienda.

—¡Están haciendo una promoción! —chilló la mujer—. ¡Rifan un juego de cubiertos y usted me está impidiendo llegar a tiempo! ¡Averigüe, por favor! ¡Estoy segura de que el diario decía que era hoy!

—Yo no sé nada, señora. No he visto ni he oído nada, no insista. No hay nada de eso por acá, le repito.

—¡Hace quince años que vengo a Michigan —estalló definitivamente la mujer— y siempre compré en la sección Cocina!

—Señora... —James se había puesto absolutamente pálido, una vena le latía en la frente y la voz le salía atiplada—... Yo no sé nada, le juro, no sé nada, no insista, no me comprometa...

—¿Cocina no estaba en el tercer piso, junto a la sección de Decoración?

James permaneció impasible mirándola, sin emitir sonido.

—¿No estaba en el tercer piso? —la mujer ya gritaba.

—Usted lo ha dicho, no yo —se puso una mano, James, sobre su pecho—. Usted lo ha dicho, no yo.

—¡Si usted no sabe nada, llame a alguien que sepa! —gritó la señora, secundada ahora por varias mujeres más, que esperaban para hacer otras consultas y habían escuchado parte de la conversación—. ¿No está acaso el señor Milicich, el que atendía antes acá y que era un santo?

Las demás mujeres asintieron con la cabeza.

—¡No conozco a ningún señor Milicich! —se puso de pie, James, trémulo—. ¡No tengo nada que ver con ningún señor Milicich, no tengo contacto alguno con la colonia yugoeslava, jamás estuve en Trieste, no intente relacionarme con él!

Con los gritos, una pequeña multitud nos había rodeado, para mí desazón. Entre ella, se abrió paso un supervisor de la tienda, preguntando los motivos del revuelo.

—¡No quiere decirme dónde está la sección Cocina! —rugió la mujer, señalando a James.

—¡No me comprometa, vieja bastarda! —James perdió todo vestigio de cordura, pareciendo que iba a saltar fuera de su reducto—. ¡Yo no sé nada, no tengo nada que ver con nada! ¡No intente involucrarme en todo esto o aparecerá estrangulada en el lago, sucia vieja imbécil! —Tuvimos que contenerlo entre cuatro, y yo, mientras lo aferraba desespe-

214

radamente por la cintura, comprendí que mi tío había perdido irremediablemente su empleo.

Dos horas después, sentados a una mesa de un deli, tras comer unas hamburguesas con aros de cebolla James, más calmo, se dignó a hablarme.

—En la organización donde yo trabajo... —me dijo, monocorde— o donde yo trabajaba antes de ir a la cárcel, me enseñaron el valor del silencio, Kenneth. Habrás visto las estatuitas de los tres monos sabios, el que se tapa los ojos, el que se tapa los oídos y el que se tapa la boca. Ellos son el símbolo de nuestra conducta. No hablar de más, no contar nada, no filtrar información... Ese pacto de silencio es muy fuerte, Kenneth... ¿Me entiendes?

Yo me chupaba, lentamente, la punta de los dedos manchados con mayonesa.

—¿Me entiendes?

No contesté. Creo que sólo aprobé levemente con la cabeza.

—Tomaré un café —James volvió a recostarse contra el respaldo de su silla, las manos en los bolsillos, más tranquilo—. ¿Quieres un café?

Le dije que sí, bajando la vista.

LACUS VENDELINUS

Porque en definitiva, Central siempre fue primero en todo. Fíjese bien: fue el primer Campeón Nacional del interior del país, en el año 71, vea que le estoy hablando del siglo pasado, no sólo del siglo pasado, del milenio pasado le estoy hablando. Fue el primer equipo del interior en ir a una Copa Libertadores. Fue el primer equipo del interior del país en ganar una copa intercontinental, la Copa Conmebol, en el 95, porque, antes, ni Central ni Ñuls habían podido ganar una de esas copas... Y fue el primer equipo, no le digo ya del interior sino de todo el país, en contratar a un jugador venusino.

Un jugador venusino, mire lo que le digo. Usted no se acordará porque yo le estoy hablando del 2025, 2026; por ese entonces, la calle Córdoba todavía era peatonal, con eso le digo todo. Me acuerdo de esto porque yo lo vi un día a este muchacho, el venusino —no sé si es correcto decirle muchacho— en la esquina de Córdoba y Mitre, ahí, cerca de la sede, con Pablito Ansaldi, que en esos días era dirigente de Central y se ve que Pablito lo había sacado a dar una vuelta, a airearlo, porque debía andar medio boleado ese muchacho.

Había habido, sí, algunos jugadores de otros planetas en River o en Boca... Me acuerdo de Qqjer, el plutoniano Qqjer, el Negro Pluto como le decían los hinchas, que jugó en Boca una temporada bastante larga... También, espere que haga memoria... Miké 38, un lunático que trajo Vélez y jugó muy poquito tiempo...

Pero, en definitiva, los que estaban de moda por ese entonces eran los africanos. Todo el mundo tenía jugadores africanos, River, Boca, Independiente, Huracán... Hasta Tiro Federal había traído como cinco de esos negritos camerunenses, pobres pibes, en condiciones infamantes porque ya en África se había reimplantado de nuevo la esclavitud cuando el quilombo aquel de Angola y también el otro asunto importante de que se habían terminado los diamantes en Sudáfrica...

Entonces... de algo tenía que vivir esa gente. Eran buenos jugadores, le cuento, porque los negros sabían que un par de buenas campañas les podían significar la libertad e incluso establecerse en Argentina sin mayores problemas.

Venían huyendo del sida los morochos. Y vea usted, sin ir más lejos, acá hay un boliche, un almacén cerca del Monumento a la Mandarina, que todavía hoy es atendido por un negro que jugó en Central Córdoba y se compró la libertad con lo que le correspondía de una transferencia...

Pero de Venus, de Venus propiamente dicho, ninguno. Había habido, sí —todavía cuando me acuerdo me río—, un chico que vino a jugar a Central (vino con Andoni Undurraga, el vasco) que anduvo muy pero muy bien, el chico este le digo, no el vasco, y al que todo el público le gritaba "¡Es-qui-mal! ¡Es-qui-mal!" cuando salía a la cancha porque, en verdad, era de allá, del Ártico.

Por ahí era de Finlandia, pero le gritaban "esquimal" lo mismo. ¿Acaso nosotros no les decimos "turcos" a los siriolibaneses, acaso?

Le gritaban eso medio en joda, pobrecito, porque no agarraba una, Chukotka se llamaba, acostumbrado a jugar en el hielo como estaba. Lindo físico, un tanto retacón. Parecido al Negro Palma, le digo.

Pero, a pesar de que por esa época ya era más que habitual la presencia de jugadores extranjeros —no tanto como ahora pero ya era habitual— le juro que ese asunto del venusino fue una revolución absoluta.

Vendelinus, se llamaba. Lacus Vendelinus, buen jugador, algo lento para mi gusto. Para mi gusto e, incluso, para la época, porque ya se jugaba bastante rápido en esos años. En toda la década del 20, por ejemplo, se destacó mucho Jesper Andersen, usted lo recordará —se decía que era el mejor del mundo— pero yo no sé si podría jugar ahora.

Antes se marcaba menos. Yo no lo vi jugar a Maradona o, mejor dicho, lo he visto jugar en las filmaciones, por supuesto, malas filmaciones, imperfectas, y era bueno, era muy bueno, ¿quién va a negarlo? Pero no se marcaba, se dejaba jugar mucho, lo dejaban recibir la pelota y darse vuelta. Ahora yo no sé si podría hacer lo mismo.

Lo cierto es que este Vendelinus, el venusino, llegó acá y acá no anduvo. Yo no sé si habrá sido por el clima, porque le costó adaptarse, porque no lo entendían los compañeros, pero la cuestión fue que acá no anduvo.

Y la gente es muy mala. Incluso el periodismo suele

ser terrible con los extranjeros. Porque le aseguro que no era mal jugador. Tal vez haya venido lesionado. Eso se comentaba.

Pero... ¿cómo le comprueba usted una lesión a un venusino? ¿Qué puede saber un médico sobre ese tipo de contextura física, esa especie de esponja cartilaginosa y porosa que tienen ellos? Por ahí el hombre vino roto y nadie se dio cuenta.

Se hablaba, también, de un negociado. Que había venido sólo por un tiempo, que era todo un lavado de dinero, que la idea era venderlo enseguida a Independiente... Qué sé yo... El revuelo que se armó con su llegada, de todos modos, fue sensacional. El club aprovechó para montar un gran show con la presentación de este muchacho, aunque, repito, no sé si corresponde decirle muchacho. De este... ente... de este ser bastante extraño, el día del partido de su debut.

La joda es que fue de noche y, de noche, parece que estos venusinos son medios difíciles de distinguir, por esa especie de relumbrón que tienen en el cuerpo, ¿no? Una cosa filamentosa, tipo medusa...

Se llenó el Gigante, no le miento, se llenó. Central seguía jugando con los pibes de las inferiores, ya se había ido el esquimal, había jugado muy pocos partidos un chico de Kazajstán que se quebró, pobrecito, en un partido contra Peñarol, o sea que este venusino era la estrella excluyente del espectáculo.

Y ni le cuento cómo estaban los de Ñuls. Se cagaban de risa del venusino este, decían que desde cuándo los venusinos jugaban al fútbol. Y algo de razón tenían porque yo, al menos, nunca había sabido de que allá, en Venus, se jugara a la pelota. Ninguna sonda espacial ni ningún transbordador de ésos que largaban los americanos o los japoneses había informado de una cosa así en sus trasmisiones. Pero tampoco el club estaba para grandes erogaciones como para comprar jugadores muy conocidos —recuerde que le estoy hablando de los años 20, que no habrá sido la década infame pero le pasa raspando—. De todas maneras, le soy sincero, a mí no me disgustaba ese venusino, no me digustaba. Medio lentón, le repito, algo indolente, un poco aparatoso para moverse, pero inteligente para distribuir el juego, muy del estilo de los hawaianos ¿no? de proteger mucho la pelota, jugar al hueco, tomá vos, dásela a aquél, ponela allá... Qué sé yo... Lo cierto es que después de cuatro o cinco partidos en que a Central le fue para el carajo, la gente ya le empezó a tomar ojeriza. Le digo más, esa vez que yo lo vi en Córdoba y Mitre hablando con Pablito Ansaldi, la gente le pasaba por al lado y no le daba ni pelota.

Ni pelota le daba la gente. Y hacía poquito que había llegado. Es cierto que a veces no era muy fácil distinguirlo, porque tenía esa especie de falsa escuadra, esa falta de perfil que por momentos engañaba la vista. Y cuando le digo falta de perfil no se lo digo desde el punto de vista futbolístico, como cuando se dice que un jugador busca su perfil favorable y esas cosas. No.

Este muchacho, o ser, o ente alienígeno, era un poco medio como esos pescados de las profundidades marinas muy profundas, ¿me entiende? Como muy achatado. Usted lo miraba de frente y daba una imagen. Cuando giraba para encarar el arco, por ejemplo, casi desaparecía. La camiseta, sin ir más lejos, le hacía un chingue impresionante a esta altura justamente por eso, por la falta, digamos, de una tercera dimensión. Y la luminosidad esa que le contaba ¿no? que de día se atenuaba un poco.

Pero nadie le decía nada. Ni una palmada, ni un insulto. Nada. Me daba pena, le juro. También es cierto que él no hacía mucho por relacionarse con la hinchada. No dijo ni una sola palabra desde que llegó hasta el día de su sorpresivo alejamiento. Ni una sola palabra. Era como una jirafa. No emitía sonido. No sabíamos si era porque ya era así, porque hablaba poco o porque estaba enculado.

Yo me inclino a pensar que todos los venusinos son iguales, se deben comunicar por ondas o por pensamientos extrasensoriales o cosa parecida, se me ocurre. Se me ocurre. Algo de eso debía haber porque de una cosa que nos dimos cuenta al segundo o tercer partido —se comentó en la radio, incluso— es que cuando él entraba a la cancha, había un estremecimiento en el agua del foso perimetral, mire lo que le digo.

Vea que es algo bastante difícil de darse cuenta porque nadie va a andar mirando esa agua podrida del foso cuando entran los equipos... Pero había algo, un perturbarse de las aguas, una especie de maremoto chiquito, un chasquear del agua como si allí se hubiera caído alguien. Después nos dimos cuenta de que era un fenómeno que se producía cuando entraba este muchacho, el venusino. Y la incógnita, la incógnita, la expectativa, era saber cómo iba a reaccionar si convertía un gol.

Ésa era la expectativa, expectativa que se prolongó muchísimo porque este pibe no metía un gol ni por puta, en la puta vida de Dios metía un gol este pibe, mire lo que le digo. Era una cosa irritante. Me acuerdo y me encabrono de nuevo, carajo, me pongo loco. Jugaba muy lejos del área, muy retrasado, al estilo de Rainilaiarinony, el pibe de Madagascar, pero Rainilaiarinony era volante y al venusino este lo habían traído para hacer goles, que es muy distinto. Al menos eso se decía, que se había cansado de hacer goles en la liga venusina. Y la verdad es que se debía haber cansado mucho porque la lenteja que tenía ese muchacho era increíble. Aunque, repito, no era mal jugador.

Pero, no había caso. Andaba por allá atrás, displicente, cansino... no sabría si decirle que era elegante porque es difícil precisar si ese tipo de movimientos eran elegantes... Qué carajo sabe uno lo que significa la elegancia en otros planetas. Y, para colmo, tampoco gritaba los goles de sus compañeros. Hacía una cosa rara, como un estremecimiento de esa masa gelatinosa que lo cubría, abría y cerraba una especie de agalla en la parte de atrás de la cabeza, y el agua del foso se sacudía un poco más, pero eso era todo.

El asunto consistía entonces en ver si este chico, por llamarlo de alguna manera, la mandaba a guardar en algún momento para saber cómo reaccionaba, cómo festejaban los goles allá en Venus o, por lo menos, por lo menos, para que metiera un gol de una buena vez por todas porque la hinchada ya hacía cola para putearlo al pobrecito.

Y llega el partido aquel contra River, en Arroyito. El River aquel de Nourredine, Arezo, Zgutczynski, Yoo Yung Ho, los hermanos Gómez, Shaker Allawi, el Chispa Ibáñez... Un equipazo traían en ese año, iban punteros. Y nosotros en el medio de la tabla, pero con la expectativa de sacarles el invicto, ellos venían manteniendo el invicto desde hacía 85 fechas. Ochenta y cinco fechas, mire lo que le digo, no es moco 'e pavo. Terminaba ya el partido e íbamos 0 a 0, la cancha repleta. Casi no había habido jugadas de gol pero nosotros habíamos jugado bastante bien. Gran partido de Landi que sacó un par de pelotas impresionantes. Y, faltando cinco minutos, cinco minutos, Isasi, el flaco Isasi, el medio volante nuestro, saca un taponazo sorpresivo desde el borde del área que Viv Dixon, el arquero de River que era un fenómeno, alcanza a tocar y la saca para el costado. La pelota pega en el palo y, caprichosa, se viene para el centro del área, hacia Vendelinus que estaba solo, pero solo solo solo, paradito en el medio del área. Jamás entraba ese muchacho en el área pero, en ese preciso instante, vaya a saber por qué, estaba parado ahí, casi en el punto del penal, donde deben estar siempre los goleadores...

Vea, no sé con qué le pegó, le miento si le digo con qué le pegó porque tampoco él tenía extremidades muy definidas... Le pegó no sé con qué y la tiró a la mierda. Pero decir a la mierda es poco... La tiró a la reputísima madre que lo remilparió... No sé... cuatro, cinco, seis metros por arriba del travesaño... Cuatro o cinco metros le digo, no centímetros... Metros.

Se hizo un silencio en el estadio, sepulcral, una tumba fue eso. Ochenta mil personas en un mutismo inenarrable. Se lo deletreo, i-ne-na-rra-ble. Y yo, tras agarrarme la cabeza —como todos los otros plateístas porque me dio hasta pena, le juro, hasta pena por ese muchacho me dio— me quedé después mirándolo a Vendelinus y pude presenciar aquello tan extraño...

Porque hubo mucha otra gente que esto que le voy a

contar no lo vio, le juro. Hubo gente que se cayó desmayada, hubo gente que miraba al cielo puteando en todos los idiomas, hubo gente de River que se dio vuelta para abrazarse con los demás, hubo otros —Carmelo, mi compañero de platea, sin ir más lejos, como que se cayó en el asiento, se agarró la cabeza y no quiso ver más nada...— y que, entonces, no vieron nunca, como yo lo vi, lo que pasó con Vendelinus... Giró, giró este muchacho, como para volverse al mediocampo pero, de inmediato, se quedó inmóvil. Su color habitualmente púrpura empezó a virar hacia el violeta y después al fucsia. Tuvo una suerte de palpitación, como si estuviera agitado, y la luminosidad se le intensificó un poco. Y después... después... empezó a ponerse translúcido, translúcido, translúcido, casi transparente... y desapareció en el aire.

Así como se lo cuento. Desapareció en el aire. Nunca más volvió. Recuerdo que el árbitro esperó un poco, desconcertado porque jamás había ocurrido algo así en el fútbol argentino y, después de consultar con la cabina de control, le permitió a Central meter un cambio. Entró Harkuk, recuerdo, el marroquí, otro tronco. Y de Vendelinus nunca más se supo. Nunca más. Mire que yo, cada tanto, controlaba la formación de los equipos de otros países pero... nada... nada, nada. Jamás lo vi integrando la formación de ningún otro equipo... Pero me dio pena, le juro. Vaya a saber cuánto le habrá dolido errar ese gol para hacer eso, para desaparecer de esa forma, como si se lo hubiese tragado la tierra o, como efectivamente pasó, desvanecerse en el aire. Tal vez sean criaturas muy sensibles, no sé, es difícil comprender la conducta de los alienígenos, más en casos como éste, que ni siquiera emitía sonidos.

Ya después vinieron el irlandés Donaghy, Lee Duk Soo, el uruguayo Elbio Scherezade Paz, vino el subcampeonato del 29, la Copa Micronesia, y la gente se fue olvidando del venusino.

Todavía algún viejo como yo, de tanto en tanto, lo recuerda, pero para putearlo más que nada, pobre muchacho. O como quiera que se lo pueda llamar, ser, ente o criatura alienígena.

HISTORIAS CONTADAS
POR LOS MANDINGA

La historia la cuenta Nyo Omoro, brujo de los mandinga. Y vale la pena escucharla, aunque los bambara, tribu vecina de los mandinga, digan que no se puede creer nada de lo que cuentan los mandinga. Posiblemente hay algo de envidia en el comentario de los bambara, porque sus vecinos han sido siempre más adelantados.

Nyo Omoro, por ejemplo, nunca hubiese podido llegar a brujo de haber nacido en el valle del río Songay, donde habitan los bambara, porque entre los bambara aquel que nace para guerrero será guerrero y aquel que nace para cazador será cazador. En cambio, entre los mandinga, alguien hijo de cazadores, como Nyo Omoro, con el tiempo puede llegar a ser brujo, si se lo propone y tiene condiciones. La sociedad mandinga es mucho más flexible, en una palabra. Y Nyo Omoro cuenta que él fue acompañante y porteador del célebre explorador británico Paul Doubleday, el descubridor de las cataratas de Futa Djalon y amigo personal de un hijo de David Livingstone, aquel que se perdiera en la selva. La historia tiene algo de fantástico, pero no hay que olvidarse que es narrada por un brujo mandinga.

Al parecer, un día del año 1932, Paul Doubleday llegó hasta la tribu mandinga de las orillas del gran río Congo a visitar a su amigo el cacique Gle-Glé. Doubleday tenía toda la intención de alcanzar las estribaciones de las montañas Sarakollé, que se veían en el horizonte, muy verdes, con sus picos cubiertos de nieve. Alguien le había comentado que allí podían contemplarse, y oírse, unas imponentes cataratas a las cuales los indios llamaban "Aguas que hablan".

Recordemos que Doubleday era experto en descubrir cataratas. El cacique Gle-Glé alentó a Doubleday contándole que, en la aldea mandinga, por las noches, cuando todo era silencio, cuando los leones no rugían, solía escucharse el murmullo de aquellos saltos formidables llegando desde allá lejos.

Doubleday invitó a Gle-Glé a acompañarlo, pero Gle-Glé se negó, ya que poco le importaba todo lo que ocurriera fuera de su aldea.

Sin embargo, Gle-Glé puso a disposición del explorador inglés al pequeño Nyo Omoro, un aborigen despierto, hijo de cazadores, que podría servirle de guía y compañero.

Doubleday había descartado para esa nueva expedición a los hombres que lo acompañaran hasta la aldea de los mandinga, pues todos ellos estaban muy cansados y, algunos, ebrios de tanto beber un aguardiente hecho con leche de cabra que elaboran clandestinamente los mandinga.

Se sabía, por otra parte, que pocos nativos podían soportar el ritmo de caminata de Doubleday a quien, dada su inagotable curiosidad, llamaban "Paul, el Inquieto".

Doubleday explicaba su enjundia y dinamismo con estas simples palabras: "Soy un explorador".

Por otra parte, Doubleday, amaba las planicies de Tanganica en esa época del año. Recién terminaba el período de sequía y los cadáveres de cientos de animales cubrían la tierra que comenzaba a reverdecer. Había en el aire un olor intenso a putrefacción, ennegrecían el cielo los buitres y caribúes, bramaban las fieras salvajes y todo esto, sostenía Doubleday, le hacía recordar mucho a su casa natal en el lejano condado de Chisholms, en Escocia.

Lo cierto es que Doubleday partió una mañana rumbo a las cataratas de las "Aguas que hablan", sólo acompañado por el joven Nyo Omoro que por ese entonces era un adolescente que ni soñaba en llegar a ser con el tiempo brujo de su tribu.

Apenas tres jornadas les demandó llegar a las grandes cascadas. Allí, con algo de sorpresa, los recibieron los fieros guerreros de la tribu tutsi, quienes, no obstante, fueron cordiales con ellos y se mostraron cautivados por los ojos celestes del explorador y por sus retorcidos bigotes amarillos.

Doubleday contempló por un rato las cataratas, pero no le impresionaron demasiado. "Hablan, sí, por cierto —anotó en su diario—, pero su conversación es pobre. Dicen sentirse abatidas, decaídas, como precipitándose en un abismo. Afirman estar cansadas de dar tanto y no recibir nada a cambio. Son quejosas, en suma. A ningún viajero le gusta llegar desde tan lejos y que le arrojen encima semejante carga negativa y pesimista". Tan grande fue el fastidio de Doubleday que al día siguiente ya emprendía el camino de regreso hacia la tribu mandinga.

Cuenta Nyo Omoro que, tras una corta marcha por la sabana, comenzaron a escuchar el ronco bramido de un león. Pero no era el bramido bravo del león en el momento de la cacería, o al marcar su territorio, o al elevar su reclamo en la época de celo. No. Era un opaco y lastimero bramido del más puro dolor. Pese al lógico miedo que cualquier explorador experimenta hacia los leones, Doubleday sintió el aguijón de la curiosidad. Y pese a la oposición de Nyo Omoro, quien le rogó continuar la marcha hacia la aldea de Gle-Glé, decidió averiguar el origen y motivo de ese bramido.

Tras zigzagueante caminata, en menos de una hora, semioculto entre unos pastizales, hallaron al león. Estaba tirado cuan largo era, exhausto por el calor y una de sus patas delanteras se veía atravesada por una espina de casi 20 centímetros de largo. El león sabía, con la certeza del instinto, que, impedido de caminar, su fin estaba cerca.

Doubleday no dudó. Con decisión y valentía, tomó la garra del animal y de un enérgico tirón le quitó la espina. fue entonces cuando el león, incorporándose a medias, dijo: "Has salvado mi vida y deseo complacerte. Dime en qué puedo servirte".

Al parecer, Doubleday se mostró sorprendido por la propuesta. Había viajado realmente mucho por el mundo, había visto las sirenas negras en el nacimiento del Orinoco, había conocido las extrañas costumbres de los ornitorrincos en las tabernas de Sydney, había cultivado la amistad de un narval en la Costa de Marfil, pero nunca un león le había hablado de esa forma. El animal percibió su vacilación.

—Soy el Rey de la Selva —insistió—. Y, de no mediar tu noble intervención, esa espina, en poco tiempo más, hubiese infectado mi pata y todo mi cuerpo. Hubiese muerto en mi plenitud. ¿Qué puedo hacer por ti?

Doubleday se retorció el bigote, pensativo.

—No es mi costumbre pedir favores —sonrió, arrogante.

—No lo tomes como un favor, sino como una retribución —dijo el león—. Me ofendería si no puedo complacerte.

—Muy bien —aceptó Doubleday, animado—. Con mi amigo Nyo Omoro tenemos una larga jornada de marcha hasta su aldea... ¿Conoces la aldea mandinga?

—Por cierto —sacudió su melena afirmativamente el león—. He comido a varios de sus habitantes.

—De acuerdo. No es un camino muy largo, pero bien tú sabes que está plagado de peligros. Hay cocodrilos en el cruce del Zambeze. Búfalos pastando en sus riberas. Chacales también, hienas.

El león bufó y meneó la cabeza, al parecer ofuscado de sólo escuchar la mención de aquellas alimañas miserables y carroñeras.

—Si no te es demasiada molestia —continuó Doubleday—, quisiera que nos acompañaras hasta la aldea del cacique Gle-Glé.

El león se encogió de hombros.

—Ningún problema. Lo haré gustoso.

—Si es que tu pata no te impide caminar —se apresuró a aclarar, Doubleday.

—Soy un león, recuerda —dijo el león, casi amoscado —. En marcha.

—Pensaba... pensaba... —lo contuvo Doubleday— ...que también podrías llevarme sobre tu lomo, como si fueses una cebra. No soy un hombre joven como Nyo Omoro, que puede caminar sin dificultad. Soy ya mayor y en estas épocas de humedad me duelen mucho los huesos. Las rodillas.

El león hizo un momento de silencio, en el que se escuchó el canto lejano de las urracas.

—Perfecto —aprobó—. Te debo la vida. Puedo jurarte que pensé, cuando estaba allí tirado, entre las zarzas, que no vería más a mis cachorros...

—Otra cosa —se entusiasmó Doubleday—. Habrás visto la cantidad de moscas que nos rodean. Son incontables. De más está decir cuánto me molestan y cómo se reúnen sobre mi cara sorbiendo mi sudor. Tú tal vez no las notes...

—Las noto, las noto...

—...porque tienes el cuero grueso y el pelaje espeso. Pero para mí son insoportables. Quisiera que mientras me lleves en el lomo vayas agitando tu cola para espantarlas...

El león fijó la vista de sus enormes y bellos ojos color caramelo en algún punto de la planicie.

—Está bien. Está bien —asintió—. De cualquier forma, lo hago siempre. Lleve a alguien sobre mi lomo o no. A mí también me molestan... En marcha.

Doubleday elevó su dedo índice en el aire.

—Y una última petición —dijo, casi avergonzado—. No llegaremos a aldea mandinga hasta mañana por la mañana, cuando el sol ya esté alto. Deberemos, entonces, dormir esta noche a la intemperie. Y confieso que ya no soy el de antes. Cuando duermo sobre el suelo duro, por más que me haga un camastro de hojas y ramas, me levanto con un dolor insoportable de cintura. Creo que tengo un pinzamiento cervical... Por lo tanto, sería muy gentil de tu parte si permites que mi ayudante, Nyo Omoro, corte parte de tu melena. Con ella, yo rellenaré mi saco de dormir para procurarme un cojín suave y muelle que facilite mi sueño...

Cuenta Nyo Omoro —y aún hoy, cuando lo cuenta, se estremece— que el león se lanzó sobre Doubleday y de una sola dentellada en la nuca le quebró el espinazo. Luego empezó a lamerlo, como hacen los leones cuando se disponen a devorar a sus presas.

Fue el momento en que el joven aprendiz de brujo aprovechó para huir despavorido. Antes de alejarse, sin embargo, escuchó decir al león: "Seré mal agradecido. Mas nunca buen servidor".

Y luego, cuando ya el muchacho mandinga corría como un demonio entre las matas, oyó un chasquido como de ramas al quebrarse, cuando el hambriento león comenzó a comer una de las piernas del famoso explorador.

GRAL. ROBUSTIANO DEL CASTILLO: UN SOLDADO DE LA DEMOCRACIA

Es el 12 de julio de 1811. Dos días después de El Grito de Calingasta, lanzado por los latifundistas cuyanos contra el poder español, el general Robustiano Del Castillo comprende que ha comenzado a abrazar, decididamente, la causa de la democracia.

El grito libertario surgido desde Trapiche del Mosto tiene la virtud de conmoverlo. No es el pétreo general nacido en Carcarañá un hombre en particular sensible ni afecto a las demostraciones emocionales.

Sin embargo, la noticia de la revuelta, traída a galope tendido por un chasque, lo impacta notoriamente. Su tropa, el 5º de Cachapeceros Correntinos, está extendida cuan larga es, acampando, a orillas del rio Yaguané de los Palos. Del Castillo solicita su caballo al sargento primero Eudoro Acuña. Y no lo hace por medio de un formulario por triplicado, como lo dicta la burocracia militar de la época. Tonante, el soldado de la Patria exige el ensillamiento perentorio, amparándose en la relevancia de su cargo.

Luego, cabalga hasta las orillas del importante curso

de agua y, a la sombra de un gomero, reflexiona. Por último, escribe su famosa "Carta a mi tío Eleuterio" (actualmente exhibida en el Museo de Arte Moderno de Zapala, Neuquén) que, entre otras cosas, dice así: "Mi querido Eleuterio, tío mío. Hoy veo todo a la luz de otra claridad. La noticia llegada desde el Norte me ha brindado la lucidez que no me dieran el resplandor del fuego del cañón ni el relumbrón del fanal a kerosén. Ardo por poner en práctica mi nueva filosofía. Si no doy ahora un paso adelante es porque me sujeta mi disciplina militar y porque estoy al borde de las barrancas".

Un año después, los acontecimientos se precipitan. Robustiano Del Castillo exhibe ya sobre su uniforme azul las insignias de General, acordadas por el mismo Triunvirato porteño en reunión extemporánea. Se las ha ganado en las escaramuzas de Calderillas, Higo Truncado y Cañadón del Sordo. Pero Del Castillo anhela, aguarda, sueña, con una batalla en toda la línea contra el opresor godo.

La oportunidad lo espera, antojadiza, a orillas de otro río, el caudaloso Pilcomayo de las Chacras, afluente natural del Boquerón, tributario del Chachahuen Negro, con un caudal pletórico de surubí, mandubay, y viejadelagua.

El sitio predestinado para el combate es la planicie de Pampa de los Chanchos, cerca de Aymayá, flanqueada por las colinas y cuchillas de lo que se ha dado en llamar por los lugareños "Baldíos Grandes".

Del otro lado del río y entre los árboles, asomando sus fortificaciones cual la cabeza desmelenada de un gigante, encaramado en lo más alto de esas elevaciones, se avista el

Fuerte Carapachay, dominando el curso fluvial y el vital paso de los lanchones frutales que, cargados de paltas, quinotos y chirimoyas, abastecen a los mercados de Goya y Florianópolis. Dos años hace que los habitantes de esos poblados no reciben melón, guayaba, sandía, tomate perita ni chaucha balina.

Estallan las quejas populares contra el Marqués de Botafogo, alguacil mayor de Santa Catarina.

El ejército patriota de Robustiano Del Castillo vela sus armas en la orilla opuesta del río, aguardando la orden de atacar la desafiante fortificación.

El 8 de noviembre de 1812 llega, por fin, la orden esperada.

Termina, al parecer, una vigilia de cuatro largos meses soportando los fríos del invierno paraguayo, el flagelo constante de la fiebre amarilla, el pie de atleta, el escorbuto y la pediculosis, males que sin embargo no han hecho flaquear el espíritu de la tropa.

Son los mismos hombres triunfadores en las batallas de Sierras del Changuí y Nonogasta, en las cinchadas contra la marinería del Comandante Espora y en los juegos florales de la parroquia de Nuestra Santa Señora Albinoni de Tranco Largo.

En el atardecer de ese día 8, el general Del Castillo ordena que suene el clarín llamando a formar. Siete mil hombres lo rodean al instante. Se palpa en el aire la excitación previa a los grandes eventos militares. Del Castillo, con la ayuda de dos de sus oficiales, se trepa a lo alto de un horno de pan.

Hay que recordar que su pie izquierdo ya no es el mismo, tras haber sido pisado por su fiel percherón Aconcagua en el combate de Tabla Rasa. Cuatro veces resbala y cae de la cúpula del horno de pan, húmeda por la sempiterna llovizna de la zona, pero cuatro veces se reincorpora y vuelve a subirse, para hablar a su tropa.

—¡Soldados! —declama, con toda la voz que tiene—. ¡He recibido desde Buenos Aires la orden que todos estábamos esperando! —la tropa, en pleno, estalla en vítores, imaginando el carácter de la noticia—. ¡Se nos ordena atacar y destruir Fuerte Carapachay, ese reducto godo que desde hace ya cuatro meses nos humilla y ofende con su sola presencia! —nuevos vítores estentóreos—. ¡Yo considero que la orden es lógica y criteriosa, dado que es esa fortificación la que está deteniendo el avance de nuestras tropas hacia el Alto Perú. Pero ustedes sabrán que desde el 10 de julio de 1811, más precisamente desde el Grito de Calingasta, se respiran aires de democracia! ¡Por lo tanto yo, como mis superiores, podemos estar equivocados! ¡La Democracia es participación, debate, disenso, entonces, antes de tomar ninguna determinación, quiero consultar la opinión de todos ustedes para llegar, mancomunadamente, a una resolución consensuada, general y que, aunque no alcance las características de unánime, refleje al menos un acuerdo mínimo y mayoritario!

Se hace un silencio. El tiempo parece detenerse a orillas del caudaloso Pilcomayo de las Chacras. Ni el grito quejumbroso del carau corta el aire perfumado del atardecer. Los soldados comprenden que se hallan ante otro general Del Castillo, desprovisto ahora de su áspera corteza, pero tan firme y arrojado como siempre.

—¡Pido la palabra! —truena un soldado, adelantándose con la mano en alto. Del Castillo se la concede—. Yo opino, General, que no tenemos tiempo para afrontar la empresa —dice el soldado, linda estampa de criollo, acento entrerriano al hablar—. Atacar ese fuerte ha de llevarnos, siendo optimistas, más de ocho días, incluyendo operaciones de limpieza y rejunte de prisioneros, amén de recomponer los escombros y amontonar los caídos...

Del Castillo lo mira, algo confuso, aguardando el final de la perorata.

—¿Y eso qué importa, soldado? —pregunta, al fin.

—Que yo y mi hermano Raulo pasado mañana tenemos que irnos para Tucumán, a trabajar en la zafra —dice el muchacho.

Del Castillo se pasa la mano por la mandíbula, pensativo.

—Nos habían dicho que esta campaña terminaría el mes pasado —agrega el soldado—. Por eso nos enganchamos.

—Anote, Ibarra —ordena Del Castillo a su edecán de campo, que toma apuntes en un cuaderno de una raya.

—¡Acá, General, acá! —se escucha otra voz ronca. Del Castillo dirige su mirada hacia el sector donde se ha elevado la petición. Hay una multitud de manos que se levantan. El General señala una de ellas, a la que le faltan tres dedos, señal del coraje en el campo de batalla.

—Yo creo que hay que esperar hasta que venga el verano —vocifera un hombretón casi gordo, que luce el uniforme de los Zapadores de Villa Eloísa. Hay un murmullo de disgusto y voces de desaprobación—. ¡Hasta que venga el verano! —repite el hombre, sin amilanarse—. En esta zona —prosigue— para enero, febrero, llega la sequía y este río que ahora vemos tumultuoso, se convierte en un hilo de agua que se puede cruzar de un saltito. Eso nos ahorraría la masacre que sin duda puede deparar cruzarlo ahora, en botes y bajo el fuego enemigo. En ese fuerte —el hombretón señala la orilla de enfrente— hay casi 47 cañones del 8 y un regimiento de fusileros de Badalona, "Los carniceros del Guadalquivir", que pueden batir todo el ancho del río desde las almenas del fuerte mientras nosotros estamos inmovilizados en los botes.

Del Castillo asiente con la cabeza, impresionado.

—Buena aseveración —aprueba—. Buena aseveración. Anote, Ibarra.

—¡Además... —salta otro soldado, de pequeños anteojos sin marco y aspecto endeble— ...yo siempre he dicho que hay que atacar por atrás! ¡Hay que ir hasta la desembocadura del río, sobre el Atlántico, subir después por Porto Alegre, Florianópolis, Camboriú, agarrar para Encruzilhada, bajar por Puerto Estigarribia, y caerles por la espalda! ¡No repitamos el error de ir de frente como en la batalla de Salsacate, donde nos encerraron entre dos columnas de caballería y nos dieron una paliza tremenda!

Se hace un silencio incómodo. Siete mil hombres cavilan. Es la primera referencia directa hacia un error de estrategia de un superior.

—¡Ahora cualquiera cree que puede ser General! —grita una voz, respaldando a Del Castillo. El General, aunque tocado, solicita calma con ambas manos.

—¡Todos tienen derecho a opinar, todos tienen derecho! —reafirma.

—¡Antes de discutir estas cosas —se eleva una voz, enérgica— hay muchos otros asuntos que tenemos que discutir!

—¿Qué asuntos? —dice Del Castillo.

—Lo del uniforme, por ejemplo —un murmullo sordo fluctúa entre la aprobación y el desconcierto—. ¿Hasta cuándo vamos a usar estos uniformes de invierno? —sigue el soldado, casi un adolescente, tomando con la mano izquierda la gruesa tela de su puño derecho elevado—. Nos prometieron cambiarnos los uniformes en septiembre y ya estamos casi en noviembre. Aparte, habíamos quedado en que la franja del pantalón iba a ser roja y resulta que las mandaron amarillas...

—Parecemos brasileños —secunda otro, anónimo.

—...Y los talles están casi todos equivocados. A uno de mis compañeros le tocó uno que era rezago de la guerra contra los indios y tiene más de quince agujeros de lanza...

—Soldado, soldado —solicita Del Castillo—. Creo que tenemos temas más urgentes... —voces de aprobación circulan entre la tropa. Son, después de todo, adustos guerreros de la independencia.

—No es tan así... —niega en el aire el dedo índice del joven—. No es tan así...

—¡Acá hay otra cosa! —arremete alguien, con voz tonante, desde más atrás—. Si usted me permite, mi General... —Del Castillo concede la venia.— Acá tenemos que precisar, de una vez por todas, cuál es la función que estamos desempeñando ante la sociedad, cuál es nuestra finalidad de cara al mandato que nos entrega la Historia, el devenir de los acontecimientos o, si queremos enfocarlo desde un punto de vista más filosófico o teológico, ese ser intangible y todopoderoso al que, si quieren, llamaremos Dios...

—Muchachos, muchachos —opta por cortar Del Castillo—. Entiendo el deseo de opinar, de ser escuchados, yo mismo he alentado en ustedes esta inquietud, pero deben comprender que no tenemos mucho tiempo para arremeter contra el enemigo aleve o enviar una respuesta a Buenos Aires...

—¡La banda, la banda! —grita alguien, maleducadamente, desde los confines de la soldadesca.

—¿Qué banda? —parece, esta vez sí, molestarse el General.

—¡La banda de música del regimiento, General! ¡No puede ser que toque las cosas que toca! ¡Vidalas, vidalitas, shotís, merengues, bambucos...!

Lo dicho dispara el caos. Hay infinidad de opiniones encontradas, insultos duros, algún puntapié, salivazos. Del Castillo ordena al clarín tocar a silencio.

—¡Soldados, mis hombres, mis valientes! —se enerva Del Castillo—. Ésta no es manera de discutir civilizadamente. De cualquier forma, hemos recogido impresiones, hemos enriquecido nuestro conocimiento, pero no podemos eternizarnos en la discusión. Si no nos ponemos de acuerdo habrá que votar, como lo dictan las normas democráticas...

Todos aprueban con la cabeza. Los más elocuentes son los esbeltos lanceros del coronel Bernardino Abdala, cuyos morriones se elevan casi medio metro sobre la estatura de cada uno.

—¡Una última cosita, mi General! —una voz femenina, aguda, estremece al ejército. Casi entre los últimos pelotones se divisa una mano pequeña y blanquecina. Es Jacinta Palomeque, una de las tantas soldaderas que acompañan a sus hombres en las campañas militares. Se oyen, entonces, silbidos agresivos, burlonas voces masculinas, aullidos de enojo y risas.

—¡Lo único que falta, que ahora opinen las mujeres!

—¡Dejemos opinar a los caballos, también!

—¡A la cocina con esa hembra!

—¡Silencio! —el rugido del general Del Castillo paraliza la tarde. De pie, erecto sobre el horno de pan, es un gigante frente a la soldadesca desbocada, un león ofendido por la desobediencia de esos groseros desconsiderados—. ¡Será una mujer, pero ella también, como ser viviente, con entrañas y sentimientos, tiene el derecho a opinar como lo han hecho los demás! ¡Hable, señora!

—¡Las tropas cruzarán el río, quizás, mañana por la mañana —empieza la mujer, que muestra en la cara el trajín de miles de kilómetros absorbiendo el polvo desprendido por los cascos de las cabalgaduras— cuando el sol comienza a calentar y el agua no está tan fría! Digamos que para la siesta ya estarán atacando el Fuerte... Yo me pregunto... ¿A qué hora se supone que vuelven?

Se desata una gritería de protesta. Hay sables en el aire, atrapando los últimos rayos solares.

—¡Es que tenemos que saber a qué hora vuelven, por la comida! —se desgañita la mujer.

Del Castillo, temeroso de perder el control de la situación, indica al clarín que vuelva a llamar a silencio.

—Le informaremos con anticipación, señora —promete—. Le informaremos. Anote, Ibarra...

—¡Siempre nos dicen lo mismo y...! —persiste la soldadera.

—¡Una última propuesta, General! —una voz educada, acompaña a una mano huesuda que se agita en el aire. Pero hay rechiflas de disgusto, voces contrarias al pedido.

—Hable, soldado... —concede Del Castillo.

—Quiero que tenga en cuenta usted —comienza la voz,

que refleja un acento extraño, coloraciones poco familiares, inflexiones ajenas— que en aquel fuerte que todos vemos, también hay seres humanos como nosotros, que viven, sufren y laboran como cualquiera, que tienen hijos... —Una serie de manos hechas puños caen sobre quien habla, lo golpean en la cabeza, le voltean el quepis, retumban sobre sus espaldas.

—¡No le peguen! —se estremece de furia el general Del Castillo—. ¡No es de hombres de bien pegarle a un compatriota!

—¡Si no es un compatriota!

—¡Es un prisionero!

—¡Es un español!

—¡Lo apresamos en Campo Orégano, cuando intentaba volar nuestra santabárbara!

—¡No importa! —clama el General, airado—. ¡También tiene derecho a la opinión! ¡Ningún extranjero será coartado en su derecho a opinar sobre nuestra bendita tierra!

De cualquier manera, el hispánico uniformado no retoma la palabra. Considera que ya ha dicho lo suficiente y, además, los golpes lo han disuadido de insistir.

—¡Soldados! —brama Del Castillo—. Al parecer, hay tantas opiniones como individuos conforman nuestra tropa. Iremos entonces a votación...

Una aclamación aprueba la propuesta.

—¡Que levanten la mano los que quieren atacar el fuerte —ofrece alguien, de acento correntino— y que después levanten la mano los que no quieren atacarlo!

—No —dice Del Castillo, cortante—. Serán elecciones a voto secreto y en un sitio oscuro. Ya hemos visto lo que pasó con el prisionero que intentó emitir una opinión contraria a la de la mayoría. Mañana mismo, desde temprano, habrá una carpa de campaña, donde votarán por el "No" aquellos que consideren inapropiado el ataque, y por el "Sí" los que lo aprueben.

El clarín toca a descanso. Esa noche, más de cien soldaderas, entre las que se encuentra la solícita Jacinta Palomeque, cortan, con los sables de sus compañeros, papeletas que llevarán las palabras "No" y "Sí" escritas con carbón.

Las elecciones duran tres días, hasta el 11 de noviembre, y en ese lapso se prohíbe el consumo de bebida alcohólica, el juego de naipes, las riñas de gallos y los lances caballerescos. Luego, el recuento de votos lleva otros siete días ya que el trabajo se hace dificultoso, dado que hay un solo oficial entre la tropa que domina razonablemente las matemáticas. Por último, se dan a conocer los resultados de la compulsa. Ha ganado el "No" abrumadoramente: 6897 votos contra 3. Hay 4 en blanco.

Del Castillo no vacila. Eufórico y convencido, redacta apresuradamente una carta al Triunvirato ejecutivo donde informa sobre los resultados de los sufragios. Luego entrega esos papeles al mejor de sus jinetes y le ordena volar hasta Buenos Aires con el informe.

Un mes después, el mensajero llega a la Capital. Don Hilario Echevarría, tras leer la misiva, ruge su indignación y la transmite a don Gregorio Aldao y a Gabino Ezeiza. Del Castillo ha desatendido la orden de atacar la fortificación de Carapachay y debe ser defenestrado.

Otro jinete, con otro caballo y con el edicto firmado por la Junta Gobernadora en pleno, regresa de inmediato hasta los llanos de Pampa de los Chanchos para terminar con la carrera militar de Robustiano Del Castillo.

Caprichos del destino, lastimosos devaneos de la historia. Robustiano Del Castillo es degradado a soldado raso el 24 de marzo de 1813, ante la vista angustiada de su tropa y a la sombra de un tala.

Seis días después, su reemplazante, el alférez Victoriano Albarracín Sosa, cruza el río Pilcomayo con su ejército y asalta el fuerte de Carapachay.

Sus hombres, atónitos, desconcertados, descubren allí que el fuerte está vacío, deshabitado, hueco. Corridos por el hambre, hartos por la espera, agotados en fin por el aburrimiento de aguardar un ataque que nunca llegaba, los españoles se habían retirado del lugar tres años antes, a fines de 1809.

EL ESCRITOR DEL PUEBLO

Dalmacio Genovese, considerado unánimemente como el mayor escritor rosarino, nació, paradójicamente, en Corral de Bustos, pequeña localidad distante pocos kilómetros de Rosario.

En 1947 se publica su primer libro, el que lo llevaría a la fama, titulado *La plaza López*. El impacto que experimenta en ese momento la sociedad rosarina ante el éxito de Genovese obedece, más que a las virtudes del libro —que las tenía, y en cantidad— al hecho de que hubiese sido publicado por la editorial Resplandor de Buenos Aires. El reconocimiento de la Capital Federal hacia un literato del interior era en aquellos tiempos un hecho absolutamente inusual y digno de asombro.

"Para una ciudad acomplejada, como la nuestra —explica Toribio Lucas Mansilla, pensador y psicólogo rosarino— el espaldarazo concedido desde la metrópoli para alguno de nuestros vecinos es, lamentablemente, argumento suficiente como para convertir a éste en un héroe, a la altura, por ejemplo, del Teniente Agneta".

Realmente Genovese llega a ver impreso su trabajo inicial debido al hecho de haber obtenido el tercer premio en un concurso literario organizado por la revista "Leoplán" de Buenos Aires. El primer premio estaba destinado al género novela. El segundo al cuento, y el tercero a una franja literaria un tanto indefinida que fue calificada por el jurado como "Escritura".

El texto, una exhaustiva y puntillosa descripción de todos los árboles de la plaza López, podría emparentarlo con un ensayo naturalista o un estudio botánico, pero no deja de tener rasgos de la mejor ficción. "Yo soy el jacarandá —dice uno de los árboles descriptos, adquiriendo repentinamente carnadura e identidad, a poco de alcanzar el libro la página 147—, el que te brinda sombra y perfuma el aire que respiras". Así, al correr de las páginas, se van presentando el ñandubay, la acacia y uno de los ejemplares que se convertiría enseguida en personaje central, el sauce llorón, que aporta una nota triste y melancólica en el final.

¿Qué llevó —podemos preguntarnos nosotros ahora— a un escritor joven como Dalmacio Genovese, a elegir como tema de su ópera prima la descripción de la plaza López?

La explicación es en parte jocosa, vista así, a la distancia.

Cuenta el notable literato, en un reportaje que le hiciera la revista católica "La Hostia", consagrada al estudio del catecismo, que la plaza López fue el sitio donde pasó su primera noche en Rosario, ante la imposibilidad de hallar albergue acorde con su disponibilidad de dinero.

"Yo era un joven pletórico de sueños y ambiciones —dice Genovese en dicha nota—. Pero no traía dinero cuando llegué desde mi pueblo de crianza, Corral de Bustos. Du-

246

rante una semana dormí en la plaza López, cobijado por la generosidad de una añosa higuera, tendido en un banco de mármol a quien conté mis sueños de muchacho. La calidez del verano rosarino me permitió transitar por ese primer periodo en la ciudad durmiendo a la intemperie".

La crítica literaria rosarina recibió la publicación de su libro con elogios efusivos. "Al fin un escritor —apuntó el profesor de Letras, Damián Salgado, en 'La Capital'— que se atreve a describir una higuera tal cual es, llamando a las cosas por su nombre, a la rama, rama y a la horqueta, horqueta". Fluctuaba sin dudas sobre esa tajante aseveración del crítico, una velada indirecta a aquella vieja higuera de patio, descripta en algunos ensayos de Domingo Faustino Sarmiento y que molestara tanto a los herboristas.

Sin embargo el éxito, la fama, los mil y un saraos y copetines con que se celebró en nuestra ciudad el suceso del libro de Genovese, no pudieron evitar algunas opiniones adversas.

"Sabrán ustedes —se solazó el escritor costumbrista Alcides Geromini, en una de sus habituales charlas en los salones del Jockey Club— que el título original del libro de Genovese era *La plaza López de Rosario*. Y que debió cambiarlo, quitándole las palabras 'de Rosario', por exigencia de los editores. Estos buenos señores porteños calcularon que con esa definición geográfica en la tapa del volumen, muy pocos serían los lectores que se interesaran en él, dado que describía paisajes ajenos a la Capital. Así es muy fácil arribar al éxito, mis amigos —concluía sus peroratas, irónico, Alcides Geromini—: haciendo concesiones, cediendo ante las presiones de los poderosos, transigiendo con los que mandan, arrastrándose como una rata de albañal ante la conveniencia económica y los dioses del mercado. ¡Cuán distinta es la conducta de algunos otros escritores de nuestra ciudad, como la de Esteban Murrieta, aquí presente, que nunca ha accedido a publicar su libro en Buenos Aires porque le exigen el pago íntegro del estampillado en el envío postal de sus originales!"

Tampoco fue caritativo con Genovese el libelo anarquista "Alborada", del combativo barrio rosarino de Refinería. "Mucha descripción de palos borrachos y jacarandaes —se enfada Damián Rabasa en su columna 'Si se me antoja'—, mucha pintura de acacias y paraísos, pero ni una palabra para el drama de los crotos que pernoctan y viven entre la maleza de la plaza López. Docenas de compañeros ferroviarios que han ido a parar allí, expulsados de sus trabajos, que deben vivir la ignominia de la mendicidad y la convivencia con felinos y roedores, y que no han recibido siquiera una mísera mención de parte de este cagatintas títere de las clases dominantes".

Genovese, parco, atildado, de permanente traje gris topo y moñito, no entró nunca en la polémica ni en la controversia. Elegante, sabio tal vez, prefirió omitir las ofensas y disfrutar su sorprendente popularidad. Hay que consignar que no tenía más de 22 años cuando recibió tamaño impacto de celebridad y reconocimiento. Sólo se dignó a consignar, como al pasar, durante un reportaje en LT3, radio Cerealista, que "…el valor del relato, precisamente, reside en lo que se omite, en lo que se deja de decir. La narración es como un *iceberg* que sólo permite ver su pequeña cúspide, pero nos impulsa a imaginar un enorme volumen oculto bajo las aguas. O como el camote, que asoma mínimamente de la tierra mientras bajo ella perviven kilómetros de raíces y filamentos nutrientes".

248

Por aquel entonces, Genovese estaba muy influenciado por los narradores norteamericanos, con sus lineales relatos que no abundaban en explicaciones psicológicas, y abominaba de la línea sustentada, por ejemplo, por Ilhan Desmond en su novela *La granja* de 1789 páginas de las cuales sólo cuatro esbozan, superficialmente, el tema central de la obra. Los casi 523 ejemplares vendidos en menos de un lustro le abrieron al joven escritor corralense las puertas de salones y banquetes, de reuniones y de homenajes.

Dos décadas debieron pasar para que el mundo de la literatura recibiera su segundo y definitivo aporte, titulado *El doctor Elisaga*. Durante esos veinte años se mantuvo aceptando invitaciones a cenar, a almorzar, en oportunidades a desayunar o merendar, o bien escribiendo cortos textos para tarjetas de casamiento o comunión, trabajos a los que accedía debido a su constante contacto con las clases acomodadas.

Se dedicó asimismo a viajar, antiguo anhelo que lo perseguía desde su infancia corralense y que lo trajera, justamente, a la segunda ciudad de la república.

Viajó a Casilda, a Serodino, a Soldini, a Cañada del Ucle y, en 1957, a Monte Hermoso, a conocer el mar. "Me llevo en mis oídos —garrapateó sobre su cuaderno Gloria, en aquella oportunidad, volviendo en tren desde la ciudad balnearia— una infección notable producto del agua salada. Se me introdujo en el tímpano de forma tal, que por mucho tiempo guardaré en mi cabeza el acompasado rumor de las olas".

En tanto, según sus declaraciones a la revista "Ecos" de Rosita Angelócola de Menchaca, tomó apuntes, anotó ideas y fue elaborando la consumación del nuevo libro.

Se equivocó, tal vez, al pensar, que la memoria de los editores porteños era eterna. Cuando en 1964 viajó a la Capital con la intención de entregar a la editorial Resplandor su flamante obra, halló que don Benigno Cátulo Hernández, el gerente general que le publicara *La plaza López*, había muerto hacía ocho años. Que su lugar lo ocupaba un petulante joven catamarqueño con ínfulas de intelectual. Que la colección "Autores ignotos" —donde él fuera incluido— ya no se editaba. Y que el señorial edificio de la editorial había sido derribado, pasando ahora por ese predio, caro a sus sentimientos, una ancha avenida surcada por cientos de vehículos propulsados a nafta. Algo acongojado, derivó entonces por distintas editoriales presentando su trabajo, comprobando, con creciente amargura, que nadie lo recordaba. Adjuntaba a su carpeta, para certificar su prestigio, una foto suya junto al célebre escritor español Álvaro de la Serna, tomada en un ágape en el Centro Navarro de Rosario.

Incluso fue recibido en editoriales como "El Estadio" —que publicaba la revista deportiva "Pelota"—, donde no sólo desconocieron al literato hispano sino que, además, lo confundieron con el jockey uruguayo Simbad Isidro Marini.

"El resplandor de la fama —escribiría entonces Genovese en una encendida carta a su tía Aurelia, y haciendo un interesante juego de palabras con el nombre de la editorial que lo catapultara— dura lo que perdura la luz de un fósforo de cera". Cabría consignar, para ubicarnos en el tiempo, que se vivían épocas de asombrosos cambios tecnológicos y que el fósforo de madera, por ejemplo, estaba siendo reemplazado por el de cera.

Decepcionado, amargo, Genovese retornó a su ciudad.

Era enero de 1966. Pero Rosario, en cambio, no lo había olvidado.

La Federación Médica y el Club de Enfermeras y Anestesistas, Filial Funes, se ofrecieron a financiar la publicación del libro sobre el doctor Elisaga. "Álvaro Elisaga Condarco —recuerda don Isaac Amestoy, jurista e hipocondríaco— fue un médico fundacional no sólo de nuestra ciudad sino también de todo el litoral santafecino. Un hombre de bien, probo, de enormes virtudes cívicas, perteneciente a una de las familias más respetadas y reconocidas de nuestra sociedad. Sus tratados médicos, sus estudios sobre el sistema nervioso, sus recetas escritas en una prosa clara y concisa, lo hicieron merecedor de premios y distinciones en Congresos y Simposios de toda América". Genovese se había interesado en la labor del facultativo cuando concurrió a tratarse con él a raíz de la rebelde afección que se le declarara en el oído medio inferior derecho tras su paso por Monte Hermoso.

"Solo, sin compañía alguna —se asombraría por esos días Genovese, en otra carta a su tía Aurelia— el doctor Elisaga se aventuró en mi laberinto auditivo, sin saber dónde lo conduciría, sin conocer a ciencia cierta cómo saldría de él. Cuatro horas tardó en hacerme el último estudio y, aunque el doctor Elisaga se negó luego a reconocérmelo, apostaría a que estuvo extraviado por largo tiempo en mi sinuoso conducto".

Elisaga, sin embargo, conocía mucho de laberintos y vericuetos, ya que pasaba sus descansos veraniegos en la cordobesa localidad de Los Cocos, famosa por su laberinto de ligustrina.

También esos descansos se reflejarían en el libro de

Genovese, quien no sólo se explayó sobre los logros médicos y sociales del gran profesional en el arte de curar, sino que también abundó en la búsqueda de sus costados más humanos y terrenales.

El mismo Elisaga, vale puntualizar, fue enormemente amplio y generoso ante el entusiasmo del joven escritor, abriendo su casa, su consultorio y su quirófano a la curiosidad inquisitoria del muchacho.

En más de una oportunidad, Genovese, de impecable traje gris topo y moñito, cuaderno Gloria en mano, asistió a complejísimas cirugías del corazón o el bazo, con la intención de tomar apuntes.

En dos ocasiones —confesaría años más tarde a su amigo Marcial Velázquez, en el bar Eret— no pudo evitar desmayarse ante lo cruento del espectáculo. En una de ellas, debieron suturarle de urgencia un profundo tajo que había sufrido en la frente al caerse redondo sobre la camilla de operaciones, sin sentido.

"Heridas de guerra —banalizó Genovese, amable, a la prensa— casi obligatorias si uno se compromete con el trabajo que ha emprendido".

El libro *Doctor Álvaro Elisaga Condarco. Una vida dedicada a la ciencia* se presentó el día 25 de marzo de 1967 en los altos del Club del Buen Pastor Alemán, de Servando Bayo al 2000, ante una verdadera multitud.

Y fue el principio del fin para Dalmacio Genovese. En el capítulo XII, dedicado a los *hobbies*, amores y pasiones del facultativo, donde se hace mención a su cariño por la filatelia, la cría de palomas mensajeras, la lectura de viejos textos en latín y la pasión por las óperas de Giacomo Puccini, Genovese no hace omisión de la particular amistad que unía a Elisaga con Elena Acosta, una madura y eficiente enfermera del Hospital Italiano.

Describe, casi con sorprendente ingenuidad, escenas de trabajo donde el doctor y su asistente aprovechan para entrelazar sus manos dentro del vientre de los pacientes durante las cirugías, con la excusa de las exploraciones intestinales. Comenta como al pasar largos encuentros de Elisaga y la Acosta, dentro del cuarto oscuro de revelación de radiografías.

Y revela, precisamente, cómo la enfermera correntina reemplazó a último momento, como compañera de viaje, a un notorio nefrólogo rosarino que debía secundar a Elisaga en un congreso en San Pablo.

También aclara Genovese que el congreso no había durado dos semanas sino dos días y que Elisaga y su acompañante no habían permanecido en San Pablo sino que se habían trasladado a Angra dos Reis.

La ciudad estalló de furia. Ajena a la evaluación de las virtudes narrativas del libro, se quedó sólo en el rumor pequeño y la maledicencia pasajera.

No prestó atención a la formidable acumulación de datos sobre los méritos de Elisaga y sus notables logros profesionales. Rosario, provinciana, rural, pareció sólo reparar en la anécdota minúscula y la comidilla vana. O exageró un irrelevante error de Genovese, quien confunde el gentilicio de Elisaga, nacido en Funes, y en lugar de denominarlo "funesino", pone "funesto".

Hubo gente, incluso, que sólo leyó las tres páginas destinadas a la amistad profesional de Elisaga con la Acosta y creyó que con eso le bastaba para edificar una diatriba.

Como Nora Tasisto de Elisaga, esposa del facultativo.

"Jamás un libro me ha dañado tanto —aseveró, dolida, ante una amiga del alma en el *paddock* del hipódromo del Parque Independencia en ocasión de un Gran Premio Ortiz de Guinea— ni me ha herido tanto el corazón, como este libelo publicado por Genovese".

El escritor, confundido un tanto por las críticas que se elevaban por doquier, creyó en un primer momento que las palabras de la señora de Elisaga podían implicar un elogio encubierto, un reconocimiento a un texto incisivo y emocional.

Supo que no era así cuando le fueron cerradas las puertas de la mansión del médico, las del quirófano e incluso las de las más respetables casas de la ciudad.

"Me he convertido en un escritor maldito, Aurelita —escribiría nuevamente a su tía, a comienzos de un desolador 1968—. Ahora sé lo que habrán sentido Rimbaud, Céline, Quevedo, Baroja y otros tantos colegas repudiados por sus contemporáneos. Soy un paria, Aurelita, que pago las culpas de no callar la verdad y de desenmascarar la mala praxis del sistema".

A mediados de 1977, Genovese hace un último intento de publicación, cuando presenta a la editorial Clarete —empresa cautiva de la afamadas Bodegas El Globo— su libro de poemas arrítmicos titulado *Vergel*. Es rechazado, no sólo allí sino en todas partes donde se apersona.

Es más, comprueba que su residencia en la ciudad está tocando a su fin, cuando no halla médico alguno que lo trate de su problema en el oído. El agua salada que invadiera su tímpano derecho en Monte Hermoso, con el tiempo y las compresas calientes se ha evaporado, pero dejando una formación salitrosa, una excrecencia, lo que los otorrinolaringólogos denominan "salar medio", que termina con el escaso nivel de audición con el que Genovese contaba en ese órgano. Genovese tiene 48 años y está parcialmente sordo. Es más, comienzan a llamarlo con sorna, el Sordo Genovese. A esas chanzas él casi no las escucha. "Pero puedo oír mis voces interiores —admite, dolido, en charlas con amigos íntimos, los pocos que le quedan— y esas voces me dicen que debo irme de la ciudad".

Decide, entonces, retornar a Corral de Bustos. Se siente viejo, derrotado y enfermo. El maltratado laberinto auditivo presenta ya el temido "Síndrome de Ménière", que le hace perder en más de una ocasión el equilibrio y el sentido de la orientación. Tres veces procura volver a Corral de Bustos y termina en Santa Rosa de Calamuchita. Por último, en junio del 1982, atina a retornar a su ciudad de crianza, sumido en la pobreza y el anonimato.

Muere en 1984, muy lejos de los fastos y el boato que lo rodearan en sus momentos de gloria. O tal vez haya sido en 1985.

CERCA DEL "FRA NOI"

Apenas vio que se bajaban del auto, Alberto se empezó a reír.

—¡Pato! —llamó, sin dejar de pasar el trapo húmedo por el pequeño mostrador—. ¡Otra pareja que viene de encamarse!

El Pato se asomó por la puerta que daba al salón contiguo del bar, donde estaban las comidas calientes y la cabina telefónica.

—¿Dónde, boludo? —preguntó, estirándose la tela de la entrepierna del pantalón, como siempre. Tenía un pucho entre los labios, aprovechando que a esa hora de la noche no estaba el encargado.

Alberto no dijo nada, pero estiró su mentón hacia adelante, señalando el auto que acababa de estacionarse frente mismo al ventanal de vidrio, luego de pasar lentamente entre los surtidores de nafta. El Pato entrecerró los ojos, para evitar el reflejo de las luces en los cristales. Sostenía con su mano izquierda una pila de cajas de alfajores que sin duda iba a ordenar sobre la góndola que correspondía a los chocolates y los caramelos. Se rió bronco, sin abrir la boca para no soltar el pucho, largando el aire por la nariz.

—Andá a la concha de tu madre —dijo, antes de volverse hacia el otro salón.

—Vienen del "Fra Noi", boludo —se rió también Alberto.

Del Fiat 1500 color beige se había bajado un viejo de unos setenta años, bajito, de lentes y bigotitos grises, con sobretodo de solapas levantadas y bufanda oscura. El viento le hacía tremolar los pocos pelos blancuzcos que, como a un koala, le salían por detrás de las orejas y debajo de la gorra. Miraba con detenimiento una de las gomas de atrás, una mano sobre el techo del auto. Por la otra puerta de adelante, ahora salía una señora de más o menos la misma edad, algo encorvada, enjuta, que se cerraba el cuello de su tapado con las dos manos.

—Ni se la encuentra el viejo con este frío, boludo —escuchó Alberto que le gritaba el Pato desde el otro salón, mientras acomodaba las cajas.

—No te vayas a creer. La coloca el hombre todavía. Seguro que viene a comprar forros.

—No se le vaya a ocurrir cargar nafta porque ni en pedo salgo ahí afuera con el tornillo que hace —advirtió el Pato—. Que se la cargue solo ese viejo choto.

—Le decimos que es autoservice y a la mierda. Que cambió el sistema.

La noche era realmente muy fría, ventosa, y no daban ganas de salir del interior del *drugstore* a la plataforma helada donde estaban los surtidores. Por suerte, desde las diez que ya no se había detenido nadie y era improbable una mayor concurrencia, a esa hora y por esa ruta. El hombre mayor, luego de pegarle un par de pataditas tímidas a la rueda de atrás, empezó a caminar hacia la puerta de entrada mientras su mujer ya se dirigía hacia el costado del edificio, donde estaban los baños.

El viejo entró a la cafetería, dijo un "Buenas noches" de compromiso y empezó a recorrer las góndolas, las manos en los bolsillos, sin demostrar demasiada curiosidad, como esperando algo.

Se acercó luego hasta la caja, donde Alberto ordenaba el cambio.

—Está lindo acá —dijo, observando los paquetes de pastillas—. Calentito.

—¿Afuera hace mucho frío, no? —preguntó Alberto, por ser cordial, como si no supiera. "Uh", dijo el viejo, levantando un poco los hombros, como para taparse las orejas con las solapas. Se dio vuelta y continuó mirando las góndolas.

—¿Le sirvo algo? ¿Un café? —consultó Alberto.

—Podría ser un café. Café con grapa.

—Grapa no tenemos.

—No. Te digo en broma. Un café, nomás.

El Pato se había vuelto a asomar por la puerta que daba al otro salón. Ahora, con el trapo rejilla en la mano.

—¿Viene del "Fra Noi", maestro? —preguntó, haciéndose el tonto.

El hombre giró hacia él, un tanto sorprendido.

—¿Cómo? —preguntó.

—No le haga caso —se incomodó, turbado, Alberto—. ¿Lo quiere cortado al café?

—El "Fra Noi" —insistió, zumbón, el Pato—. El hotel que está acá, a dos kilómetros. Pensé que en una de ésas estaba parando ahí.

El viejo no llegó a entender o se hizo el que no llegaba a entender. Se escucharon unos golpes leves en el ventanal vidriado. La señora volvía del baño pero aparentemente no pensaba entrar. Luego de golpear con los nudillos hizo una seña vaga hacia el hombre de la gorra, agitando una mano.

—¿Qué pasa? —preguntó el viejo, ya acodado al pequeño mostrador, en esa voz baja con que se habla a las personas que, por lejanas, obviamente no pueden escucharnos—. ¿Qué pasa? —repitió, sacudiendo, esta vez, los dedos unidos de su mano derecha. La señora, luchando contra el viento, abrió la puerta.

—Te espero en... —anunció, señalando el auto.

—Yo ya voy. ¿No querés tomar nada, Idilia?

Ella negó con la cabeza, sin dejar de sostener la puerta entreabierta.

—Un café, un té... —propuso el hombre. Ella negó con la cabeza y se fue hacia el auto—. Unas pastillas... ¿No querés unas pastillas...? —casi gritó el viejo, pero ella ya se había ido.

—Ella no habla —dijo el viejo, buscando cuidadosamente el ángulo propicio de un sobrecito de azúcar para abrirlo—. No habla, no pide, no dice nada, nunca. Gestos nomás. La mano, mueve la cabeza, señala así, con la nariz.

—Bueno —sonrió Alberto—. A veces es mejor. Hay otras mujeres que lo vuelven loco a uno hablando todo el tiempo.

—Qué cosa —dijo el viejo, meneando un poco la cabeza, como asombrado por el comportamiento de su esposa. Tomó su café a sorbitos, como temiendo quemarse, mirando a su alrededor lentamente, la mano izquierda en el bolsillo.

Se había hecho un silencio. Sólo se escuchaba el bramido del viento afuera, los ruidos de las cosas que acomodaba el Pato al otro lado de la pared, y el sonido superpuesto de la música funcional con el parloteo del locutor de una radio de la zona que venía del cuartito de la administración, donde ya no había nadie.

—Bueno —dijo el viejo, dejando el pocillo vacío en su plato. Luego se abrió el sobretodo y empezó a buscar algo en el bolsillo interno del saco que tenía puesto abajo, bastante raído y de un color diferente al del pantalón de franela, que parecía de otro traje.

—Un peso —le dijo Alberto, abriendo la caja. El viejo sacó un revólver y le apuntó al pecho, sin cambiar para nada su expresión.

—Dame lo que tengas, pibe. Ponémelo en alguna bolsita, en una de esas bolsitas de plástico que ustedes tienen.

Alberto tardó un momento en comprender qué era lo que estaba pasando. Cuando se dio cuenta de que se trataba de un asalto, un escalofrío le recorrió la columna vertebral. Nunca le había tocado sufrir algo parecido. Sabía que la estación de servicio había sido asaltada dos veces, pero antes de que él empezara a trabajar. Y ahora le estaba ocurriendo, a manos de alguien que era casi un anciano.

—Lo que tengas, pibe —repitió el hombre, en el mismo tono con que había bromeado sobre la grapa—. Sean billetes, sea sencillo… todo…

—Me la hizo bien —confesó Alberto, en voz baja y mientras comenzaba a apilar algunos billetes sobre el mostrador—. No me hubiese imaginado jamás que usted era un choro…

—La vida, ¿viste?

Alberto, cuidadoso, sin dejar de prestar atención con el rabillo del ojo a ese revólver que persistía en apuntarlo, fue ordenando el dinero en un montoncito. También así, de reojo, vislumbró que por la puerta del costado volvía a asomarse la cabeza del Pato, como un manchón fugaz. Y que de inmediato desaparecía. Sintió que se le empapaba la espalda de transpiración. Esperaba que al pelotudo del Pato no se le ocurriera nada heroico como atacar al viejo con un palo de escoba y que el viejo los cagara a balazos en un instante.

—Está muy dura la vida para la gente grande, ¿no? —balbuceó Alberto, mientras metía la plata en una bolsita—. Conozco más de uno que ha tenido que salir a la calle a hacer cualquier cosa para ganarse un mango.

—Es verdad, es verdad... Pero yo siempre he sido choro, pibe —se mordió los labios paspados el viejo, mientras controlaba cómo Alberto ponía los billetes en la bolsa de nailon—. Toda mi vida. Un tiempo en cana y un tiempo afuera, un tiempo en cana y un tiempo afuera, eso ha sido mi vida. Salís, choreás, te agarran y atroden. Salís, choreás, te agarran... Siempre así. Hay otros muchachos, colegas, que para esta edad ya se han hecho un buen pasar. Pero yo no. Me equivoqué un par de veces en dónde meter el dinero, me hicieron invertir al pedo... Y tengo que mantener la casa, a mi mujer, el auto. No es joda. Poneme dos o tres de esos chocolatines que están allá —señaló con el caño del revólver—. ¿Son con maní, no?

—Sí, son con maní.

—Poneme tres o cuatro... O mejor dos... Tengo medio cagadas las muelas de atrás. Como chocolate y me duelen muchísimo. Lo que sí poneme son de aquellas pastillas de eucaliptus. A ella le gustan —meneó la cabeza hacia el auto.

Casi como respuesta se escuchó un bocinazo.

—Ya está aquélla... Apurada como siempre... ¡Pará, pará un poco! —el viejo agitó en el aire la mano del revólver, para que lo viera su mujer. Alberto temió que se le escapara un tiro, pero efectivamente al hombre se lo veía seguro en el manejo de las armas.

Alberto se apuró a buscarle los chocolates y las pastillas. Amontonó todo sobre el mostrador. Luego se agachó a buscar algo debajo.

—¿Qué buscás? —la voz del viejo se había endurecido. Alberto comprendió que estaba cometiendo un error. Se reincorporó de inmediato.

—Buscaba otra bolsa más grande. En ésta ya no entran los chocolates y...

—Agarrala, agarrala. Me imagino que no vas a ser tan pavote como para mandarte una pelotudez. No es guita tuya, después de todo.

—Por supuesto, por supuesto —Alberto, húmeda la frente, empezó a meter todo rápidamente en la nueva bolsa. Temía que, aunque improbable, llegara algún auto, algún camión y el viejo, descubierto, hiciera alguna locura.

—Te imaginás —pareció retomar la conversación el viejo— que en esta profesión mía no hay jubilación ni un carajo. Mirame vos, a mi edad, en una noche como ésta y tengo que seguir trabajando.

Alberto le hizo un nudo a la bolsa plástica y se la alargó al viejo.

—¿Quiere algo más? —apenas lo dijo, se puteó a sí mismo. Lo había traicionado esa cultura pelotuda del vendedor servil que tanto les inculcaba la petrolera. Pero el viejo frunció la boca, mirando en derredor, poco entusiasta.

—No, dejá —dijo. Se metió algo trabajosamente la bolsa en el bolsillo del sobretodo, pero en lugar de alejarse, volvió a apoyarse en el mostrador—. Vos sabés que yo, hubo una época en que trabajaba ayudándolo a un veterano que tenía un kiosco de diarios y revistas. Me acordaba cuando me bajé del auto y vi el frío que hacía ahí afuera. Claro, es un descampado esto. Yo tendría... y, no sé... ¿qué edad tenés vos? Veintitrés, veinticuatro...

—Veintisiete.

—No. Yo era más chico. Veinte debía tener. No más. O diecinueve, ¡qué boludo! Si era antes de irme para la colimba. Y ya hacía algunos choreos chiquitos, cosa de nada. Ayudaba, como quien dice. Le hacía de campana al Conejo Suárez me acuerdo, que ya por ese entonces era un ladrón hecho y derecho. Famoso el Conejo Suárez, todavía vive. ¿Ves? Ése es uno de los que está bien, retirado. Pero lo de Suárez era cada muerte de obispo y yo, de cuando en cuando, tenía que laburar en cualquier cosa porque todavía no conocía muy bien lo del afane. Y al lado de la casa de mi viejo, pobre viejo, murió hace unos diez años, vivía un italiano que tenía un kiosco de revistas en, esperate un poco, en Callao y Brown, por ahí, a mitad de cuadra, te estoy hablando de hace una punta de años, ese barrio era una romería de gente no como ahora, que se vino todo el barrio a la mierda porque se las tomó el ferrocarril. Y yo me tenía que levantar a las cuatro de la mañana para recibir el paquete que llegaba con los diarios en una chatita, ahí, en esa esquina de Wheelwright y Callao. Te estoy hablando de las tres, las cuatro de la mañana, esperando esos diarios, en pleno invierno, con un frío que pelaba, un záfiro impresionante. Nos poníamos, me acuerdo... —El viejo se retiró unos pasos hacia atrás, sin soltar el revólver y señaló a sus costados—: Así, en la esquina, en círculo, con los otros kiosqueros que también iban ahí todas las noches a esperar los diarios, zapateando en el piso por el frío, largando humito por la boca...

—Acá es igual —acordó Alberto, inquieto por cómo se prolongaba la situación—. Acá afuera es igual.

—¡Claro! Por eso me acordaba. Pero era lindo. Porque la mayoría de las veces yo ni me acostaba. De la milonga nomás me iba para el boliche de Pedro, que estaba ahí cerquita, cruzando la esquina de Callao y me quedaba ahí esperando con los otros muchachos, tomando una ginebra, una grapa. Y se charlaba de fútbol, de tango, de mujeres. Uno podía charlar, conversar con los amigos, había tiempo, hasta que llegaba la chatita con los diarios...

Alberto se sobresaltó. Afuera había sonado un bocinazo.

—Otra vez aquélla —desestimó el viejo—. Yo no sé, todos los días se va a dormir como las gallinas, a las nueve de la noche. Cuando yo llego de caminar o de dar una vuelta por ahí, ella ya está acostada, o roncando como un lirón. No se pueden hablar ni dos palabras. Y a veces le quiero comentar de alguna noticia, de cosas que uno escucha en la radio o en la tele, y ella está dormida. Y a veces uno tiene necesidad de hablar con alguien. Ya no es como antes, que vos te ibas al club y estaban los muchachos, o al boliche sin ir más lejos. Florencio murió, el Taca también; Ernesto está internado, pobrecito, y no creo que salga; con el Darío qué voy a hablar si está medio espástico, sordo y no se le entiende lo que contesta... Y ésta, que ahora podría dormirse en el auto, no se duerme...

—Tendrá frío.

—No tiene ni frío, ni calor, ni hambre, ni sed... Es un camello, yo no sé... Pero, te contaba de cuando íbamos a esperar los diarios —eso cuando no se jodía la chatita y nos avisaban para que fuéramos hasta el playón a buscarlos nosotros— porque a veces pasaba eso... Y vos no sabés, con el frío, cómo se nos cortajeaban los dedos con el suncho ese que agarraba los diarios... —el viejo abrió los dedos de las dos manos, sosteniendo el revólver como si fuera un plato— ...un suncho de metal, bastante fino, que agarraba la pila y uno tenía que agarrarlos de ahí porque era la única manera de levantarlos. Si no los agarrabas del suncho tenías que levantarlos con los dos brazos y perdías tiempo porque llevabas uno por vez y los cargabas así, como quien carga un televisor. Pero agarrándolos del suncho podías llevar dos y... mirá... —el viejo dejó el revólver sobre el mostrador y le mostró la palma de su mano derecha a Alberto, rozándola con la yema de los dedos de la izquierda— acá, acá, en las falanges, se te cortajeaba todo con ese suncho, y por el frío, era jodido... —de afuera se escuchaban más bocinazos, ahora más repetidos y urgentes.

—Acá tampoco debe ser lindo cuando tenés que salir a cargarle nafta a un cliente —señaló el viejo hacia afuera. Había vuelto a tomar el revólver.

—Y no sólo de noche —dijo Alberto—. Todo el día, por el viento. —Y volvió a arrepentirse de darle pie al hombre armado y a alentarlo en su perorata.

—Bueno, yo también estuve un tiempo en el sur —el viejo, otra vez acodado al mostrador, perdió su vista en un punto fijo frente suyo, en tanto, con la mano del revólver, se tanteaba el bolsillo donde abultaba la bolsa con lo robado como para cerciorarse de que seguía allí—. Estuve dos veces, en realidad. En Trelew cumpliendo condena, y en General Mosconi trabajando para YPF, te estoy hablando de una punta de años atrás...

Alberto se tocó el mentón un par de veces, nervioso. Había visto afuera algo así como un reflejo, un relámpago, un destello rojizo bajo el enorme tinglado de chapas.

—Vos no sabés el frío —seguía el viejo—. Había, me acuerdo, un depósito inmenso donde los camiones dejaban todas las provisiones para el puesto nuestro. Una vez habían traído cerveza, no sé los cientos de botellas de cervezas. Cientos, ¿eh? Bueno, el frío las hizo reventar a todas. Quedó la forma, nomás, la formita de las botellas, apiladas, y todos los vidrios por el suelo. Ni pisar se podía. Al contraerse el líquido y dilatarse, por la temperatura, reventaron los vidrios, pá, pá, pá, de la noche a la mañana... No sabés lo que es el viento allá en el sur... El trabajo que cuesta, sin ir más lejos, caminar...

El patrullero llegó silencioso, como un pez de los abismos, y se detuvo frente al *drugstore* con la luz roja parpadeando. Bajaron dos policías, uno con una pistola y el otro con una escopeta. De cualquier forma, cuando entraron, el viejo no opuso resistencia.

—Puta —dijo—. Perdí.

Y Alberto se quedó sin saber cómo era que hacían los operarios de los pozos petrolíferos de YPF para caminar de un lado a otro con ese viento. Los policías ni le prestaron atención a la señora que esperaba en el Fiat. Y el Pato entró de nuevo un tanto alborotado, todavía con el trapo rejilla en la mano, preguntándole a Alberto si estaba bien.

EL LOCO CANSINO

Para que usted tenga una idea de qué tipo de futbolista era ese muchacho, le cuento que jugaba llorando. Pero no le digo llorando porque protestaba o porque se la pasaba quejándose a los árbitros o esas cosas que nos han dado a los argentinos la fama de llorones, no.

El Loco Cansino lloraba en serio, con lágrimas, desconsoladamente, mientras llevaba la pelota. Yo lo he visto. Parece algo digno de risa pero créame que era una cosa bastante impresionante. Cómo decirle... angustiante.

Cansino entraba a la cancha muy serio, no sé si concentrado o qué, pero usted lo veía serio, el ceño fruncido, con la vista perdida sobre el césped, parecía que no se fijaba ni en los adversarios ni en la gente que había ido a la cancha. Y le aseguro que por ese entonces iba muchísima gente a la cancha de Sparta, muchísima. Porque tenía un equipazo. Jugaban el Gringo Talamone, el Negro Oroño, Sebastián Drappo, que después fue a Racing, la Garza Olmedo, que era el arquero, y otros más que ahora escapan a mi memoria pero que ya me voy a acordar.

Pero la figura, la figura, era Cansino sin duda alguna, el Loco Cansino. Y mientras el partido iba bien, digamos, mientras no fueran perdiendo, Cansino se mostraba normal, calmo, tranquilo. Jugaba ahí, en su punta, participaba poco del juego, la pedía de vez en cuando, al estilo de los viejos punteros derechos, que no se movían de al lado de la raya. Hasta daba la impresión de ser un poco frío, de no interesarle demasiado el partido.

Pero si los rivales hacían un gol, se ponían en ventaja, ahí Cansino se ponía a llorar.

No le voy a decir que se ponía a llorar de golpe, de repente. Pero era una cosa como que entraba a hacer pucheros, a aspirar aire, a fruncir la cara, y ya la gente empezaba a prestarle más atención a él que al partido porque sabía que Cansino se iba a largar a llorar.

Era una cosa bastante dramática, permítame que le diga. Bastante dramática. "¡Aguante, Cansino! ¡No es nada, Loco, ya van a empatar, no llorés!" lo alentaban desde la tribuna, porque a la gente le daba no sé qué verlo así, tan sentido. Pero se largaba a llorar nomás, como los chicos. Y le cuento que Cansino, cuando pasó por Sparta ya andaba cerca de los 30, debía ser un muchacho de 28, 29 años.

Le juro que entonces, ya perdiendo uno a cero, se venía para el medio, era como que no podía esperar a que la pelota le llegase a la punta. Se venía para el medio y empezaba a conducir el juego, pero no dejaba de llorar, desconsoladamente lloraba, daba pena verlo pobre muchacho. Era algo desgarrador mirarlo correr con la pelota, levantando la cabeza para localizar a sus compañeros, saltando sobre las barridas de los rivales y llorando a moco tendido, la boca abierta, colorado por el esfuerzo, las venas del cuello hinchadas a punto de reventar.

Lo notable es que los árbitros no sabían cómo tratarlo, no hay en el reglamento ninguna regla que estipule que un jugador no puede jugar llorando. Que no pueda insultar, sí, está contemplado, o gritarle al referí, bueno, vaya y pase (o como ahora que no está permitido seguir si un jugador está sangrando), pero nunca el reglamento dijo algo sobre un jugador que llorara. Lo dejaban, entonces.

Me acuerdo de que hubo un árbitro muy grandote, el Inglés Mackinson, que la primera vez que lo vio así trató de consolarlo porque él mismo, Mackinson, ya tenía los ojos enrojecidos, vidriosos. Vio usted que hay gente que cuando ve llorar a otra persona, llora también. Paró el partido y lo habló, agarrándolo de un hombro, paternalmente.

Pero no hubo caso, Cansino se contuvo un momento, tratando de aspirar hondo para cortar los sollozos; apenas reanudado el juego empezó de nuevo a pucherear y enseguida volvió al llanto.

Se imagina que a la hinchada de Sparta la cosa mucho no le gustaba porque era motivo de la risa de las otras hinchadas. De las risas y de las cargadas. Si hasta llegaron a decirles "los llorones" a los hinchas de Sparta, por causa de Cansino.

Por otra parte, en esos momentos era cuando Cansino, desesperado por el resultado adverso, podía conseguir los milagros más conmovedores, futbolísticamente hablando. Era ahí cuando se hacía dueño de la pelota y podía dar vuelta un resultado con una facilidad asombrosa. Gambeteaba de a cuatro, de a cinco rivales, hacía jugadas que yo, después, no he visto hacerlas a nadie, podía dar vuelta un partido él solo aunque se fuera perdiendo por 3 o 4 a 0. Después, cuando Sparta lograba empatar, Cansino ya se calmaba. Casi ni gritaba el gol del empate, le digo. Se abrazaba con sus compañeros, eso sí, y se limpiaba los ojos con la manga de la camiseta. O con un pañuelo mugriento que siempre llevaba en la media. En ocasiones los mismos árbitros le alcanzaban un pañuelo y en una oportunidad lo vi secarse los ojos con el banderín del corner luego de lanzar el centro que determinó la paridad en el marcador.

"Escaso nivel de resistencia ante la adversidad", así me lo definió el doctor Suárez una vez que le pregunté, preocupado, por el caso de Cansino. Porque, indudablemente, como periodista deportivo del matutino "Democracia", el caso me interesaba.

Consulté a Suárez, asimismo, y ya en otro orden de cosas, si había alguna condición física, alguna anomalía incluso, que generara esa capacidad que Cansino tenía para la gambeta. "A veces se presenta una distorsión congénita —recuerdo perfectamente que me dijo el doctor Suárez, médico del Sparta— que genera una apreciable diferencia entre un hemisferio del cerebro y el otro, lo que produce en el paciente una distinta captación del tiempo y el espacio. Esto, en algunos casos, motiva una distinta relación en el equilibrio, y es por eso que Cansino puede intentar algunas cabriolas, o recuperar la vertical en una forma totalmente imposible para el resto de los mortales".

Alguna explicación de ese tipo debía de haber porque era insólito lo que hacía este muchacho en la cancha. La ley de gravedad no parecía existir para él y a veces uno sospechaba que tenía un radar de ésos que tienen los murciélagos dada su capacidad para no chocar contra los objetos sólidos. Pasaba entre una multitud de piernas, zigzagueando, sin tocarlas, cambiando el ángulo de su carrera a medida que lo iban bloqueando, modificando incluso su volumen corpóreo como si fuese líquido, como si fuese de mercurio, en procura de evitar los choques.

Era, por supuesto, imprevisible, y por eso le decían "El Loco". Podía arrancar, de pronto, hacia su propio arco, como si hubiese perdido el sentido de la orientación, como esas tortugas que ante explosiones atómicas han perdido la brújula genética que les indica dónde se encuentra el mar. O, de repente, llegaba hasta la línea de fondo y echaba el centro hacia el lado de afuera de la cancha, estrellándolo contra el alambrado. Para no contar las veces en que, de repente, se iba de la cancha, murmurando cosas, hablando solo, hasta meterse en el túnel.

Nadie se animaba a decirle nada porque, por sobre todas las cosas, Cansino era muy manso, muy buen muchacho, muy dócil. Le digo esto porque un par de veces yo fui a hacerle alguna entrevista a los entrenamientos y me atendió con mucha cordialidad. Pero, eso era cierto, se le notaba que no era un muchacho muy normal. O, digamos, yo ya comencé a percibir que, en él, se estaba desencadenando lo que después terminó como terminó.

La primera vez que le hice un reportaje fue acá en el centro, en el Hotel Italia, donde él paraba. Recuerdo que nos sentamos a tomar un café y me esquivaba la mirada. Otro detalle que recuerdo perfectamente, porque me impresionó mucho, fue que transpiraba. Transpiraba muchísimo, y era pleno invierno. Yo le hice una pregunta y no me contestó, no me contestó nada.

Había empezado a mirarme con cierta molesta fijeza. Pensé que no me quería contestar aquella pregunta que ya no recuerdo pero que, sin duda, era una pregunta absolutamente convencional y tonta, como ser dónde había nacido o cosa así. Intenté entonces con otra, que tampoco me contestó. Opté por una tercera, ya francamente incómodo e inseguro: considere usted que yo era un pibe de poco más de 20 años. A la quinta pregunta, Cansino modificó un poco su postura en la silla, me señaló su oreja izquierda y me dijo: "Hábleme de este lado, porque no escucho nada con el otro oído". Yo le había estado hablando sobre el oído sordo.

De ahí en más pude hacerle la entrevista y me encontré con la sorpresa de que era un hombre muy culto. Me habló de los inconvenientes que debe superar un joven de clase trabajadora para acceder a los primeros niveles en el orden del deporte, del fino y personalizado trabajo artesanal que hay en la confección de una pelota de fútbol, del elevado porcentaje de lactosa que se encuentra en un litro de leche de vaca y de la reconstrucción de la ciudad de Constantinopla luego de haber sido destruida por la Cuarta Cruzada a los Santos Lugares.

Era un poco errático en materia de conversación, lo admito, pero muy interesante. Lo del oído lo comenté después con el doctor Suárez y él me corroboró que ese tipo de disminución auditiva influía en gran medida sobre el sentido del equilibrio, tema que ya habíamos tocado en relación con la gambeta. Había algo inconexo en él; debido a eso, había un quiebre del equilibrio o de la inercia que lo hacía imprevisible.

En aquel campeonato regional del año 37, gracias a Cansino, Sparta se prendió en las primeras posiciones, cosa que nunca había conseguido. Pero a medida que se acercaba la definición del campeonato, la conducta de Cansino se hizo más y más extraña. Nunca se mostró agresivo o violento, pero siempre daba la nota con algún detalle fuera de lo común o medio raro. Salía a la cancha, por ejemplo, con una toalla rodeándole el cuello, como si recién se hubiese bañado. Había referís que se la hacían quitar, otros se hacían los distraídos, pero no era un detalle que pasara desapercibido pese a que le estoy hablando de una época en que los árbitros dirigían con saco y, a veces, los arqueros usaban sombrero, pero sombrero de fieltro, funyi.

Por esa época, Cansino empezó a escuchar voces, afirmaba que escuchaba voces que le hablaban en otros idiomas. Y lo que era más raro, las escuchaba en el oído sordo. En Sparta lo tenían entre algodones, preservándolo para la final, especialmente el ingeniero Wernicke, el presidente del club. Wernicke, muy preocupado, me decía: "Yo fui el que lo traje al club. Y cuando lo contraté sabía que le decían 'El Loco', como se les dice a tantos *wines* derechos, pero no sabía que era loco de verdad".

Hacía bien en preocuparse Wernicke, quien además quería mucho a Cansino. En la semana previa al partido final contra Deportivo Federación, Cansino empeoró. Lo encontraron una noche caminando desnudo por las terrazas en la manzana de la pensión donde vivía. Dijo que estaba entrenando. O caminaba por calle Córdoba señalando con el dedo índice hacia el cielo, vocalizando como si hablara pero sin emitir ningún sonido. La gente no le decía nada porque lo reconocían. Lo reconocían porque andaba siempre con la camiseta de Sparta puesta, debajo del saco y la corbata.

Dos días antes del partido me enteré de que lo habían llevado a un manicomio. Una cosa muy mesurada, hecha bajo cuerda para que no tomara estado público, pero con la intención de que lo trataran, lo sedaran, procurando que para el domingo estuviera bien. Un tratamiento rápido, por supuesto, de shock se diría ahora.

El sábado lo fui a ver, con una curiosidad más humana que periodística. Le estoy hablando de una época en que había menos canibalismo periodístico, no existía esa compulsión hacia los escándalos y las noticias rimbombantes. De ser así... ¿cuántos periodistas hubieran dado lo que no tenían para disponer de una primicia como la que yo sabía, revelada por el propio presidente del club?

Me fui a Oliveros, entonces, donde había por entonces una pequeña casa de reposo, de salud. Y ahí estaba Cansino. Le habían hecho un tratamiento de electroshock que le había chamuscado casi todo el pelo. Él tenía un pelo bastante mota, renegrido y, cuando yo llegué, todavía le humeaba. Se imagina usted que, por esos años, no había un cabal conocimiento del manejo de la energía eléctrica y esos tratamientos se hacían un poco a lo bestia. Le conectaban unos alambres, le humedecían la ropa para que hubiera una mejor transmisión de la corriente y ahí le sacudían. Cuatro, cinco veces, las que fueran necesarias. El doctor que estaba a cargo del establecimiento me dijo que también le habían suministrado unas inyecciones de láudano, tilo y mercurio, para tranquilizarlo. También me contó que indudablemente la práctica del fútbol había empeorado la disfunción mental de Cansino, aquella descordinación entre un hemisferio cerebral y el otro, de la cual me había hablado Suárez.

"Cada vez que este muchacho va a cabecear, y cabecea —me dijo—, el cimbronazo del impacto descoloca un poco más la armonía entre un hemisferio y el otro, haciendo más grande la grieta entre ambos". De todos modos, la verdad es que Cansino lucía tranquilo, calmo. Se paseaba entre los otros pacientes con una sonrisita por esa especie de parque que tenía la clínica. Me reconoció enseguida y fue muy cordial conmigo. Me dijo que iba a jugar al día siguiente, que estaba perfecto. Me preguntó si yo sabía idiomas, porque creía reconocer la voz mía entre las voces que solía escuchar, hablándole en portugués. Le dije que no, que lamentablemente sólo hablaba castellano. Incluso en un rasgo de sensatez me consultó cuál sería la formación del equipo del Sportivo Federación al día siguiente, y si habían llegado al país en el dirigible Hindenburg. Ahí la pifiaba feo porque Federación era un club de acá nomás, de Roldán. Pero no lo encontré mal, dentro de todo.

Al día siguiente, el domingo, fui a la cancha. Había un gentío impresionante. Era la final, creo que ya le dije. Y el Loco Cansino salió con el equipo, lo que provocó una algarabía enorme entre la hinchada de Sparta porque algo había trascendido sobre su internación y había rumores de que no iba a jugar. Humeaba un poco, todavía, o al menos así me pareció a mí, pero también es posible que haya sido ese vapor que se desprende de los jugadores cuando están transpirados por el calentamiento previo y salen al frío del invierno.

Eso sí, lo noté algo discoordinado en los movimientos. Se hizo la señal de la cruz —yo no sabía que era tan católico— tocándose la frente, un hombro, una cadera, la rodilla derecha y el otro hombro. Luego se le producía un estremecimiento facial, una contracción como la que ocurre cuando uno bebe algo muy ácido. Pero estaba bien.

La cuestión es que empezó el partido y Federación metió un gol, así nomás, de arranque. Y, por supuesto, curado o no curado, contenido o no contenido, el Loco se largó a llorar, lo que produjo la burla, la cargada, el sarcasmo de la hinchada rival que había llegado en buen número.

Era algo contradictorio porque, como ya le he contado, Cansino lloraba y metía pierna como el que más, trababa más fuerte que ninguno y gambeteaba a cuanto rival se le cruzara. Sin embargo, todo su esfuerzo fue en vano. Cerca del final del primer tiempo, Federación metió el segundo gol. Era más equipo, buscar otras explicaciones sería faltar a la verdad. Más equipo. Empieza el segundo tiempo y el Loco estaba desatado.

Lloraba y metía centros, lloraba y pateaba al arco, lloraba y eludía adversarios. Cerca de los 20 minutos hizo una jugada bárbara y se metió en el arco con pelota y todo: 2 a 1.

En eso, yo, que estaba agarrado al alambrado, cerca de los palcos para la prensa y las autoridades, entre el griterío de la gente escucho una sirena. Me doy vuelta y veo llegar, por detrás del estadio, una ambulancia, a toda velocidad. Enseguida entran al estadio un par de enfermeros, con el médico que yo había conocido en la casa de salud de Oliveros y se dirigen corriendo hacia el palco del ingeniero Wernicke. Me acerco, entonces, a riesgo de que me consideraran un entrometido. Y escucho que el médico le cuenta al ingeniero que Cansino había matado a uno de los pacientes de la clínica. Se suponía que lo había degollado con un vidrio durante la noche, pero había escondido el cuerpo bajo la cama de su propia habitación y los enfermeros recién lo encontraron al mediodía, cuando a Cansino ya le habían permitido volver a Rosario para jugar el partido. Según el médico, había que encerrarlo de inmediato porque era muy peligroso.

Yo vi la cara del presidente y comprendí de inmediato el intenso conflicto emocional que lo invadía en esos momentos. Cansino era fundamental para alcanzar el empate que les permitiría consagrarse campeones. Le pidió entonces, le rogó, al médico, que le diera a Cansino diez minutos más de libertad. El médico accedió, en parte porque le gustaba el fútbol, y en parte porque estaba esperando la llegada de la policía para dominar a Cansino.

Diez minutos después, exactamente diez minutos después, Cansino hizo otra jugada extraordinaria y le sirvió el gol al Valija Molina, un nueve grandote que era muy bruto pero que siempre la empujaba adentro. Molina hizo el gol y, automáticamente, todo la hinchada de Sparta invadió la cancha, para festejar.

Fue lo que aprovecharon la policía y los enfermeros, junto con nosotros, para correr hacia donde todos los jugadores de Sparta celebraban apilados: una decisión providencial, creo. Cuando llegamos hasta la montaña de jugadores, debajo de dos o tres de ellos, Cansino, rojo, desencajado, estaba estrangulando a Sturam, al petiso Sturam, el cuatro de su propio equipo, con un alambre de enfardar.

Se le tiraron encima los enfermeros, los policías y hasta el presidente mismo para contenerlo. Después la prensa, desinformada, acusó a la policía de parcialidad manifiesta por unirse cn el festejo de la conquista. Lo cierto es que, en el remolino de gente, lo agarraron a Cansino entre muchos y se lo llevaron para el túnel.

El partido no pudo reanudarse, había mucha gente dentro de la cancha y en realidad faltaban nada más que dos minutos. Entre la algarabía de la hinchada, yo escuché la sirena de las ambulancias y de la policía alejándose. fue la última vez que pude ver a Cansino. El club notificó luego que lo habían vendido a Montevideo, hubo trascendidos de que se había retirado del fútbol. Pero lo cierto es que nadie supo nada más de él.

Quedó como un héroe, eso sí. Vaya usted y pregunte a los viejos hinchas de Sparta por el Loco Cansino y todos se van a llenar la boca de elogios hablándole de él. Yo estuve tentado un par de veces de irme para Oliveros porque tenía la sospecha de que lo habían vuelto a encerrar allí. Pero vio cómo son estas cosas, va pasando el tiempo, uno se ocupa de otras cosas, y al final no va nunca. Pero... qué *wing* derecho era el Loco... Qué *wing* derecho.

YOLI DE BIANCHETTI

Es el año 2018 y la estación norteamericana Mathews de observación astronómica, en las Islas Aleutianas, detecta una formidable flota de naves espaciales en las proximidades de Júpiter.

Días después, el presidente norteamericano Thomas Redfedders (primer presidente pielroja de los Estados Unidos) es informado de que dicha flota está compuesta por naves de guerra. Redfedders, cauto, aconseja no comunicar el descubrimiento a la población mundial hasta conocer el rumbo de las naves.

Una semana después, la estación terrena de observación satelital de Benidorm, en España, confirma que la flota extraterrestre ha superado la Cabellera de Berenice que circunda el quásar Lebreles y que se encamina, sin duda alguna, hacia la Tierra. Henry Cáucaso, asesor de la Casa Blanca, aconseja a Redfedders mantener la cautela hasta conocer las reales intenciones de la flota.

A mediados de agosto la flota extraterrestre ya atraviesa el Cinturón de Van Allen y los potentes telescopios de la

Marina Real Inglesa ubicados en Auckland comunican que está compuesta por más de 250 naves. "Son —informa un experto— de características inequívocamente militares".

El 27 de octubre de 2018, la discreción militar sobre el caso se hace trizas. Se interrumpen abruptamente las programaciones y aparece en todas las pantallas de televisores y computadoras del mundo una imagen de Saturno, inmóvil dentro de sus anillos. Tras unos minutos de silencio, se escucha un mensaje desde el espacio exterior: "Mi nombre es N%rood. Soy el rey de la galaxia Nubecula Minor, conocida vulgarmente como Minor, distante siete millones de años luz de la Tierra. Conozco absolutamente todos los secretos y costumbres de vuestro planeta ya que, en nuestra galaxia, recibimos las ondas de televisión y radio emitidas en la Tierra y que viajan por el espacio".

Lo sintético de la presentación y el mensaje provocan desconcierto en nuestro planeta. Redfedders, ante la entendible inquietud mundial producida por un mensaje que ha llegado en forma directa desde el espacio a la intimidad de todos los hogares, se ve obligado a revelar el acercamiento de la flota de N%rood, aportando detalles y características. No puede explicar, por supuesto, los motivos que movilizan a las huestes del rey de la galaxia Minor.

A fines de noviembre, el satélite Pájaro Madrugador informa a la Nasa que la flota alienígena define su rumbo: América del Sud. Y las computadoras de la Fuerza Aérea Norteamericana sorprenden al notificar que un cálculo de intención desarrollada de las coordenadas del desplazamiento de las naves del Rey N%rood, indica que el destino final de los visitantes es Casilda, una pequeña ciudad de la provincia de Santa Fe, en la Argentina.

El 13 de diciembre aparece nuevamente la voz, ahuecada y metálica, del Rey N%rood en todos los aparatos de televisión y radio del mundo. Sobre un fondo de nevada estática en las pantallas, el monarca informa que a través de las emisiones de canal de cable que, viajando por el espacio estelar, llegan a su lejana galaxia, se ha enamorado perdidamente (es la palabra que usa) de Yoli de Bianchetti, conductora del programa "Cocinando con Yoli" de la ciudad de Casilda. La intención de N%rood es, lisa y llanamente, llevarse a la citada animadora a su palacio de Minor. La reacción de la prensa mundial no se hace esperar. Cientos de miles de periodistas de todo el planeta se abalanzan sobre una conmocionada Casilda, procurando datos sobre Yoli de Bianchetti. La mujer, de unos 65 años, se muestra entre halagada y confundida. Revela que desde hace unas dos décadas mantiene su micro de cocina "Cocinando con Yoli" en la televisión por cable de la localidad santafesina, expresa que no logra entender cómo puede haber posado sus ojos ("si los tiene", vacila) en ella un ser tan poderoso como el Rey N%rood y, por último, estipula algo que aporta al tema una dosis de conflicto: se halla felizmente casada con Ernesto Bianchetti desde hace 40 años y está más enamorada que nunca de su marido.

Ernesto Bianchetti, por su parte, farfulla algunas incoherencias ante la prensa, desestima la gravedad del caso, aduce que no puede llevarse por rumores propios de la farándula y se revela como un amante de la apicultura y carpintero doméstico. ("No estoy para pavadas ni habladurías", concluye.)

Al día siguiente, Yoli de Bianchetti, en su micro del mediodía, transmitido esta vez en simultáneo a todo el mundo, indica cómo preparar un pejerrey (pescado muy sabroso de la zona) al oreganato con guarnición de tomates perita. Antes de cerrar su micro, de sólo veinte minutos, dirige un mensaje al Rey N%rood. "Majestad —comienza, aplomada—, con vanidad femenina, no voy a negar que me halaga que alguien tan poderoso como usted se haya fijado en una simple ama de casa como yo. Pero permítame informarle que mi corazón pertenece, desde hace 40 años a mi esposo, Ernesto, con quien he tenido un hijo, y está muy lejos de mi voluntad aceptar cualquier tipo de propuesta sentimental que me aparte de esa conducta".

El escueto pero elocuente pronunciamiento de la señora de Bianchetti es recibido con complacencia. "Es una Yoli de Bianchetti auténtica", celebra ante la ESPN una de sus vecinas. "No esperaba otra cosa de mi madre", agrega Raúl, su hijo de 37 años, ingeniero agrónomo abocado a la lucha contra el gorgojo barrenador del tallo. El mensaje no obstante no es recibido con tanto beneplácito en Washington, en la Casa Blanca. Se aguarda, con cierto temor, una respuesta de N%rood, cuya flota está a punto de penetrar en la atmósfera terrestre.

El 4 de enero la flota de N%rood penetra en la atmósfera terrestre y aparece en todas las pantallas la respuesta tan temida. En este caso no es N%rood quien habla, sino uno de sus voceros. "El Rey N%rood —advierte— no reconoce las leyes de los hombres, como las que pueden regir el matrimonio. El Rey N%rood sólo reconoce las leyes naturales, como la de la atracción de los cuerpos sólidos, sean éstos seres vivos, inertes o planetas. La flota de la galaxia Nubecula Minor reducirá a polvo el planeta Tierra si alguien se opone a que la señora Yoli de Bianchetti se convierta en su prometida".

El presidente Redfedders reúne urgentemente a su gabinete. La situación es complicada desde el punto de vista ético y militar. La pregunta del millón es: "¿Vale la pena exponer a todo un planeta a un holocausto general para preservar la virtud de uno solo de sus habitantes?". Líderes mundiales exponen sus opiniones. El Vaticano exige respetar los indisolubles vínculos del matrimonio. Funcionarias feministas califican a N%rood como "otro estúpido y prepotente símbolo del machismo". Redfedders se reserva la última palabra pero recomienda, con sabiduría sioux, aguardar hasta que se produzca el contacto, que se avecina, entre la señora de Bianchetti y el monarca de Minor.

Ernesto Bianchetti, esposo de Yoli, confiesa a la CNN que, a su edad, no esperaba tener que enfrentarse con un imperio galáctico.

Discretamente, todas las bases aéreas de la Otan alistan sus cazas interceptores de última generación. Los radares de la Nasa mantienen un constante monitoreo del desplazamiento de la flota de N%rood y de los micros de la señora de Bianchetti.

Erwin Donhataway, secretario de Defensa de los Estados Unidos, pese a confesar desconocer los verdaderos alcances destructivos de la flota invasora, introduce un atisbo de inquietud al declarar: "Nos harán pedazos".

El 14 de enero, la noche sobre el cielo de Casilda parece estallar en mil estrellas multicolores. Multitud de curiosos y periodistas que se han acercado al lugar contemplan, azorados, cómo la flota del Rey N%rood se estaciona sobre la ciudad. Hay una tensa calma que se mantiene hasta la mañana. Cerca del mediodía, la nave madre, de casi 50 metros de diámetro, desciende lentamente en un descampado hasta posarse sobre la tierra. De inmediato, fuerzas de seguridad delimitan con vallas un perímetro para contener la ansiedad popular. Pronto, una rampa baja desde el vientre de la nave y por ella desciende el Rey N%rood. Es una masa amorfa, viscosa y repugnante (para el gusto humano, al menos) que despide olor a sótano y se desplaza con lentitud gomosa. Está cubierta con una capa brillante y emana, no obstante su aspecto, cierta majestuosidad.

Reclama, con la misma voz ya conocida a través de los mensajes televisivos, la presencia de Yoli de Bianchetti. La ecónoma es avisada al canal de cable, donde está a punto de emitir sus recetas en vivo. Coqueta tal vez, solicita a quienes han ido a buscarla que la aguarden hasta que termine su micro. Recomienda ese mediodía croquetas de arroz y berenjenas al vapor. Antes de marchar al encuentro con N%rood, se hace maquillar nuevamente.

Ante la expectativa mundial, Yoli de Bianchetti se encuentra con N%rood a pocos metros de la nave insignia. No puede escucharse lo que conversan. Pero, agobiados al parecer por el intenso calor y necesitados de hablar unas palabras en privado, a los pocos minutos ambos se retiran, siempre flanqueados por policías provinciales, hacia el Café y Tertulia "La Glorieta", distante sólo media cuadra y abierto casualmente a esa hora. Nadie puede registrar la crucial entrevista. Veinte minutos después, ante el murmullo general, Yoli de Bianchetti se retira a su casa de calle Saavedra y el Rey N%rood retorna a su nave. No obstante, la rampa de acceso no se levanta.

Dos horas después Yoli de Bianchetti llega hasta la nave en un patrullero, desciende de él con un bolso de mano y, frente al rumoreo escandalizado de la multitud, sube por la rampa y desaparece dentro de la nave. Un minuto después, se pliega la rampa de acceso y la nave insignia del Rey N%rood levanta vuelo, sin un solo sonido, apenas con una imperceptible vibración. Se une al resto de las naves que han permanecido sobre el cielo de Casilda y la flota íntegra emprende el regreso hacia la galaxia de Minor. Esa noche las luces de las naves visitantes parecen apenas una pequeña Vía Láctea, esfumándose hacia la profundidad del espacio.

Ernesto Bianchetti, el más buscado por los micrófonos y las cámaras, se niega a hacer declaraciones, "hasta que haya evaluado bien los sucesos", solicita.

Al día siguiente, sobre el mediodía, el programa "Cocinando con Yoli" es anunciado como un programa "especial" grabado. Allí, una Yoli de Bianchetti con expresión grave y severa, bastante distante de la conductora jovial y campechana de siempre, dice lo siguiente: "Es mi deber, en mi carácter de católica y ama de casa, no poner en juego la existencia de la humanidad toda, amenazada por el capricho de un monarca decidido a sobrepasar cualquier límite. Sacrifico, lo sé, una vida de pareja ejemplar y una convivencia maravillosa, pero la simple certeza de haber salvado a la especie humana me alienta a seguir. A mi marido, Ernesto, sólo le pido que sepa comprenderme. A mi hijo, Raúl, lo mismo. A las autoridades del canal, que siempre me apoyaron, muchas gracias".

En Washington, un aliviado presidente Redfedders congratula a su gabinete y a las Fuerzas Armadas por la templanza y prudencia observadas.

Dos meses después, desde Casilda, Irma Sobrino, amiga personal de Yoli de Bianchetti, concede una entrevista a la revista "Playboy", donde revela entretelones de una conversación suya con la ecónoma, poco después de la crucial conversación de ésta con el Rey N%rood en el Café y Tertulia "La Glorieta".

"Yoli me confesó —dice Irma Sobrino— que su matrimonio con Ernesto era ya pura rutina. Que lo seguía amando, por supuesto, pero que la pasión había desaparecido. Que su hijo ya estaba grande y hacía su vida. Y que había algo en el Rey N%rood, no sabía explicar muy bien qué era, que la atraía".

Poco después, en otro diario de la zona, "La Voz" de Villa Mugueta, Elvira D'estéfano, peluquera de la señora de Bianchetti, manifiesta que "Yoli era ambiciosa".

A mediados de julio de 2018, el presidente Thomas Redffeders califica a Ernesto Bianchetti como "única y lamentable víctima del conflicto interespacial".

Ernesto, reclamado por la prensa, sólo atina a declarar, mustio y criterioso: "Es la vida".

UNA PLAYA DESIERTA

¡La cara! ¡La cara que puso el imbécil de Contreras! Creo que viví toda mi vida sólo para ver la cara que puso ese hijo de mil putas.

Para ser sincero, no fue que se transfiguró o que se le saltaron los ojos de las órbitas, pero yo noté, noté como si de repente se le hubiese agolpado toda la sangre debajo de los mofletes, alrededor de los ojos, como si lo hubiesen inflado desde adentro. Observé, sí, dentro del cuidado que puse para no mirarlo demasiado, que le latía una venita en el cuello, azul la venita, casi verde, como una luz intermitente de alarma. Se puso morado, es cierto. Y se la comió, no dijo nada.

Es que él estaba muerto con ella, con Adriana —ya puedo llamarla Adriana—, aunque se hacía el fruncido, el contenido, y nunca comentó nada.

Pero se le notaba. Las veces que íbamos a almorzar al "Freddy" no le sacaba la vista de encima. Se sentaba incluso de frente a ella para poder mirarla.

Me di cuenta un día en que, al llegar ella con la petisita esa que siempre la acompaña, Contreras se cambió de asiento con el pretexto de que había un reflejo que lo molestaba. Contreras no es Goñi, por supuesto. Goñi, en cambio, no dejaba de hablar de Adriana.

—Mirá, mirá cómo se vino hoy —me anunciaba a veces entredientes, agitado, tapándose la cara como para disimular cuando su actitud era obvia para todos—. Mirá como se vino la guacha...

Y yo optaba por una posición intermedia. Tiraba un comentario al pasar, como para no dejar pagando a Goñi, pero no me excedía en adjetivos, algunos de los cuales le caían bastante mal al amargo de Contreras. Goñi es un exagerado, es cierto, pero la verdad es que a veces Adriana aparecía por el boliche y parecía una diosa. Siempre elegante, nunca de sport, pero invariablemente provocativa, ya sea por las polleras bien cortas, o por el cuello del saco sastre bastante escotado. Un día Contreras no aguantó más y la calificó con una palabra rebuscada.

—Inquietante —murmuró, acompañando, esa vez sí, alguna de las opiniones más frescas y contundentes de Goñi.

—Rebuena la guacha —había dicho Goñi, casi desplomándose sobre la mesa.

Y no sé si decir que Adriana es linda. Es rara. Es interesante. De esas narigonas tetonas de piernas largas que, como dijera Contreras, inquietan. Siempre había un pequeño revuelo en el "Freddy" cuando llegaba ella con la petisa. Un murmullo entre las mesas de hombres, un cabeceo, un girar de cabezas al unísono.

Lo disfruté desde el primer momento, cuando la cosa se dio bien. Tenía de alguna manera que transmitírselo a Contreras en forma no explícita, sino como algo artero, tangencial, oblicuo. Pensé durante todos esos días previos cómo pegarle la puñalada de la forma en que más le doliese. Quería ver si mantenía, después de saberlo, esa misma cara de satisfacción reprimida e hija de puta que puso la vez aquella, hará dos años, en que me negó los tres días de vacaciones. Durante los 20 minutos que duró esa reunión intentó mantener una expresión neutra y profesional de empleado jerárquico que simplemente conversa con uno de sus subalternos, pero yo le advertía adentro, muy adentro, el goce propio del malparido que goza con su poder.

No podía ir, entonces, y contárselo de buenas a primeras, sin mediar un tema que justificara la información, porque después de todo lo nuestro no era una amistad sino una simple relación de trabajo.

Venía con nosotros de tanto en tanto a almorzar, porque éramos pocos y, de no ser así, tenía que comer solo como un perro. Sin embargo, cuando Wulfsohn se quedaba en la oficina (y no tenía ningún almuerzo de trabajo) bien que Contreras prefería irse con él a comer un bife con ensalada al Riviera o al Mercurio.

Supe, entonces, que podía sacar el tema con el apoyo involuntario de Goñi. Aparte, Goñi lo detesta a Contreras y sin duda le iba a complacer hacerlo mierda. Goñi no soporta la formalidad de Contreras, su pulcritud, esa permanente corrección, el hecho de que no diga malas palabras ni hable de fútbol.

Cuando Contreras bajó, entonces, y se quedó abajo controlando lo de Bisleri Hnos. me di cuenta de que había llegado el momento. Lo llamé a Goñi y le pedí todo lo pendiente sobre la cuenta de Isurieta.

—¿Para qué lo querés todo? —me preguntó Goñi—. Es muchísimo. ¿Tenés que adelantar?

—Sí —le dije. Hasta ese momento Contreras ni nos miraba, sentado en el escritorio de Resquín.

—¿Te vas de vacaciones? —siguió Goñi.

—Sí.

—Ah, qué pícaro... Ahora te lo traigo... —pero antes de irse se volvió para preguntarme, invasor—. ¿Te vas solo? Goñi sabía que soy soltero. Y que me había peleado con Ana hacía ya más de cuatro meses. Aguanté un poco la respuesta, como para crear la duda, y de paso observé de reojo a Contreras, que había parado la oreja.

—Sí... Sí... —ése era el momento crucial. Si Goñi se daba vuelta y se iba, tendría que buscar otro recurso. Pero lo conozco demasiado a Goñi.

—¿O te vas con alguna minita, Albertito, decime la verdad? —me pinchó Goñi. Amplié una sonrisa muda y meneé la cabeza, sin contestar. Intuí que Contreras me estaba mirando.

—Te vas con una minita, hijo de puta —se rió Goñi, señalándome como a un delincuente. Como los grandes escualos, Goñi había olfateado la sangre y yo sabía que no soltaría la presa—. Te vas con una minita. Decime, contame... ¿Con quién te vas? —se me había acercado hasta casi tocar mi nariz con la suya. Me retiré un poco, como molesto, lo suficiente como para que se justificara hablar en voz alta.

—No la conocés —mentí.

—No la conozco.

—Bah, sí... la conocés...

—¿La conozco? —se exaltó Goñi. Pensó un instante—.

¡Lucrecia! —aventuró. Lucrecia era una compañera de trabajo más fea que un culo. El "Pacú" le decían los muchachos de empaque. Miré a Goñi con cara de ofendido.

—No... No...

Goñi se quedó callado, expectante. Y Contreras también, ya ni siquiera fingía estar trabajando y me miraba.

—Adriana —dije.

—Adriana... ¿Quién es Adriana? —balbuceó Goñi, y con el costado del ojo advertí que Contreras palidecía.

—La flaca, la narigona que va al "Freddy". Que almuerza siempre con la petisa —agregué, como si fuera necesario.

La verdad es que ni yo lo podía creer. Lo cierto es que me costó mucho decidirme a encararla. Nunca he sido muy suelto para atracar minas.

Pero ese día apareció sola en el boliche. Sin la petisa. Y se sentó a una mesa en compañía de un libro, *La inteligencia emocional*.

Supongo que, como a casi todas las mujeres, le jodía comer sola pese a que era clienta del boliche y los dos mozos la conocían. Era, indudablemente, el momento. Y yo, el hombre indicado para aprovecharlo. Goñi me lo hizo saber, aumentando la presión, argumentando que él se marginaba de la competencia ya que era casado y que, además, no estaba a ese nivel. Contreras no había ido ese día y, por otra parte, también era casado y notablemente temeroso de lo que pudiera decirse de él.

Había más candidatos, sin duda, en las otras mesas, pero muchos almorzaban con compañeras de trabajo que sabían que ellos tenían esposas e hijos, situación que los paralizaba. Y algún otro aspirante, quizás, desconocido, al cual habría que adelantarse. No tomé el café, incluso, por el apuro y los nervios y, cuando ya salíamos con Goñi, me paré junto a la mesa de ella y le hice la más imbécil de las preguntas.

—Perdoname —dije—. ¿Estás leyendo ese libro?

—Lo estoy terminando —contestó ella, con una sonrisa.

—Ahh… ¿Y qué te parece?… Porque lo estaba por comprar y…

—Mirá… —frunció ella la boca, pensativa, adoptando un gesto de crítico literario. Al tiempo, señaló vagamente la silla desocupada de su mesa.

Dije "permiso". Y me senté. Lo demás fue fácil.

Todo, todo demasiado fácil. No estaba casada, ni de novia, ni nada. Accedió inmediatamente a tomar un café ese fin de semana. Hablaba, se reía y me trataba con una soltura como si me hubiese conocido de años. Comentamos algo sobre nuestras ocupaciones, sobre el cansancio que genera el trabajo. Sobre lo lindo que sería tomarse un descanso. Y se prendió de inmediato en la fantasía de pasar unos días en una playa desierta.

Le dije que eso podía ser realidad. Que a mí se me habían acumulado días de vacaciones, que tenía un buen auto y que podíamos irnos los dos juntos a algún hotelito tranquilo más al sur de Monte Hermoso. Ella incluso propuso Trelew, pero ya me pareció un poco extremo.

Nos poníamos de acuerdo inmediatamente, era como si estuviésemos compartiendo un carrito de una montaña rusa y nos dejáramos llevar por el vértigo desenfrenado.

No hubo sexo, sin embargo. Fue un poco como si diéramos ya por sentado que sucedería, pero no en la ciudad rugiente y cubierta de smog, sino en la abrigada habitación del hotel costero, arrullados por el restallar empecinado del oleaje. Perdonen lo barroco del lenguaje, pero tengo una cierta tendencia al romanticismo.

—Me fascina la piel —le comenté a Contreras, cara a cara, sentados uno frente al otro, cuando él ya parecía haber asimilado a duras penas el golpe y se decidió a preguntarme cómo había sido—. Ese tono dorado, casi sepia. Y las piernas especialmente, muy fuertes, de una persona que ha hecho deportes, me da la impresión. Y usa... usa... —puntualicé, como al descuido— ...una pulserita en un tobillo...

Contreras apretó los labios y supongo que tragaba bilis. Me juego las bolas que él pensaba atracársela. Tiene más guita, mejor coche y, admitámoslo, más pinta que yo. Es difícil adivinar el gusto de las mujeres pero al menos Marisa y María Elena, de Sueldos, dicen que está "muy fuerte". Pienso que las obnubila el poder, el hecho de que Contreras sea jefe de ellas. Admito que no luce mal, que el hombre tiene su pinta y está bastante entero para sus 55 años. Sé que hace gimnasia, sale a trotar y juega al golf. La va de fino además, de hombre de mundo, y eso suele emocionar a las mujeres. Pero no puede competir conmigo por algo simple, demasiado simple: no tiene tiempo. Podrá ofrecer una noche de amor clandestino, alguna cita a escondidas a la siesta, tal vez algún fin de semana en Buenos Aires. Pero no muy a menudo tendrá un sábado o un domingo para invitar a una mina a dar una vuelta, lo más piola, por el Parque Independencia, La Florida. O irse al río, a la isla.

Goñi fue, por supuesto, más estentóreo y demostrativo.
Se tiró del pelo, zapateó un poco, me puteó un rato largo y,
por último, me besó efusivamente en las mejillas y confesó
que me envidiaba desde lo más profundo de su corazón.

—Pero no con una envidia sana —se apresuró a aclarar—. Con una envidia puta y enfermiza, la peor de las en-
vidias.

Había preguntado, había exigido detalles por supuesto, luego de verme encarar a la flaca, pero yo le dije que la
cosa no había pasado de una charla cordial sobre la inteligencia emocional y que, fuera de eso, no me había dado mucha bola.

Lo que siempre soñé, seamos francos. El sueño de cualquier hombre que se precie de tal. Irse diez días a una playa desierta, acompañado por una mina nueva que está bue-
nísima. Cómo ha influido el cine en todos nosotros.

Pensaba en el viaje y la primera imagen que me venía
a la mente era la de Adriana y yo caminando por la playa,
de pantalones cortos y pullover, acompañados de un perro
muy peludo —confieso que no sé de dónde carajo podría haber salido ese perro— en un atardecer un tanto gris y ventoso. Esas playas extensas, anchas, desoladas, agrestes y
rectas, en las cuales uno puede caminar y caminar sin detenerse hasta llegar a Tierra del Fuego. Con médanos, pequeñas cercas de madera semipodrida y arbustos achapa-
rrados.

No sé si vi algo así en "Julia", aquella película donde
Jason Robards hacía de Dashiell Hammett y la Vanessa
Redgrave era su esposa escritora que se iba a completar

una novela a un sitio parecido. Vanessa Redgrave o Jane Fonda, alguna de las dos era la esposa.

O tal vez en aquellas películas en blanco y negro de la *nouvelle vague* francesa, sin música de fondo, donde los intérpretes, siempre preocupados, siempre angustiados por algo, hablaban con monosílabos sólo a intervalos de veinte minutos.

Digamos, nada de playas tropicales con palmeras y gente en catamaranes. Nada de negros bailando calypso bananero, nada de minas en bikini jugando con una pelota enorme. Algo más austral, más profundo, más sensible, más auténtico. Mi segundo pensamiento sobre el viaje era siempre el mismo. Adriana y yo revolcándonos en la cama, haciendo el amor ferozmente en los lapsos libres en que no caminábamos con el perro peludo.

Tengo una pizca de decepción. Un atisbo apenas, nada serio. Y es en cuanto a lo del sexo. Fue fantástico anoche, sin duda. Adriana es, digamos, sensacional. No diría escultural, porque eso es mucho decir, pero se acerca bastante a las mujeres de las tapas de las revistas. Tal vez un poco mayor, en edad. Me dijo que tiene 33, la edad de Cristo, dato muy poco válido porque estaríamos comparando personalidades, ocupaciones y conceptos de vida, en principio, bastante diferentes.

Pero cuando contemplaba por primera vez esos pechos ceñidos, duros, tercos; ese vientre recto, los muslos firmes y casi musculosos, en tanto ella se alistaba para venir a la cama, comprendí que la vida me estaba premiando por algo.

Ya vendrá el momento de averiguar por qué. Tal vez

por ese dinero que le presté a tía Haydée para que se comprara el lavarropas.

Un detalle, apenas. Tiene los tobillos un poquito, un poquito gruesos. Adriana, no tía Haydée. Quizás el haberme fijado demasiado en el toque perturbador de la pulserita tintineando sobre su zapato de taco alto me haya hecho pasar desapercibido ese punto. Por lo demás, una diosa. Una potra, como diría Goñi.

A lo que me refiero más que nada, cuando hablo de una pizca de decepción, es al sexo en sí. Estuvo bien, es cierto, y tras repetir la cosa tres veces —y estoy diciendo tres veces— me sentí pleno, realizado y con hambre. Pero ella, digamos, es algo inerte.

Que se entienda bien. Acepta, concede, gimotea incluso; pero es, podría definirse, poco participativa. Un tanto fría. No es divertida, en una palabra, ni se suelta. Como si hubiera aprendido de grande. Ana, por ejemplo, mucho menos dotada físicamente, era más graciosa, más entretenida, más risueña. Ni hablar de Elena, un poco grosera por momentos cuando gritaba barbaridades, pero vibrante, intensa. Desaforada.

Me preocupa un poco la cifra. Tres. Que no piense Adriana que todas las noches será lo mismo. Veremos cuando me reponga. Se durmió enseguida, angelicalmente, tras haberme pedido que bajara al *lobby* a buscarle un yogur. Esas ocurrencias tiernas me doblegan. Es dulce, francamente.

Me sorprende minuto a minuto. Es una persona altamente espiritual. Canturrea en forma permanente. Dice que adora la música, especialmente el jazz. Y suele ensayar unos pasos de danza, descalza. Lo hizo mientras me servía el desayuno en la cama. No puedo creerlo. Esta chica ha recibido una enseñanza japonesa, de geisha. Mientras yo dormía pidió el desayuno en la habitación. Y lo decoró ella misma antes de despertarme. Había cortado unas florcitas amarillas muy lindas que crecen en unos canteros en la puerta del hotel y con ellas adornó la bandeja.

No quiero adelantarme a los acontecimientos, pero no puedo evitar el pensar en el mañana, en el retorno a Rosario y la continuidad de nuestra relación con Adriana. Hasta podría pensar en la posibilidad, siempre resistida por mí, de la convivencia. Por ahora puedo decir que aquellos momentos que yo imaginaba antes de venir aquí, se me han cumplido. *Your dreams come true*, como dicen los yankis.

Ya hemos caminado horas por la playa, cerca del atardecer, tomados de la cintura, ella canturreando canciones francesas y abrigados con gorros y pulloveres.

El que faltó a la cita, hasta el momento, es el perro peludo que yo imaginaba. Aunque supongo, esa escena la vi yo en "Un hombre y una mujer" hace mil años y ya ese perro se debe haber muerto. Lo cierto es que no vimos ningún perro.

Y no sólo eso. Ningún ser humano o viviente en la playa, salvo una gaviota que chillaba como enojada. En el pueblito incluso se ve poca gente. Es un caserío apenas, diseminado entre las dunas.

—Una maravilla, una maravilla —repite Adriana, embelesada—. Mucho mejor de lo que yo imaginaba.

En el hotel ella preguntó por caballos. Quiere montar

a caballo junto al mar, sintiendo los fríos dedos de la espuma esparcida por el viento tocando su rostro.

Me figuro una escena fuerte, bravía, vital, con nosotros dos cabalgando junto a las olas en la mañana medianamente polar.

El dueño del hotel, un hombre de no menos de 78 años, nos promete que conseguirá caballos. Aunque sea uno.

—Mi reino por un caballo —bromea Adriana. El viejo la mira, absorto. Adriana suele dejar caer esas citas algo intelectuales, que a mí me agradan pero que suelen ser inoportunas porque no elige bien los interlocutores. Lo hizo un par de veces con un mozo de un parador de la ruta, repitiéndole el título de una película de culto. El mozo sólo atinó a decirle que no tenían.

Yo le pregunto al viejo por ciclomotores, boogies, esas motitos con gomas gordas para andar por la arena. El hombre me mira como si le hubiese mencionado un ecógrafo digital simultáneo. No vuelvo a mencionarle el tema.

Lo de hoy fue estremecedor. En todo sentido. Adriana quiere beberse la vida de un solo trago. Me instó a levantarnos bien temprano para ver el amanecer y zambullirnos en el Atlántico. Yo me mostré un tanto remolón pero no puedo evitar su entusiasmo. A las siete de la mañana estábamos de pie, todavía estaba oscuro. Cuando salimos del hotel el frío que hacía era casi invernal, pero propio de un invierno de la taiga rusa.

Ella cruzó la calle hacia la playa dando largas zancadas de bailarina, girando sobre sí misma y cantando. Un par de veces temí que el viento la estrellara contra la pared del taller mecánico que está enfrente. Los granos de arena nos pulían la piel como si fuesen disparados por un soplete gigantesco. Me vi tentado a sugerirle volver.

—Esperemos un poco que calme el viento —le grité, pero el mismo aullido de esa suerte de huracán que venía desde el mar tapó mis palabras. Por otra parte, esperar que calmara el viento no dejaba de ser un deseo infantil. En todos los días que hemos estado aquí el viento no dejó de soplar ni un solo instante, empecinado, terco. Adriana corrió hasta mí, me tomó de la mano y me arrastró hacia el mar. Me encanta cuando actúa así. Tan natural, tan suelta, tan alejada de falsas hipocresías. El frío me despejó el sueño que tenía, pese a que había dormido bien.

Debo decir que hemos reducido un tanto nuestra actividad sexual, luego del primer encontronazo incentivado por la curiosidad y la calentura. El paisaje del mar que vi esta mañana, iluminado apenas por la franja naranja que iba creciendo desde el horizonte, me recordó una película noruega que viera años atrás, donde un submarino alemán naufraga en el gélido mar del Norte.

Nos sentamos en cuclillas sobre la arena frente a aquel espectáculo. Yo recibía cada tanto sobre la cara el impacto de gotas congeladas que disparaba el viento y me pegaban con la fuerza de gomerazos.

—Qué bello... qué bello... —murmuraba Adriana, a mi lado. En un momento, la vi llorar. No supe si era por efecto de la emoción del momento, por el viento en los ojos que tanto suele molestar a los ciclistas, o por el frío que nos atería. De una forma u otra, en ese instante, la amé de verdad.

Le pedí que suprimiera el desayuno en la cama. Es muy incómodo, siempre temo que se me vuelque el café sobre las frazadas y además se llena de migas entre las sábanas. Por otra parte, el olor de esas florcitas silvestres con que ella adorna la bandeja al secarse, es bastante repugnante y me hace doler la cabeza.

Lo entendió perfectamente. También me agrada eso de ella. Es comprensiva. No intenta imponer su criterio a rajatabla. Le pedí que desayunáramos abajo, con los otros clientes del hotel.

De todos modos hay muy pocos. Un viajante de comercio que come solo, otro hombre grande y una pareja de viejitos alemanes, muy amables. Al menos, entre ellos.

También desayunó ayer un extraño personaje, alto, pelado, al que le faltaba un brazo, pero hoy al mediodía ya no estaba.

El dueño del hotel tiene una prima, una señora de unos 68 años, que permanece mañana, tarde y noche mirando televisión abajo. Cuando no mira televisión, lee diarios viejos. Propuse a Adriana irnos de una escapada hasta Monte Hermoso, cenar en algún restaurant con otra gente, tomar un café en algún bar céntrico.

—Soy egoísta —me dijo ella—. Te quiero sólo para mí.

Y me desarmó. Me llevó también de nuevo, a ver el amanecer a la playa. Estaba un poco más frío y ventoso que la vez anterior y vimos aguasvivas que parecían tiritar sobre la arena.

Pero en esta ocasión Adriana redobló la apuesta: insistió en que nos metiéramos al mar. Sin esperar a que yo le contestara, corrió y se internó en las aguas oscuras con la poética determinación de Alfonsina Storni.

Yo intenté seguirla, paso a paso. Aunque ya van dos noches en que me he llamado a sosiego, de tanto en tanto ella me hace referencias elogiosas hacia mi virilidad. No podía, entonces, negarme a entrar al mar, con la tonta excusa del congelamiento. Al primer contacto con el agua sentí como si en los pies me pegaran martillazos. Como si alguien con un pico me asestara golpes en los empeines. Mil puntazos agudos después en las canillas, un dolor penetrante en las rodillas y una sensación terrible de que los muslos estaban clínicamente muertos cuando el agua, torpe e invasiva, me alcanzó el borde inferior de la malla.

No encuentro palabras, simplemente, para describir lo que sentí cuando el primer cachetazo de hielo líquido me golpeó los testículos, pese a mis saltos desesperados para evitar que me alcanzara. Recordé, en un pantallazo propio del hombre que pasa vertiginosa revista de su vida momentos antes de morir, cuando un médico de guardia del Sanatorio Parque me estrujó despiadadamente los huevos procurando detectar alguna anomalía antes de dictaminar que mis molestias genitales obedecían al doméstico y poco heroico "síndrome del pantalón vaquero", prenda demasiada ajustada en la mayoría de los casos.

Tuve que tomar una sopa bien caliente, al mediodía, para recuperar los colores. No hay muchas otras cosas con las que alimentarse de todos modos en el hotel "Albatros", lo confieso. Ensalada de papas casi siempre, alguna milanesa, fideos con manteca, ensalada de lechuga y tomate. Poco pan. No les llega muy a menudo. Me ofrecieron galletitas de agua. Prefiero el pan viejo, tostado. Me tuestan las galletitas.

Adriana se ríe de la situación. A mí, en cambio, me está cansando un poco. Y lo reconozco, Adriana es fantástica, pero no me satisface tenerla para mí solo, al menos en el aspecto visual. Es de esa clase de mujeres que merece ser mostrada, lucida. Tal vez me equivoqué y debería haberla invitado a Mar del Plata. Ella hubiese aceptado lo mismo. Un lugar con mucha gente, donde uno pueda ir de noche a un restaurante y todos los tipos lo miren con envidia. Esos tipos que salen a comer con los chicos y sus mujeres gordas, que ya están hartos del matrimonio o quizás, vencidos.

Donde uno puede tener la fortuna de encontrarse con gente amiga de Rosario, con conocidos de Rosario que piensen: "Mirá qué hijo de puta Alberto, la mina que se trajo el guacho". Tipos con esposas que preguntan: "¿Quién es ésa que está con tu amigo?". Que no dicen "la mujer" o "la joven que acompaña a tu amigo". Dicen, escupen, "ésa", conscientes de que también su propio marido se muere por una belleza así y que ellas no pueden competir con mujeres como Adriana. Le pregunto a Adriana.

—¿No querrías, Adriana, que uno de estos días agarremos el auto y nos vayamos por ahí, a otra parte?

Le brillan los ojos.

—Puerto Madryn —me dice—. O más al sur, Cabo Desolación, donde todo es más salvaje, donde casi no ha llegado el ser humano. Me han contado de un lugar donde hay grutas, y en las grutas, pinturas rupestres maravillosas...

—Puede ser —digo. Y opto por no hablarle más del asunto.

Una nueva. Me lee el menú. Si hay algo que me rompe las bolas es que alguien me lea el menú. Le digo y le insisto.

—Dejá, Adri. Dejá que yo leo el mío.

Pero ella parece no oírme.

—Tenés filet de pejerrey a la plancha. Albóndigas con salsa de tomate, bifes a la criolla...

Después sigue con las entradas, pasa a los postres y continúa con los vinos. Por suerte el salón comedor Don Tito no tiene un menú demasiado extenso pero de cualquier modo, cuando Adriana termina, lo debo leer todo de nuevo porque mientras ella lo hace como un servicio que brinda a la comunidad, yo me bloqueo y no la escucho.

Siento como si me fuera subiendo una furia sorda y debo contar hasta tres antes de putearla. Cosa que nunca he hecho, no haré y que ella no merece en lo más mínimo porque todo lo que hace lo hace por mi bien. Pero no aguanto que haga eso. En algún momento tendré que decírselo si es que deseo que esta relación prospere. Ahora me lee lo de las "croquetas de arroz", vocalizando como si me estuviera leyendo una estrofa de "El cantar de los cantares". No quiero ser brusco, pero le pido que la termine.

Hoy salimos a caballo por la playa. Calculo que desde que yo tenía doce años en La Cumbre no me subía a un caballo. Adriana estaba encantada. Creo que nunca me he aterrorizado tanto. Para colmo ella montó y se lanzó al galope, gritando de alegría, como en más de una película le he visto hacerlo a Clint Eastwood. Mi caballo, manso según los antecedentes que exigí al dueño del hotel, vio correr a su compañero y se lanzó tras él en aras de una mal entendida fidelidad. Se dice que el caballo es el mejor amigo del hombre. En este caso era claro que el mejor amigo de mi caballo era el otro caballo.

Yo le había pedido a Adriana que no corriera. Al menos al principio, hasta que yo le tomara la mano a la cosa. Pero no, llevada por el entusiasmo se lanzó a galope tendido como un lancero de Bengala.

Pensé que me mataba. Dos veces me pegué la boca contra el cogote del animal y tres veces tuve que aferrarme a las crines para no caerme de cabeza hacia atrás. Creo que di unos alaridos de advertencia, clamando por ayuda, pero entre que había perdido los estribos y me bamboleaba hacia todos lados como un muñeco inanimado, no puedo recordar mucho de lo que pasó. Guardo sólo la sensación de riesgo inminente, la cercana presencia de la muerte y la convicción de que me caería de cabeza sobre la playa para romperme la columna vertebral en mil pedazos y quedar en silla de ruedas como Christopher Reeve, el desafortunado intérprete de Superman.

Pude abrazarme al cuello del caballo cuando ya me caía y el animal se detuvo solo, cansado tal vez de su inusual corrida. Se dice que el caballo es el animal más inteligente pero a mí me parece un pelotudo. Ni se dio cuenta de que yo no sabía cabalgar, ni se percató de mis alaridos de horror, ni tampoco tuvo el más mínimo gesto de solidaridad cuando permanecí agarrado a su pescuezo, poco antes de caer sentado sobre la playa.

Los perros al menos —ese perro peludo que faltó a la cita de las caminatas junto al mar— suelen tener el gesto de un lambetazo amigo en la cara de uno, de acercarse a olfatear el olor de la adrenalina.

Este caballo, ni eso. Se alejó un par de pasos, agitó la

cola y comenzó a comer unos yuyos casi secos que allí había. Adriana llegó al galope, entre divertida y alarmada.

—¿Qué te pasó? —me dijo. Preferí no contestar. No hubiera podido, de todos modos, porque estaba recuperando el aliento y, para ser sincero, me moría de bronca.

Canta para la mierda. Ésa es la verdad. Canta mucho, dice que le gusta el jazz, pero canta para la mierda. Tuve que soportar todos sus intentos de acertarle a alguna canción durante las tres horas que nos llevó el paseo en coche hasta Las Toscas, un villorrio fantasmagórico al sur de donde estábamos.

Le preguntamos al dueño del hotel por algún lugar para ir a visitar ya que el día estaba lluvioso e hizo un gesto de total ignorancia, encogiéndose de hombros.

Luego, tomó un folleto en blanco y negro y nos lo dio. El folleto mencionaba como sitio de visita una escuelita rural donde había estudiado Martín Anselmi, fundador de Las Toscas, describiéndolo como "pintoresco pueblo de pescadores".

Había allí, sí, un mercado, una granja en realidad, donde se vendía pescado y latas de conserva. Los pescadores habían salido al mar y se estimaba que volverían al día siguiente, con suerte. No debían estar muy deseosos de volver a ese caserío.

Pero en todo el trayecto en auto hasta allí, Adriana no cesó de canturrear. Me costó casi media hora darme cuenta de que lo que estaba intentando cantar era "Yesterday" cuando yo había estado convencido de que se trataba de algún añejo tango de Pascual Contursi. Me dijo que lo que realmente la enloquecía era el jazz moderno. Entiendo que ha elegido ese rubro a título de defensa. Cualquier boludez que se tararee encaja en el jazz moderno.

Un día Ana, mi ex mujer, me arrastró a ver el Quinteto Moderno de las Pelotas o algo así, un conjunto rosarino que hacía según ella el mejor jazz moderno que había escuchado en su vida. Luego de casi cuatro horas salí sin poder tararear absolutamente nada y hasta los huevos de Charlie Parker y sus geniales improvisaciones.

Volvimos al hotel y quedaban casi tres horas hasta el momento de la cena. No sé qué hacer para matar el tiempo. No me explico por qué acordé con Adriana buscar un hotel sin televisión en las habitaciones. Y un lugar donde no llegaran los diarios.

—Alejados del mundo, Alberto —había dicho ella, soñadora—. En una especie de cápsula, sin recibir noticias sobre la corrupción, ni sobre la guerra en Kosovo ni sobre nada. Nada de nada.

Hay, sí, un televisor en el hotel, abajo, el que mira la prima del dueño. Es a color, pero a cada momento se le estruja la imagen y se le cruzan miles de rayas que se encogen y curvan, como si sufriera retortijones, le doliera algo. Cuando mejora la imagen, uno puede ver episodios de "La Familia Ingalls" o de "La isla de Gilligan" completos.

—Vamos a caminar por las dunas —se entusiasma Adriana, tomándome del brazo. Estoy olímpicamente roto las bolas de caminar por las dunas. Se me llenan de arena las zapatillas. Me duelen los músculos de las piernas de tanto caminar por la arena.

—Eso es por no hacer nunca ejercicio —me regaña Adriana, mimosa. Prefiero no contestarle. Faltan dos horas, 55 minutos y 32 segundos hasta la hora de la cena.

Otra nueva: pretende darme de comer en la boca. No miento, quiere darme de comer en la boca. Fuimos al Don Tito.

—Parece rico ese puré —le comento, por decir algo, dado que algunos temas se nos estan agotando. Acumula puré sobre su tenedor y me lo alcanza.

—Probá —me indica. Si hay algo que detesto es que me den de comer en la boca, aunque sea para probar algo mínimo y riquísimo. Me echo atrás.

—No, gracias —digo. Ella insiste, el tenedor con el puré en alto, como para clavármelo en un ojo.

—Me lo vas a clavar en un ojo —le advierto. Se ríe.

—Qué tonto —me dice, sin bajar el puré. Opto por comerlo, mirando a las otras dos o tres mesas con gente que nos observa, atraída por la risa de Adriana. Tiene linda risa. Pero un poco injustificada a veces. Se ríe por pavadas. Le causan gracia cosas que no tienen nada de graciosas, como que las empanadas tengan aceitunas, que un velador tenga la lamparita quemada, o que un gato esté sentado en una silla.

Hoy llegué a una conclusión estremecedora. Faltan seis días para volver a Rosario. ¡Seis días! Una eternidad.

Procuro en las mañanas despertarme tarde para acortar el día, pero ella me despierta bien temprano para "aprovechar el sol" según dice.

Anoche argumenté un desarreglo estomacal para justificar el hecho de quedarme durmiendo. Lo aceptó convencida, y hoy por la mañana se fue sola a la playa.

De todos modos me desperté a las siete, como cuando voy a trabajar.

No sé qué inventar para matar el tiempo. Ayer logré convencerla de ir hasta Faro Salitre, un sitio donde dicen suelen llegar las ballenas a aparearse. Claro que eso es en junio pero le dije a Adriana que tal vez una pareja hubiera decidido hacerlo clandestinamente en noviembre.

Luego de tomar algo de sol frente al hotel fuimos hasta allí, 120 kilómetros al sur. Adriana se empecinó en manejar. No lo hizo mal pero me dejó el volante totalmente cubierto de bronceador al aceite. No quise ser duro con ella pero le rogué que la próxima vez se quitara el bronceador de las manos. Me enferma tocar un volante cuando está grasoso.

Me enferma, realmente.

No estuvimos más de veinte minutos en Faro Salitre. Había un viento espantoso y si había ballenas, no habían decidido mantener sexo explícito frente a terceros. Si habían estado allí alguna vez por otra parte, habían abandonado rápidamente la zona, dándome un ejemplo a seguir.

Durante el almuerzo decidí proponerle a Adriana acortar las vacaciones, con alguna excusa concerniente al trabajo. Que por ejemplo me habían llamado desde la empresa, mientras ella no estaba en el hotel, reclamándome. Me haría el mustio, el contrariado. Esperé al café para decírselo, pero ella se me adelantó. Se quedó mirando lánguidamente al vacío, y luego suspiró.

—Me quedaría aquí para siempre —dijo—. Bah... No, tal vez, para siempre. Pero sí dos meses, tres meses, una temporada...

No me atreví a decirle nada. Me aboqué a pensar qué podríamos hacer hasta la noche.

No la soporto más, es indudable. Se torna francamente estúpida por momentos con esa postura de mujer informada. Y no aguanto que me colme de atenciones, que esté siempre pendiente de mí, que me mime.

Insiste en que pruebe la comida de su plato, en explicarme el menú y no sólo eso, ahora se empecina en leerme párrafos enteros del libro *El mundo de Sofía*. Termina de leer esos fragmentos, apoya el libro sobre su pecho, mira el horizonte y dice: "Qué maravilla, qué maravilla".

Me sorprendo pensando en la posibilidad de que se ahogue. Me ocurrió esta mañana. Ha desistido ya de arrastrarme al mar. Estuve dos días con un resfrío mortal por meterme en esas aguas de deshielo.

Hoy ella corrió como siempre y se zambulló en el mar como si nada. Desde adentro me gritaba: "¡Vení! ¡Vení, está lindísima!". Una nueva trampa. No caí en ella. Pero imaginé que una ola la tapaba y se la llevaba mar adentro, hacia las profundidades abisales donde hay peces con ojos luminosos. De sólo pensar esa posibilidad experimenté una tranquilidad maravillosa.

Imaginé volver solo en el auto, escuchando en la radio audiciones de fútbol, sin tener que aguantar el olor al perfume ese que usa y que huele a agua estancada.

Imaginé, también, que la atrapaba un tiburón. No uno común, chiquito, de ésos que se pescan en el espigón de Necochea. No. Un tiburón como los de la película, uno gigante, de los blancos, que se la pudiera comer en dos bocados, que no le diera tiempo de gritar, pedir ayuda o leerme el menú.

¿Qué haría yo si ella pedia ayuda, por ejemplo, en cualquiera de las dos ocasiones, tanto frente a la vorágine del oleaje como entre las fauces del formidable escualo? Supongo que me debatiría en la duda de correr en su auxilio o quedarme en la playa. Nunca hay nadie en la playa, ningún testigo indiscreto podría culparme. Lo cierto es que no hay tiburones de ese porte en las aguas frías. A lo sumo podía fantasear con la esperanza de un calambre. Aunque quedaba siempre la posibilidad de los acantilados. Hay algunos, no muchos, camino a Las Toscas.

Lo pensé la vez pasada, cuando ella insistía en aproximarse peligrosamente a sus bordes, desestimando mi reconocido vértigo, en tanto hablaba de Dover, de Irlanda, de las leyendas celtas y todas esas pelotudeces.

Supe que no iba poder empujarla, por ejemplo, pero que me hubiera gustado hacerlo. O vi incluso unas rocas algo sueltas, pero no le avisé, como dejando todo supeditado en definitiva al arcano designio de la fatalidad en el caso de que ella las pisara y se fuera de cabeza al abismo, flameando el pañuelo lila que usa en el cuello, agitando en el aire las manos impregnadas de aceite bronceador N-40.

Ahora está junto a mí, que simulo dormitar, y me habla como a un chiquito. Entrecierra los ojos, frunce la boca como en un piquito y me habla como si hablara con un nenito de tres años, meneando un poco la cabeza. Me pregunta si estoy bien, si tengo frío, si tengo hambre, si tengo sueño, si tengo sed, si hay algo que me gustaría hacer.

Confieso que no lo hace a menudo. Es más, es la primera vez que lo hace pero querría matarla, retorcerle el cogote, estrangularla con mis propias manos. Es notable cómo un hombre manso y bueno como yo puede albergar ese tipo de sentimientos presionado por la convivencia obligatoria. El mar no me ayuda, los tiburones tampoco, los acantilados permanecen firmes. Resoplo y no le contesto.

Me aterroriza algo que comenta después. Programa cosas para hacer juntos a nuestra vuelta, en Rosario.

—Podríamos ir a ver al Conjunto Rosarino de Jazz —propone, entusiasta. Resoplo de nuevo. Creo que preferiría agarrarme los huevos con una prensa.

Sean diez días, seis o dos, por otra parte, la finalidad ya está cumplida. Contreras debe tener una úlcera perforada y Goñi se habrá encargado de contarle mi aventura a todo el mundo. Sería un poco tonto volverse antes, como si uno no hubiese, en verdad, disfrutado. No puedo creerlo, faltan todavía cinco días.

Respiro mejor y creo que hasta se me ha pasado el resfrío. Me sacudo de alegría en el asiento pensando que podré encontrarme con los muchachos a comer algo o sentarme durante horas frente a la computadora de mi departamento a jugar juegos de guerra como "Civilización II" o "Age of Empire". Con un poco de suerte llegaré a Rosario con tiempo como para elegir un buen programa de cine para ir a la noche. No me atreví, en definitiva, a decirle nada a la pobre Adriana. No es mala, después de todo.

Me desperté a las cinco de la mañana y me escapé con lo puesto. Ya a la noche le había comentado al dueño del hotel que debía irme de improviso, pero que le dejaría la habitación paga hasta el domingo, si es que ella decidía quedarse. Como le gustan tanto las playas desiertas es posible que lo haga.

Tuve que resignar parte de mi ropa, aunque no traje tanta. Quizás ella, de puro buena, me la traiga a Rosario, lo que le resultaría una excelente excusa para volver a verme, si es que no se enoja demasiado por mi fuga. En principio pensé en dejarle una notita prendida a la almohada, como en los tangos, pero luego me pareció un detalle un tanto *demodé*. Por otra parte, no hubiese sabido muy bien qué ponerle. Ojalá se enoje tanto que no me llame. Aunque la veré sin duda en el "Freddy". Espero que en ese momento se me ocurra algo. Hasta ese instante, cuando ella llegue al boliche, podré comentarle a Contreras como al descuido que Adriana no se saca la pulserita del tobillo, ni siquiera para ducharse.

ÍNDICE

OTROS LIBROS DE FONTANARROSA EN EDICIONES DE LA FLOR

Novelas

Best Seller
El área 18
La Gansada

Cuentos

Los trenes matan a los autos
No sé si he sido claro
Nada del otro mundo
El mayor de mis defectos
El mundo ha vivido equivocado
Uno nunca sabe
La Mesa de los Galanes
Una lección de vida
Puro fútbol

Humor gráfico

Inodoro Pereyra 1-25
Boogie el Aceitoso 1-12
El fútbol es sagrado
Fontanarrosa de penal
Semblanzas deportivas
El sexo de Fontanarrosa
El segundo sexo de Fontanarrosa

Impreso en GRÁFICA GUADALUPE
Av. San Martín 3773, CP B1847EZI,
Provincia de Buenos Aires, Argentina,
en el mes de noviembre del año 2001.